S0-BIC-309

Martin Davies

Pochodzi z Anglii, wychował się na północnym zachodzie kraju. Nie używa maszyny do pisania ani komputera, dzięki czemu tworzyć może w miejscach takich, jak kawiarnie, autobusy i wagony metra. Jest zapalonym podróżnikiem, zwiedził cały Bliski Wschód i Indie, a pomysł i ogólny zarys powieści *Ptak z Uliety* zrodził się nad grenlandzkim fiordem. Na stałe mieszka w Londynie i kiedy nie korzysta ze środków komunikacji publicznej, porusza się małym samochodem barwy pomarańczy.

Martin Davies

*P*tak z Uliety

Przełożyła z angielskiego
Urszula Gardner

Wydawnictwo „Książnica"

Tytuł oryginału
The Conjuror's Bird

Opracowanie graficzne
Mariusz Banachowicz

Ilustracja na okładce
© *Eric Chegwin*

Konsultanci
Małgorzata Dacy, Polskie Towarzystwo Geograficzne
dr Robert Prys-Jones, Muzeum Historii Naturalnej w Londynie
prof. Tadeusz Stawarczyk, Muzeum Przyrodnicze Uniwersytetu Wrocławskiego
Mark Young, podróżnik

ISBN 83-7132-826-5
978-83-7132-826-8

Książkę tę dedykuję
Matce – z powodów zbyt licznych,
by je tu wymieniać.

Człowiek bywa nieostrożny; gubi rzeczy,
nawet o tym nie wiedząc.
Na szczęście czasem pozostaje po nich
maleńka cząstka, która pozwala
domyślić się utraconej bezpowrotnie całości.
Dla mojego Dziadka było nią piórko,
dla mnie – twarz.

1

Czwartek w pracowni

Tamtego czwartkowego wieczoru zasiedziałem się przy pracy do późna, tak bardzo pochłonęła mnie preparacja puszczyka. Na zewnątrz panował listopadowy chłód, jednakże oświetlająca pracownię lampa dawała tyle ciepła, że palce miałem śliskie od potu. Doszedłem właśnie do najtrudniejszej części całej operacji, kiedy trzeba niezwykle delikatnie przewlec czaszkę przez wąską szyję, nie uszkadzając przy tym skóry. Oczy łzawiły mi z nadmiaru wysiłku, ale wiedziałem, że wszystko idzie jak z płatka, i już zabierałem się do uwolnienia czaszki, kiedy na zapleczu pracowni rozległ się brzęczyk telefonu. Pozwoliłem mu dzwonić. Było zbyt późno, by ktoś ze znajomych chciał wyciągnąć mnie do pubu, a poza tym o tej porze nierzadko zdarzały się telefony od wstawionych dowcipnisiów, którzy z pijacką powagą zapytywali, czy mogą przyprowadzić ładną sztukę do wypchania. Nawiasem mówiąc właśnie dlatego zdecydowałem się zdjąć szyld, a nawet poprosiłem o usunięcie moich danych z książki telefonicznej. Zresztą tego wieczoru nie byłem w nastroju do żartów. Telefon dzwonił, a ja nadal pracowałem, dopóki nie przypomniałem sobie o Katii.

Katya była studentką, która jakiś czas temu wprowadziła się do mieszkania na górze. Zawsze wynajmowałem je studentom, ponieważ czynsz był odpowiednio niski. Trudno wymagać, żeby ktoś chciał dużo płacić i oglądać walające się w holu truchła zwierząt. Moi lokatorzy przywykli nie zwracać na nie uwagi, gdyż rekompensatę stanowiła dogodna lokalizacja, a także dlatego że ręczyli za mnie ich koledzy studiujący na wydziale nauk przyrodniczych. Ciekawa sprawa, że studenci potrafią wiele człowiekowi wybaczyć, pod warunkiem że uznają go za buntownika. Mnie wystarczyło jeździć na motorze i nie zgadzać się z obowiązującą teorią ochrony przyrody. Jak widać, na skostniałym wydziale uzurpującym sobie wyłączność na ocalenie świata niewiele potrzeba, żeby młodzi człowieka zaakceptowali.

Mieszkanie na górze było zupełnie samodzielne, toteż z Katią dzieliłem tylko drzwi frontowe i klatkę schodową, a i to rzadko. W ciągu paru miesięcy, od kiedy się wprowadziła, wymieniliśmy raptem kilka uśmiechów i zdawkowych słów. Mniej więcej co dziesięć dni ze Szwecji dzwoniła jej matka, ja skrupulatnie zapisywałem wiadomość w żółtym notatniku i pozostawiałem go u dołu schodów. Od siebie dopisywałem, że może Katya powinna podać rodzinie s w ó j numer telefonu. Kartki z wiadomościami znikały, ale nie ustały telefony od matki. Była uprzejmą kobietą, w trakcie każdej rozmowy walczącą, by nie dać poznać, że ma kłopoty z angielskim i z własną córką. Kiedyś usłyszałem w jej głosie niepokój i zrobiło mi się jej żal. Dlatego choć tak dobrze mi szło z puszczykiem, zdjąłem gumowe rękawiczki i podszedłem do telefonu.

Tym razem jednak to nie matka Katii dzwoniła.

Tym razem w słuchawce rozległ się głos, którego nie słyszałem od czternastu lat. Z ledwością rozpoznany, a jednak tak bardzo znajomy cichy, aksamitny głos.

— Fitz, to ty? — usłyszałem.

— Gabriella — wydukałem stwierdzenie retoryczne, o ile coś takiego w ogóle istnieje.

— Tak — potwierdziła. — Dużo czasu upłynęło...

Nie byłem pewien, czy czyni mi wymówkę czy sama przeprasza.

— Owszem, dużo — z jakiegoś powodu moje słowa zabrzmiały tak, jakbym się bronił. — Ale przecież pisałaś...

— Ty jednak nigdy nie odpisałeś.

— Rzadko pisuję listy.

Choćby bardzo chciała, nie mogła temu zaprzeczyć. Zawsze słynąłem z niechęci do pisania listów.

— Słuchaj, Fitz. Jestem w Londynie, przyjechałam na parę dni, i chcę, żebyś kogoś poznał. Kolekcjonera. Myślę, że zainteresuje cię to, co ma do powiedzenia. Co robisz jutro?

Rzuciłem spojrzenie w kierunku blatu, na którym spoczywały wciąż nie spreparowane doczesne szczątki puszczyka. Cóż, będą musiały poczekać w lodówce na lepsze czasy.

— Zdaje się, że nic specjalnego — zadecydowałem.

— To dobrze. Spotkajmy się o siódmej w barze „Mecklenburga"... No wiesz, w tym hotelu na Oxford Street, tuż obok domu towarowego Selfridges.

Cała Gabby! Dopiero po chwili uświadomiła sobie, że nie co dzień wpadam na drinka do baru ekskluzywnego hotelu.

— Dobrze. A zatem do jutra...

— Cieszę się, że znów się zobaczymy. Jeśli ktokolwiek może pomóc, to właśnie ty. Powiedziałam Karlowi...

— Karlowi? — wpadłem jej w słowo.

— Karlowi Andersonowi.

— Ach tak, kolekcjonerowi. Czytałem o nim. Jakiego rodzaju pomocy potrzebuje?

Nie odpowiedziała od razu, nigdy nie lubiła rozmawiać przez telefon.

— Zaczekaj do jutra, Fitz, a się dowiesz. Na pewno będziesz zainteresowany. Chodzi o Czarodziejskiego Ptaka z Uliety.

Oczywiście miała rację. B y ł e m zainteresowany, i to z rozmaitych powodów. Pozostawiwszy puszczyka ciemnościom pracowni udałem się na piętro, do części mieszkalnej. Stanowił ją obszerny, lecz zaniedbany pokój rozjaśniony delikatnym światłem i pachnący wiekowymi papierzyskami. Łóżko jak zwykle było nie zasłane, a na biurku leżały notatki do książki, której tak naprawdę wcale nie miałem zamiaru napisać. Nic dziwnego, że przykrył je dawno kurz. Cała jedna ściana zabudowana była półkami, na których w równych szeregach stały książki, jednakże nie musiałem niczego sprawdzać. Bez tego wiedziałem, że Gabby ani trochę nie przesadza. Mimo nazwy ptak był jak najbardziej prawdziwy czy raczej powinienem powiedzieć: niegdyś był prawdziwy. Gdzieś nawet miałem szkic artykułu na jego temat, napisany w czasach, kiedy jeszcze zależało mi na sławie.

A teraz, tyle lat później, Gabriella potrzebuje mojej konsultacji. Ona i jej przyjaciel Karl Anderson. Widziałem ich razem na zdjęciu. Wspólny znajomy spotkał ich na jakimś sympozjum w Salzburgu trzy lata wcześniej i uwiecznił na celuloidzie. Gabby opierała się nieznacznie o jego ramię, jak zawsze ciemnowłosa, wiotka i emanująca spokojem. Jak zawsze uśmiechająca się tak, jakby czemuś lub komuś nie dowierzała.

Usiadłem na łóżku i zapatrzyłem się na stojącą w rogu skrzynię. Informacja, jakiej oboje szukali, prawdopodobnie znajdowała się właśnie tam. Prowadzone przez lata obserwacje i pośpiesznie czynione notatki, obecnie nie uporządkowane i wciąż czekające, by nadać im ostateczny kształt. O ptaku dodo, preriokurze dwuczubym, gołębiu wędrownym — utraconych i zapomnianych, podobnie jak moje studia nad nimi.

Porzuciłem jednak rozmyślania o niedoszłej karierze badacza, a moje myśli zajęła Gabby i mężczyzna, którego chciała mi przedstawić. Wiele o nim przez ostatnie lata czytałem, lecz to, czego się dowiedziałem, sprowadzało się do trzech głównych punktów: Karl Anderson wyrobił sobie nazwisko jako spec od znalezisk; na ogół znajdował to, czego szukał; i był tak bogaty, że nie angażował się w poszukiwania osobiście, jeśli stawka nie była naprawdę wysoka.

Niezbyt mi się jako człowiek podobał. Zerknąłem na zegarek i ucieszyłem się stwierdziwszy, że do zamknięcia pubów zostało jeszcze trochę czasu.

Podróże rozpoczynają się na wiele różnych sposobów. Do wizyty w Revesby nakłonił Josepha Banksa sam Cook, któremu nie brakowało doświadczenia, jeśli chodzi o przygotowania do długich morskich wojaży. Toteż latem 1768 roku, dwa miesiące przed początkiem ekspedycji, Banks udał się do rodzinnego hrabstwa Lincoln. Zanim wypłynął z Anglii, jeszcze raz odwiedził pola i lasy, które przez kolejne trzy lata miał przywoływać w pamięci, myśląc o domu.

W letnie miesiące poprzedzające wypłynięcie „Endeavoura" z portu czuła się bardziej samotna niż kiedykolwiek. Każdy letni dzień, który spędziła sama, naznaczony był poczuciem niepowetowanej utraty, zaprzepaszczonej radości. Jakby wbrew napierającej zewsząd niepewności co do swej przyszłości zaczęła malować. Podświadomie pragnęła pochwycić i utrwalić mijające dni, uwieczniając na płótnie ich szczegóły. Mniej dla niej znaczyło zaćmienie Słońca przez Wenus, dla którego między innymi Joseph Banks udawał się w tę daleką podróż, od przemijania pór roku w lasach wokół Revesby.

2

Spotkanie w hotelu

Kiedy dotarłem do hotelu, lało jak z cebra. Gdybym na Oxford Circus zaczekał na autobus, uniknąłbym przemoknięcia do suchej nitki, a tak zjawiłem się mokry i zziajany, ale przynajmniej na czas. Hotel okazał się paskudnym budynkiem; z zewnątrz bryła betonu, w środku zaś, ukryty za obrotowymi drzwiami, pseudoedwardiański sznyt mający sugerować historię sięgającą początków dwudziestego wieku. Przez chwilę stałem na środku holu pozwalając, by woda ściekała ze mnie wprost na dywan, szybko jednak poczułem się skrępowany i podążając za strzałkami skierowałem się do toalety, gdzie podsuszyłem włosy i jako tako je ułożyłem. Po tych zabiegach wyglądałem lepiej, niż kiedy przyszedłem, lecz wciąż pozostawał problem ubioru. Wśród kolegów naukowców miałem się za eleganta, tutaj wszakże prezentowałem się jak ktoś, kto w najlepszym razie wyniesie tylko łyżeczki.

Stałem przed lustrem próbując zebrać myśli. Nie wiedziałem, czego mam się spodziewać po spotkaniu z Andersonem. Ptak z Uliety stanowił zagadkę, jakby Natura chcąc spłatać ludziom psikusa celowo zrobiła magiczną sztuczkę: był ptak, nie ma ptaka. Tyle że zniknięcie było nieodwołalne i stworzenie już nigdy nie pojawi się ani na ziemi, ani w powietrzu. Widzom pozostało rozglądanie się za piórami, które także dawno zniknęły. I nawet Andersonowi nie uda się nic znaleźć, wzruszyłem ramionami do swego odbicia.

Kiedy wróciłem na górę i wszedłem do baru „Rosebery", poprzez gęsty dym papierosowy wyczułem perfumy i skórę. Nie taką, z jakiej uszyto moją kurtkę i buty. Tutaj królowała skóra nowa i kosztowna, pachnąca miękko, o ile zapach może być miękki. Uderzył mnie kontrast woni tego wnętrza i zapachu deszczu, który mi towarzyszył. Poczułem się jakby nie na miejscu pośród schludnych i suchych gości.

Gabriellę zobaczyłem od razu. Siedziała w rogu, tuż nad nią wisiał ozdobny kinkiet wydobywający z półcienia jej twarz, a całości dopełniał otaczający ją dym z papierosa — scena jak filmu. Nic a nic się nie zmieniła. Nadal była szczupła, włosy miała ciemne jak dawniej i wciąż wydawała mi się perfekcyjna. Ubrana w małą czarną w stylu lat pięćdziesiątych pasowała do tego miejsca jak ulał. Zadziwiające, z jaką łatwością zadomowiła się w świecie Chanel; przyszło jej to bez trudu, jak wszystko. Obok niej w obłoku dymu majaczył wysoki blondyn, którego oceniłem na pięćdziesiąt parę lat. Typ nordycki, wyciosany jak z kamienia. Przystojny. Twarzą zwrócony był ku Gabby i mówił coś do niej, żywo gestykulując. Z wahaniem ruszyłem w ich stronę, po drodze mijając grupkę nieokrzesanych Amerykanów udających się na podbój Londynu i jego atrakcji kulturalnych.

Gabby zauważyła mnie pierwsza.

— Witaj, Fitz — przywitała mnie cichym głosem, gdy podszedłem do ich stolika, a ja nagle się na nią zezłościłem za to, że ani na jotę się nie zmieniła, i na siebie, że to zauważyłem. Jeszcze bardziej rozeźliło mnie, kiedy kątem oka zobaczyłem, jak przyodziane w nieskazitelny rękaw garnituru ramię wyciąga się w kierunku mojej prawicy. — Fitz, przedstawiam ci Karla Andersona — powiedziała, jakby konwenanse savoir-vivre'u mogły uczynić tę sytuację zręczniejszą.

Skinąłem mu głową, odwróciwszy się doń zaledwie na ułamek sekundy, i znów patrzyłem na Gabriellę. Była tak znajoma, że aż mnie ściskało w dołku.

— Może usiądziemy? — zaproponował Anderson jakby nigdy nic. — Pan Fitzgerald na pewno ma ochotę czegoś się napić.

Nie mylił się. Musiałem się napić.

Dosiadłem się więc do ich okrągłego stoliczka i włączyłem w rozmowę, która nagle stała się wyczuwalnie kurtuazyjna. Wszyscy starannie unikaliśmy niebezpiecznych tematów. Kelner przyniósł mi w tym czasie piwo i przyjął następne zamówienia. Byłem świadomy bliskości Gabby, tego, że gdybym tylko opuścił rękę pod blat stołu, mógłbym nakryć jej dłoń swoją. Drinki pojawiały się błyskawicznie i równie błyskawicznie znikały; Anderson dotrzymywał mi kroku i zamawiał kolejki dbając, by szklanki nie były ani przez chwilę puste. Obserwowałem go, podczas gdy Gabriella opowiadała o serii odczytów, jakie miała wygłosić w Edynburgu i Monachium. Widziałem wysokiego mężczyznę, na którym miło było zawiesić oko, starszego ode mnie o siedem czy osiem lat — choć trzeba mu przyznać, że trzymał się zadziwiająco dobrze — pełnego charme'u wolnego strzelca, ważną personę w nietypowej branży.

Przy nim Gabriella wydawała się drobniutka jak ptaszek. Jak to możliwe, że przemknęła przez te wszystkie lata nie doznając żadnego uszczerbku, pozostała równie świeża i witalna jak przedtem, zastanawiałem się. Była co najmniej dziesięć lat młodsza od siedzącego obok niej olbrzyma, a jednak pasowali do siebie. Zewnętrznie stanowili naprawdę dobraną parę.

— Czym się pan ostatnio zajmuje, panie Fitzgerald? Pańskie wycofanie się z branży to wielka strata dla nas wszystkich. — Choć Norweg, po angielsku mówił nienagannie, z lekkim tylko akcentem.

— Och, tym i owym — odparłem. — Głównie uczę. „Rys historyczny nauk przyrodniczych", no wie pan, starożytni, wielcy badacze natury, kontrowersje wokół Darwina. Wykłady są obowiązkowe, więc studenci przychodziliby, nawet gdybym nie był w tym dobry.

— A j e s t pan dobry?

— Jestem kontrowersyjny, a to już coś. Pierwszy wykład zatytułowałem „Taksydermia: rzemiosło czy sztuka?" i zawsze świetnie się na nim bawię.

W tym momencie uwagę Andersona odwrócił kelner, dzięki czemu Gabby mogła po raz pierwszy tego wieczoru spojrzeć mi prosto w oczy i powiedzieć tak, bym tylko ja usłyszał:

— Cieszę się, że przyszedłeś, Fitz.

Zabrzmiało to szczerze. Ja jeszcze nie wiedziałem, czy się cieszyć. Dopiero gdy któryś z kolei drink zaczynał działać, Anderson podjął temat, z powodu którego się spotkaliśmy.

— Pewnie się pan zastanawia, dlaczego przeszkadzam w spotkaniu przyjaciół po latach? — Uniosłem brew, by dać mu do zrozumienia, że to dobre pytanie, ale milczałem. — Znam Gabriellę od paru lat, kiedy to miałem przyjemność wysłuchać jej wykładu w Pradze, i od tamtego czasu się przyjaźnimy. Wspomniała mimochodem, że jest pan specjalistą w dziedzinie, która bardzo mnie ostatnio interesuje. Naturalnie jestem także świadom dokonań pańskiego dziadka... — przerwał na chwilę, by odstawić szklankę na podstawkę. Zauważyłem, że umieścił ją idealnie pośrodku. Spodziewałem się, że zaraz usłyszę sztampowy komplement pod adresem Dziadka, jak to często miało miejsce, kiedy o nim przy mnie mówiono, tymczasem Anderson po prostu nachylił się ku mnie i ściszywszy głos wrócił do głównego wątku. — Jestem kolekcjonerem, panie Fitzgerald. Znalazłem się tutaj, gdyż poszukuję niezwykle rzadkiego okazu. Tak rzadkiego, że być może nieistniejącego. Zdaniem Gabrielli pan jest w stanie mi pomóc, nie od dziś wiadomo, że ekspert z pana, jeśli chodzi o wymarłe gatunki ptaków. — Przyjrzał mi się badawczo i zapytał: — Ile pan wie o ptaku z Wysp Towarzystwa zwanym Czarodziejskim Ptakiem z Uliety?

— Niewiele — odpowiedziałem bez drgnienia powieki i zgodnie z prawdą. — Zawsze uważałem, że nazwa jest nieco na wyrost.

Znów rzucił mi to badawcze, pełne napięcia spojrzenie.

— I tu się pan prawdopodobnie myli. — Odchylił się na krześle i bezwiednie potarł czubkami palców potężny kark. — Co pan powie na krótki wykład? — Oderwał palce od skóry i ułożył je na brzeżku stołu, jak uczeń mający wyrecytować zadany temat. Patrzył mi prosto w oczy. — Czarodziejski Ptak z Uliety to najrzadszy ptak, na jakiego człowiek się kiedykolwiek natknął. Widziany tylko raz, w 1774 roku na morzach południowych, przez drugą wyprawę kapitana Cooka podczas rutynowego zbierania okazów na wysepce wówczas zwanej

Ulietą. Udało się schwytać jednego osobnika, którego uznano za przedstawiciela dotychczas nieznanego gatunku. Okaz został spreparowany przez Johanna Forstera i przywieziony do Anglii. Nigdy później nie znaleziono drugiego takiego ptaka, ani na Uliecie, ani gdziekolwiek indziej. Był już wymarły, zanim go odkryto. — Pozwolił oczom oderwać się od moich, po czym zaczął śledzić spojrzeniem swój palec wskazujący, którym od jakiegoś czasu rozcierał na blacie stołu kropelkę wody. Teraz w zamyśleniu nadawał jej kształt litery X. Nie patrząc na mnie mówił dalej: — Z pewnością nie powiedziałem nic, czego pan by już nie wiedział. Po powrocie do Anglii Johann Forster pozbył się spreparowanego okazu. J e d y n e g o okazu. Och, z pewnością nie zdawał sobie wtenczas sprawy z rzadkości tego ptaka. Tak samo jak młody przyrodnik Joseph Banks, w którego posiadaniu okaz się znalazł.

— Podniósł wzrok, a kiedy na mnie spojrzał, dostrzegłem w jego oczach podniecenie, którego wcześniej tam nie było.

— Dwieście lat temu jedyny okaz Ptaka z Uliety zniknął z kolekcji Banksa. Nikt nie wie, jakie były jego dalsze losy. Moim zdaniem najwyższy czas, by ktoś go odnalazł, zgodzi się pan ze mną?

Znacznie później uświadomił sobie, że odkrycie i wiedza mało mają ze sobą wspólnego. Tego lata kiedy udał się do Revesby, panował nieziemski upał, lecz mimo to Banks myślami zwracał się ku morzom południowym. Podróż wskroś Anglii była długa i męcząca, lecz świadomość, że „Endeavour" jest już prawie gotów do wypłynięcia, odwracała jego uwagę od niewygód. Wkrótce miał udać się w podróż swego życia! Wszakże pokonując kolejne mile angielskiego krajobrazu coraz baczniej przyglądał się kształtom i cieniom, które po drodze mijał. Kiedy był już prawie na miejscu, serce zaczęło bić mu żwawiej, a oczy wypatrywały z niecierpliwością widoku domu.

Dostrzegłszy go w końcu, odniósł wrażenie, że otwarta na oścież brama i stary budynek witają go radośnie niczym syna marnotrawnego. Z początku wydało mu się, że omszała bryła kamienia jest niezamieszkana, jednakże gdy zbliżył się na tyle, że w domostwie usłyszano jego powóz, zewsząd wyroili się ludzie, by go powitać. Znajome przyjazne twarze, na których radość z jego powrotu mieszała się ze smutkiem z powodu rychłego odjazdu. W dniach, które nastąpiły, udział dziedzica w wyprawie był głównym tematem rozmów, a wszyscy starali się z ufnością mówić o jego bezpiecznym powrocie. Poznać jednak było, że w równym stopniu się oń niepokoją, co są zeń dumni. Pierwszego wieczoru urządzono przyjęcie z tańcami. W jasno oświetlonym domu kręcili się dżentelmeni z pałającymi od wina i harców policzkami, którzy kordialnie poklepywali Banksa po plecach życząc mu powodzenia i czyniąc przypochlebne uwagi na temat jego świetnej formy. Nie mylili się; czuł, że przepełnia go energia i chęć do życia, ze swadą rozprawiał o wielkich odkryciach, a kiedy porywała go muzyka, tańczył do upadłego. Córki zaproszonych gości zlewały mu się w jedną plamę: połyskliwe jedwabie, miękkie dłonie, szepty za jego plecami, pełne podniecenia i przewidywań. Wiele godzin później, kiedy nadszedł dzień, a wraz z nim wszechobecny upał, szukając ciszy i chłodu udał się na pieszą wycieczkę do lasu.

Wyczuł jej obecność, jeszcze zanim ją spostrzegł. Z początku była jedynie mignięciem w oddali, jakby łania pojawiła się i znikła na krawędzi jego pola widzenia. Później napotkał na swej drodze połamane gałązki i delikatnie zgniecioną trawę. Wreszcie ujrzał ją stojącą na tle drzew na skraju łąki, była wszakże zbyt daleko, by mógł rozróżnić rysy jej twarzy. Stąpała z lekkością, prześlizgując się pomiędzy wybujałymi źdźbłami trawy, to niknąc w cieniu, to znów pojawiając się w słonecznej plamie. Zmrużonymi przed rażącym światłem oczyma obserwował, jak niczym biała nić ceruje przestrzeń rozciągniętą między czarnymi zda się pniami drzew a soczystą zielenią łąki.

Przy pierwszej sposobności zaczął o nią wypytywać; naj-
sampierw dane mu było poznać tylko jej imię. Wracając tego
wieczoru do domu przywoływał w myśli pełen gracji sposób,
w jaki się poruszała, i jego ciekawość rosła. Wokół nastawała
aromatyczna, ciepła letnia noc. Zanurzając się w narastającą
ciemność wciąż myślał o niej.

Jeśli nawet była świadoma przyjazdu Banksa do Revesby,
nie zajmował jej myśli. Tego lata całkowicie pochłonął ją las,
w nim znalazła ucieczkę. Każdego dnia zręcznymi ruchami
dłoni szkicowała to, co odsłonił w swej szczodrobliwości,
a każdy rysunek stanowił samoistny akt ocalenia, dzięki któremu udawało jej się zachować to, co znała i kochała. Nie spodziewała się, że sama zostanie odkryta. Odkrycie bowiem to
nie wiedza — przypadek ma tu zbyt wiele do powiedzenia.

3

Projekt Arka

Anderson odrobił pracę domową. Na temat Ptaka z Uliety znał wszystkie fakty, jakie były do poznania. Czyli prawdę mówiąc nie tak znów wiele. W maju 1774 roku kapitan Cook dopłynął na „Resolution" do Uliety. Była to mała wysepka, jedna z wielu rozrzuconych na błękitnych wodach Pacyfiku. Wokół niej z fal wynurzały się podobne miniaturowe lądy, które przyjęto określać wspólnym mianem Wysp Towarzystwa. Cook nie zabawił tam długo, ot tyle, by dokonać paru napraw i wymienić towary z tubylcami. Pierwszego czerwca, nie bacząc na piekielny upał ani zaburzenia żołądkowe, jakie nękały załogę, Johann Forster, przyrodnik z zawodu i tyran z charakteru, wymógł wysłanie na brzeg ekspedycji mającej na celu zebranie jak największej liczby okazów. Jeszcze tego samego dnia zabito wiele ptaków, lecz spośród wszystkich Forster nie potrafił zidentyfikować tylko jednego. Zapisawszy swe obserwacje, przekazał ptaka synowi Georgowi (jednemu z artystów towarzyszących wyprawie), który wykonał kolorowy szkic. Następnie ptak został oprawiony, a zdjętą skórkę pozostawiono do wypchania.

Dla obu Forsterów, ojca i syna, dzień niczym się nie różnił od wielu innych podczas wyprawy. Trzeba było zebrać jak najwięcej okazów, opisać je, narysować i wypchać. Współcześnie nikt by o tym dniu nawet nie pamiętał, gdyby nie to, że nie rozpoznany przez Forstera ptak okazał się jedynym przedstawicielem gatunku. Nigdy i nigdzie nie natknięto się na podobny okaz. W połowie dziewiętnastego wieku na Ulietę udał się Andrew Garrett, lecz Czarodziejskiego Ptaka z Uliety nie odnalazł. W późniejszych latach próbowali tego i inni, wszyscy z tym samym skutkiem. Nigdy się nie dowiemy, czy gatunek był niegdyś szeroko rozprzestrzeniony. Nigdy nie poznamy jego głosu, nie zobaczymy gniazda, żaden ornitolog nie będzie obserwował jego tańca godowego. Wiemy tylko, że okaz, który Forster miał w rękach, musiał być jednym z ostatnich, jakie wtedy jeszcze żyły. Gdyby ekspedycja Forstera wybrała inną ścieżkę bądź gdyby jeden z marynarzy miał mniej celne oko, wygaśnięcie całego gatunku przeszłoby nie zauważone. Zniknąłby z powierzchni planety, a ludzkość nawet by się nie dowiedziała, że kiedyś w ogóle istniał.

Obecnie nawet nazwa ptaka pozostawia wiele do życzenia. Forster ochrzcił go *Turdus badius*, która to nazwa po dziś dzień doprowadza do łez anglojęzycznych studentów ze skatologicznym zacięciem. Inny przyrodnik, Latham, badający spreparowanego ptaka w Londynie, nadał mu nazwę precyzyjniejszą: *Turdus ulietensis*, a w opisie zaproponował nazwę rodzimą „drozd rdzawogłowy". Piszący o okazie dwieście lat później James Greenway podał w wątpliwość jego pokrewieństwo z drozdami i nazywał go po prostu Czarodziejskim Ptakiem z Uliety, co okazało się nazwą dobrą jak każda inna.

Kiedy wyprawa Cooka zawinęła rok później na powrót do wybrzeży Anglii, kolekcja Forstera stanowiła jego własność i mógł nią rozporządzać wedle woli. Będąc po uszy w długach, przyrodnik zwrócił się do kolegi po fachu, Josepha Banksa. Młody i zamożny, odnoszący sukcesy Banks wspomógł Forstera i w zamian otrzymał okazy. Jednym z nich był Ptak z Uliety, o czym wiemy stąd, że w latach siedemdziesiątych osiemnastego wieku Latham widział go wśród bogatej kolekcji Banksa i wyszczególnił w swym dziele zatytułowanym „Przegląd gatunków ptaków". I całe szczęście, gdyż od tamtej pory wszelki słuch o unikatowym ptaku zaginął. Podobnie jak wcześniej cały gatunek, okaz po prostu wyparował.

Niejednego korciło, by zakwestionować sprawozdania Lathama, a nawet Forstera; niewątpliwie wszystko stałoby się znacznie prostsze, gdyby uznać, że ptak, którego badali, był zwykłą odmianą jakiegoś innego, bardziej pospolitego gatunku. Jest jednak pewien szkopuł: otóż w Muzeum Historii Naturalnej w Londynie bezpiecznie spoczywa rycina, którą sporządził Georg Forster, w pełnej krasie ukazująca, jak ptak wyglądał. Każdy, kto zada sobie trochę trudu, może tam pójść i zobaczyć na własne oczy.

Kiedy Anderson skończył mówić, w barze „Rosebery" nie było ani odrobinę luźniej, ale zmieniła się panująca tam atmosfera. Stołki barowe zwolnili ci, którzy wpadli po pracy na jednego i śpieszyli się na pociąg, ich miejsce zajęli stali bywalcy rozpierający się wygodnie w skórzanych fotelach. Niewidoczny pianista uderzył w klawisze i prawie równocześnie przygasły światła. Z oparć zwisały marynarki, krawaty już nie oplatały tak ciasno szyj właścicieli, a obleczone w czarne pończochy stopy ukradkiem wysunęły się z butów i dyskretnie przeniosły na miękkie czerwone kanapy.

Sącząc któregoś z kolei drinka popatrywałem na Gabriellę i Andersona. Oni patrzyli na mnie otwarcie, zapewne szukając śladów reakcji na zasłyszane rewelacje. Musieli się zadowolić uniesioną w zdziwieniu brwią. Nie chcę przez to powiedzieć, że nie poczułem lekkiego podniecenia, ale głównie byłem skonfundowany. Każdy, kto interesuje się wymarłymi ptakami, wie, że jedyny okaz Ptaka z Uliety zaginął jeszcze w osiemnastym wieku. W środowisku czasem się żartuje, że ktoś go kiedyś odnajdzie, a odpowiedzią jest wzruszenie ramion i westchnięcie: „Taak, pewnie niejeden Botticelli jeszcze się poniewiera po strychach..." Lecz nikt przy zdrowych zmysłach nie wierzy, że zagubiony okaz nadal istnieje. Taksydermia nie stała na zbyt wysokim poziomie w czasach Forstera, a ptaki nawet współcześnie nastręczają specjalistom wiele kłopotów. W muzealnych archiwach roi się od zapisków na temat ubożenia kolekcji — osiemnastowieczne okazy najzwyczajniej się rozpadały po siedemdziesięciu czy osiemdziesięciu latach od spreparowania. Ptak z Uliety nie mógł być wyjątkiem.

— Niech mi pan coś zdradzi, Anderson — powiedziałem nagle. — Dlaczego ktoś taki jak pan zdecydował się szukać właśnie tego ptaka?

— Czy zadowoli pana odpowiedź, że jestem zapaleńcem?

— Niezupełnie, poza tym nie wierzę w to. Jest pan człowiekiem interesu. Za słoną prowizję znajduje pan rzeczy ludziom, którzy nie potrafią niczego w pełni docenić, dopóki tego nie posiądą. Zamawiają i płacą żywą gotówką za skamieniałości dinozaurów czy ostatnie żywe okazy gatunków zagrożonych wyginięciem. To jednak nie wyjaśnia, dlaczego pan poszukuje czegoś, co prawdopodobnie rozsypało się w proch dwieście lat temu.

— Prawdopodobnie — powtórzył i obdarzył mnie pewnym siebie uśmieszkiem. — Z drugiej strony, niektóre okazy z tamtych czasów przetrwały.

— Bardzo nieliczne — skontrowałem. — Parę naście sztuk, nie więcej. I Ptak z Uliety raczej się do nich nie zalicza. Joseph Banks był wybitnym naukowcem swojej epoki, nie miał w zwyczaju gubić rzadkich ptaków. Skoro w pewnym momencie okaz stracono z pola widzenia, m u s i a ł się rozpaść. To nie do wiary, żeby przez dwie setki lat nikt się nie pochwalił, że ma najrzadszego ptaka na Ziemi. Gdyby ten okaz istniał, byłyby o nim wzmianki.

Anderson mimochodem nawiązał kontakt wzrokowy z kelnerem i gestem zamówił nam drinki.

— Może ma pan rację, panie Fitzgerald. Ale ja i tak zamierzam go odnaleźć. Prowizja, jak pan to określił, będzie znaczna...

— Doprawdy? — spytałem powątpiewająco. — A kogóż dzisiaj obchodzą wypchane ptaszyska? Nie przeczę, że w światku naukowców by zawrzało, przyrodnicy byliby zachwyceni. Lecz muzea nie mają pieniędzy.

— Z przykrością muszę się z panem zgodzić. Dlatego też nie o rynku muzealniczym myślałem. — I to powiedziawszy zajął się swoim drinkiem. Siedział rozluźniony, jakby temat się wyczerpał.

Pałeczkę przejęła Gabby.

— Fitz, mówi ci coś Projekt Arka?

Przez ułamek sekundy myślałem, że nawiązała do czegoś związanego z naszą przeszłością, i przed oczyma mignął mi równikowy las deszczowy. Wszakże z tonu jej głosu i zawzięcia w oczach wywnioskowałem, że interesuje ją tylko teraźniejszość. Przepędziłem spod powiek obrazy ze wspomnień, w czym pomógł mi donośny bas Andersona. Siedział nadal wygodnie oparty, lecz na powrót włączył się do rozmowy.

— Arka Genów, jeśli chodzi o ścisłość. Projekt zapoczątkował w Kanadzie Ted Staest. Słyszał pan o nim? — Coś mi się obiło o uszy: Kanadyjczyk słynący ze swego bogactwa, jednakże nie pochwaliłem się tą wiedzą. Anderson był w swoim żywiole. — Ted Staest to właściciel wielkiej północnoamerykańskiej firmy farmaceutycznej, naprawdę wielkiej, ma oddziały w prawie każdym kraju. Obecnie Staest zafascynowany jest DNA. Projekt Arka to właściwie prywatny bank informacji genetycznej. Zbieranie materiału rzadkich i ginących gatunków i przechowywanie go. Staest zainwestował w DNA tak, jak ja czy pan byśmy zainwestowali w dzieła sztuki czy antyki. Ma nadzieję, że wartość z czasem wzrośnie.

Gabby wyczuła moje niedowierzanie.

— To prawda, Fitz. Wiem, że brzmi jak pomysł z opowiadania science fiction, ale już rozpoczęła się przepychanka, komu należą się prawa do kodu genetycznego. Wprawdzie na razie nawet farmaceutyczne molochy nie są w stanie przewidzieć jego rzeczywistej wartości, ale nikt nie chce ryzykować, że zostanie wyprzedzony przez konkurencję. Płacą więc teraz, a zastanawiać się będą potem. Robią wiele szumu w mediach, naukowe ple-ple, odtwarzanie wymarłych gatunków, ale tak naprawdę chodzi im o bioinżynierię.

Bar wydał mi się nagle nieprzytulny, dziwny, obcy. Wielu gości już wyszło, pianista zrobił sobie przerwę, co jak mi się zdawało, powitano westchnieniem ulgi. Rozejrzałem się wokół: dwudziestolatkowie pili drinki, na jakie mnie nie było stać, w świecie, dla którego coraz bardziej szkoda mi było czasu.

— Ale przecież Ptak z Uliety miałby teraz dwieście lat. W starej, wysuszonej skórze nie znajdzie się materiału genetycznego, z którego byłby jakiś pożytek. Mam rację?

Gabby i Anderson wymienili spojrzenia. Anderson wzruszył ramionami.

— Kto ich tam wie? Technologia zmienia się z dnia na dzień... Prawdę powiedziawszy, panie Fitzgerald, nie ma to dla Teda Staesta najmniejszego znaczenia. Jemu chodzi o reklamę. Bardzo go nawiasem mówiąc ujęła historia tego ptaka. „Czarodziejski Ptak z Uliety, zaginiony najrzadszy ptak" trafi bez wątpienia do gazet, a za jego sprawą Projekt Arka. Opinia publiczna stanie murem za Staestem, który przywrócił Ziemi wymarły gatunek, cóż z tego, że teraz opatentowany.

— I to on panu płaci, żeby odnalazł pan ptaka?

— Płaci mi, żebym go odnalazł, z a n i m z r o b i t o k t o i n n y. Chyba pan nie sądzi, że poszukiwania na tę skalę da się utrzymać w tajemnicy. Kiedy otwiera się nowy rynek, wielu ma nadzieję się wzbogacić.

— Zatem — mówiłem powoli, chcąc sobie wszystko dobrze poukładać — zamożny Kanadyjczyk chce odnaleźć nieistniejący okaz ptaka, ponieważ jego zdaniem poprawi to kondycję finansową jego firmy. Dość dziwaczne, ale mogę to przełknąć. Nie rozumiem tylko, co ja mam z tym wspólnego?

Anderson spojrzał na mnie badawczo, nie po raz pierwszy podczas tej rozmowy. Lecz na pytanie odpowiedziała mi Gabby.

— Bardzo dużo. A Karl nie jest jedyny, który tak uważa. Ludzka pamięć jest długa; wiele osób pamięta twoje prace nad wymarłymi gatunkami ptaków i z pewnością chętnie usłyszą, co masz na ten temat do powiedzenia.

Anderson przytaknął.

— Jeszcze piętnaście lat temu pańskie działania znane były każdemu z branży. Wiemy, że zjeździł pan świat odwiedzając muzea i kolekcje, jakim nikt wcześniej nie poświęcił uwagi. Zbierał pan mapy, rysunki, spisy inwentarza, listy i wszystko wkładał pan do swej słynnej drewnianej skrzyni. Czekano, aż opublikuje pan coś, lecz to nigdy nie nastąpiło. Jeśli ktokolwiek jest w posiadaniu informacji mogących doprowadzić do Ptaka z Uliety, pan jest tym kimś.

— Zatem sądzi pan, że pomogę go panu znaleźć?

— Dysponuje pan kontaktami — odparł nie wprost Anderson. — Zna pan ludzi, którzy mogli coś słyszeć. Z pewnością mógłby pan podzwonić tu i ówdzie, dowiedzieć się czegoś...

— A jeśli niczego się nie dowiem?

Perspektywa ta nie zrobiła na nim widocznego wrażenia. Pociągnął ze swojej szklanki, delektując się napojem.

— Jeśli mam być szczery, ja już jestem na tropie. Pomyślałem sobie, że zechce pan do mnie dołączyć. A gdyby udało się panu poszukiwania przyśpieszyć i ułatwić, tym lepiej dla wszystkich, prawda?

— A z jakiegoż to powodu sądzi pan, że w ogóle chcę go szukać? — wpadłem mu w słowo.

Zamyślił się i spojrzał mi głęboko w oczy.

— Ponieważ nigdy nie znalazł pan niczego takiego jak Ptak z Uliety — powiedział spokojnie. — Tyle czasu spędził pan na poszukiwaniach, ale nie znalazł pan nic równie wyjątkowego. No dobrze, muszę przyznać, udało się panu znaleźć parę naprawdę rzadkich okazów, ale nigdy nie napotkał pan takiego, który wedle wszelkich danych dawno przestał istnieć. A znaleźć okaz ptaka widzianego przez człowieka tylko jeden jedyny raz... Niech pan tylko pomyśli!... To pańska szansa, panie Fitzgerald — zakończył odchylając się na oparcie fotela i pozwolił, by jego słowa zapadły mi w duszę. Po chwili dodał: — Jeśli znajdę ptaka, panu może przypaść cała chwała. I oczywiście wynagrodzę poświęcony przez pana czas. Co pan powie na pięćdziesiąt tysięcy dolarów?

Jeśli nawet poczułem niedowierzanie, starałem się tego nie okazywać. Aby zyskać na czasie, pociągnąłem solidny łyk piwa, w głowie dokonując błyskawicznych rachunków. Pięćdziesiąt tysięcy dolarów stanowiło sumę niewątpliwie atrakcyjną, zwłaszcza dla kogoś takiego jak ja. Skoro Anderson lekką ręką chciał mi tyle zapłacić, ciekawe, ile sam na tym interesie zarabiał? Sto pięćdziesiąt, dwieście tysięcy? Nie, to niemożliwe. Nikt by tyle nie zapłacił. Wypchane ptaszyska nie były przecież w modzie.

Odstawiłem szklankę i chcąc uniknąć wzroku Andersona rozejrzałem się za kelnerem. Może nie byłem na bieżąco. W końcu taki okaz byłby jedyny w swoim rodzaju, stanowiłby ciekawostkę, ba! sensację, prawdziwą bombę.

— Nadal nie rozumiem — przyznałem. — Zakładam, że skoro przejechał pan taki kawał drogi, żywiąc zaledwie słabą nadzieję, że poszukiwany okaz jeszcze istnieje, musi być ktoś, kto zapłaci zań każdą sumę. Jak to możliwe, że jest wart tak dużo?

— Nie przeceniajmy jego wagi — zbył mnie uśmiechem i machnięciem ręki. — Owszem, znalezisko byłoby wyjątkowe i Ted Staest zapłaciłby za nie dobrze. Prawda jest jednak taka, że przyjechałem tutaj w zupełnie innej sprawie, a mój rekonesans dotyczący Ptaka z Uliety jest przysługą, jaką wyświadczam Staestowi. Na dłuższą metę może się okazać wartym zachodu klientem, toteż im sprawniej przeprowadzę poszukiwania, tym lepiej. Moje koszta to sprawa drugorzędna.

Obserwowałem go uważnie, kiedy znów poprosił o dolewkę. Niby zachowywał się swobodnie i nie miałem powodu być podejrzliwy, ale... byłem.

— Cóż zatem pana do nas sprowadza, jeśli nie Ptak z Uliety? — zapytałem.

— Och, to i owo — odparł. — Głównie malarstwo botaniczne. Czy zna się pan na osiemnastowiecznym malarstwie botanicznym, panie Fitzgerald?

— Niezbyt — odpowiedziałem zgodnie z prawdą.

— Od jakiegoś czasu jest na topie — poinformował mnie. — Zwłaszcza w Stanach. Mam nadzieję kupić jeden czy dwa obrazy podczas bytności tutaj; mogą się okazać bardzo wartościowe, a przy tym są nietuzinkowe i jak już wspomniałem, jest na nie moda. Idealna kombinacja.

Mówił tak, jakby obrazy jako takie nie miały dla niego żadnego znaczenia, jakby liczył się tylko zysk. Przeniosłem wzrok na Gabby, potem znów na niego.

— Co się z panem stało, Anderson? — zapytałem cicho.

— Niegdyś był pan pionierem. Pamiętam ten wywiad, jakiego pan udzielił zaraz po tym, jak natrafił pan na szczątki plezjozaura. Wtedy emanowała z pana radość, i to wcale nie ze względu na zarobek.

Po raz pierwszy tego wieczoru wydał mi się wyprowadzony z równowagi, lecz odpowiedział mi głosem spokojnym jak zawsze.

— Wszyscy dokonujemy wyborów, panie Fitzgerald. W końcu p a n był niegdyś poważnym naukowcem... — mówiąc to położył rękę na stole, tuż obok dłoni Gabrielli.

Mógłbym powiedzieć, że tym ruchem popełnił swój pierwszy błąd, ale tak naprawdę jeszcze zanim jego dłoń dotknęła dłoni Gabby, wiedziałem, że mu nie pomogę. Ten gest tylko uczynił odmowę łatwiejszą. Wstałem. Ze względu na Gabby postanowiłem postawić sprawę jasno.

— Proszę pana — powiedziałem — w moich notatkach nie ma nic, co mogłoby się przydać panu albo komukolwiek innemu. Zresztą nawet wtedy, piętnaście lat temu, narosła wokół nich niepotrzebna legenda. To tylko papier, mnóstwo zapisków na temat zakurzonych okazów, na których nikomu od dawna nie zależy. Gdybym przyjął pańską ofertę, wziąłbym pieniądze za nic. — Przełknąłem ciężko. Starałem się nie podnosić głosu. — Jest jeszcze coś... Choć nie wierzę, by ten ptak fizycznie przetrwał aż do tej pory, to zakładając taką możliwość, zakładając, że jakimś cudem tak się stało, wzdrygam się na samą myśl, że w jakimś laboratorium by go rozczłonkowano, przetestowano i zanalizowano, naszpikowano chemikaliami w poszukiwaniu kodu genetycznego, który chyba sam David Copperfield musiałby znaleźć. — Przerwałem i starając się nad sobą zapanować, spojrzałem mu prosto w oczy. — Podejrzewam, że z nas dwóch to pan nie docenia jego wartości, panie Anderson.

Odwracając się od ich stolika skinąłem Gabby głową na pożegnanie. Choć minęło czternaście lat, działała na mnie tak samo jak dawniej. Idąc w stronę wyjścia przed oczyma miałem ten sam co zawsze obraz: nieumeblowany pokój, niezasłane łóżko, elektryczny wentylator z wysiłkiem tnący stojące rozgrzane powietrze, a w uszach brzmiał mi dźwięk, jaki ku mojej udręce się z tym obrazem nieodwołalnie wiązał: dźwięk głosu Gabby. Lecz teraz ona była z Andersonem. Dobrze, że w żaden sposób nie byłem w stanie im pomóc.

Na zewnątrz, poza obrotowymi drzwiami hotelu „Mecklenburg", deszcz dawno ustał, choć światło lamp wciąż się odbijało w mokrej tafli ulic. Autobusy jeszcze kursowały, ale zdecydowałem się na spacer, chcąc przetrawić wszystko to, co usłyszałem tego wieczoru. W połowie drogi do domu zaszedłem na kawę do jednego z tych miejsc, które otwierają późną porą, żeby nadal spragniony tłum bywalców pubów miał dokąd pójść, kiedy puby już zamkną. Było jeszcze na tyle wcześnie, że knajpka świeciła pustkami; za dwie godziny będzie napakowana do granic. Zaszyłem się w kącie i rozmyślałem o Gabby: jaka była, jak wyglądała — i co ja w związku z tym czułem. A także jak swobodnie czuł się Anderson u jej boku. W końcu, w miarę jak deszcz zaczynał padać na nowo, moje myśli zwróciły się ku utraconemu ptakowi, który przywiódł ich oboje do mnie. Rzekome poszukiwania Andersona były zbyt dziwaczne, aby je uznać za prawdę. Unikatowy ptak zaginiony w niewyjaśnionych okolicznościach i bliskie zeru szanse, że jego jedyny okaz gdzieś się zachował. Przyznaję, że sama myśl o tym była elektryzująca; niegdyś marzyłem o takim właśnie odkryciu. Ale to przecież niemożliwe... Powinienem był roześmiać mu się w nos, na swoją obronę mam to, że w towarzystwie Andersona odchodziła mnie wszelka ochota do żartów.

Mimo to nie mogłem przestać o tym wszystkim myśleć, nawet gdy wychodziłem z przytulnej knajpki w deszcz. Na szczęście do domu miałem już niedaleko. Kiedy znalazłem się na progu, zastałem frontowe drzwi wyważone, jednakże dopiero po dłuższej chwili zrozumiałem, co to oznacza. Mała szybka pośrodku drzwi rozprysła się w drobny mak; podłoga w holu była zasłana odłamkami szkła. U podnóża schodów siedziała Katya i patrzyła prosto przed siebie.

Ujrzawszy jej twarz po raz pierwszy, uznał, że nie jest piękna. Wyglądała tak, jak opisali mu ją mieszkańcy Revesby: wiotka szatynka o regularnych, ale pospolitych rysach.

Z lekka rozczarowany Banks zatrzymał się na skraju polanki, ciesząc się chłodem, jaki dawały rozłożyste dęby, z otwartej przestrzeni bowiem, gdzie kobieta siedziała rysując, dochodził go zapach nieprzyjemnie rozgrzanej słońcem ziemi. Popołudniowe ostre światło wyraźnie ukazywało jej zgrabną sylwetkę obleczoną w biały muślin, delikatne piegi na gładkiej skórze, zmarszczone czoło, kiedy koncentrowała się na wyjątkowo trudnym fragmencie rysunku. Jej postać, widoczna wśród drzew i cieni lasu, wydawała mu się pełna wyjątkowej gracji i to dla niej wielokrotnie tu powracał mając nadzieję zaspokoić swą ciekawość. Jednakże teraz, kiedy jego leśna nimfa okazała się dziewczyną o cerze zbrązowiałej od promieni słonecznych, zawahał się i byłby odszedł roztapiając się na powrót w cieniu, gdyby w tej samej chwili ona nie uniosła głowy i nie zwróciła spojrzenia w jego kierunku.

Poczuł się zakłopotany. Kobieta była w lesie sama, a on zupełnie otwarcie jej się przyglądał. Pomyślał, że dżentelmen pozdrowiłby ją ukłonem i się oddalił.

A jednak zdecydował się wystąpić w stronę rozsłonecznionej polany, odchrząkując przy tym ze wzrokiem wbitym pod nogi, aby ukryć swe pomieszanie. Dopiero zbliżywszy się do niej podniósł oczy, by zobaczyć, że i ona stoi, zwrócona ku niemu twarzą, a szkicownik trzyma obronnym gestem przy piersi.

— Proszę o wybaczenie, jeślim wzbudził w tobie obawę, pani — powiedział. — Często tędy chadzam, lecz nigdy nie zastałem tego miejsca w tak uroczym towarzystwie. Proszę pozwolić, że się przedstawię. Nazywam się Joseph Banks — wyciągnął do niej rękę.

Przyjrzała się zaoferowanej dłoni, lecz nie ujęła jej w swoją.

— Wiem, kim jesteś, panie — odparła cicho. — Revesby to mała miejscowość. Nawet jeśli chciałoby się kogoś unikać, nie zawsze jest to możliwe.

— Cieszę się więc, że dziś mnie nie unikasz, pani — rzekł i wskazując na szkicownik, dodał: — Wnoszę, że jesteś artystką.

Na te słowa spuściła wzrok, a Banks wyzyskał ową sposobność, by lepiej przyjrzeć się jej twarzy. Kiedy milczenie się przedłużało, zrozumiał, że kobieta nie ma zamiaru mu odpowiedzieć. Mimo to skłonił się i uśmiechnął.

— Z pewnością rychło się spotkamy — postanowił przerwać ciszę. — Mam nadzieję, że zastanę cię w domu, pani, kiedy przyjdę z wizytą do twego ojca.

Podniosła spuszczone oczy i ostro na niego spojrzała. Tym razem przemówiła głośniej, a w jej głosie pobrzmiewały twarde nuty.

— Zdaje się, panie, że nie wiesz, kim jestem j a. Moja rodzina nie przyjmuje gości. Sąsiedzi nas nie odwiedzają, a po prawdzie nie oczekujemy ich wcale.

Odpowiedział uśmiechem i kolejnym ukłonem.

— Zatem żegnam cię, pani — zawiesił głos — do następnego spotkania.

Utkwiła mu w pamięci niczym zadra w ciele. Nie rozumiejąc dlaczego, bezustannie o niej myślał. Czy sprawiły to niezwykłe okoliczności ich spotkania i to, że zawsze widział ją samą? A może pasja, z jaką oddawała się szkicowaniu? Z wolna zaczął podejrzewać, że główną przyczynę stanowiło przeczucie, jakie miał co do jej prawdziwej osoby. Wkrótce złapał się na tym, że rozważa emocje skrywające się pod maską, którą z konieczności przybrała.

Następnego ranka Banks zabrał swą siostrę Sophię do wioski, aby złożyć zwyczajowe wizyty. Otaczały ich ozłocone światłem słonecznym łąki, z których podnosił się ciepły, suchy zapach lata. Na twarzy czuł dotyk rozgrzanego powietrza, a że niebawem czekała go daleka niebezpieczna podróż, radował się tą pieszczotą i tym, że żyje.

Złożyli wiele wizyt, mile spędzając czas. Banks cieszył się obecnością siostry, jej zaś przyjemność sprawiało towarzyszenie mu i wspólne odwiedzanie sąsiadów. Dobry nastrój trwał, dopóki nie doszli do krańca wioski. Sophia odwróciła się, by udać się w drogę powrotną, lecz Banks powstrzymał ją gestem, wskazując na położony opodal mały kamienny dom.

— Słyszałem, że czarna owca parafii słabuje. Mówią nawet, że może umrzeć, Sophio. Chciałbym złożyć wizytę, by zobaczyć, jak się miewa.

— Ależ, Josephie! — wykrzyknęła Sophia ciągnąc go za ramię i przybierając srogi wyraz twarzy. — Od czasu i n c y d e n t u nie wypada składać tu wizyt. A zresztą atak apopleksji pozostawił go obojętnym na sprawy tego świata. Być może nawet obojętnym na własną hańbę...

Lecz Banks nie chciał słuchać. Ująwszy siostrę mocno pod ramię prowadził ją w stronę domu, aż znaleźli się tak blisko, że afrontem byłoby nagle się odwrócić i odejść. Sophia musiała ulec. Drzwi otworzyła im starsza kobieta, która oznajmiła, że panienki nie ma w domu, a pan nie przyjmuje gości.

— Czy siostra byłaby tak dobra i mu przekazała, że byliśmy z wizytą? — zapytał Banks sięgając po swój bilet wizytowy.

— Obawiam się, że w żaden sposób nie można przekazać mu wiadomości.

Banks skinął głową, wciąż obracając w palcach kartonik z nazwiskiem. Chciał powiedzieć coś jeszcze, ale Sophia wbiła mu w ramię paznokcie dając do zrozumienia, że czas się pożegnać.

Tego samego przedpołudnia, kiedy wracali do domu przez okolicę zwaną Slipper Wood, Banks rozglądał się bacznie wokół i w końcu dostrzegł to, czego szukał. Na widok ruchu w oddali oboje z siostrą przystanęli i przypatrywali się tak długo, aż stało się jasne, że obserwują odzianą w biel postać. Na ich oczach zatrzymała się przy pniu drzewa i uważnie mu się przyglądała. Jakiś czas stała bez drgnienia, wreszcie zaczęła się poruszać wokół pnia, z twarzą wciąż blisko przy korze. Okrążywszy drzewo przeniosła się do następnego i powtórzyła rytuał.

— Obawiam się, że to córka mężczyzny, którego chciałeś odwiedzić — rzekła Sophia. — Często można ją spotkać w lesie, samą. Jak się domyślasz, niezbyt to pomaga naprawić jej rodzinie reputację w oczach mieszkańców.

— Ile ma lat? — spytał Banks nie zwracając uwagi na jad w głosie siostry.

— Szesnaście czy siedemnaście... tak sądzę.

Spoglądał w stronę oddalonej postaci jeszcze przez chwilę, choć świecące mu prosto w oczy słońce uniemożliwiało rozróżnienie rysów czy mimiki twarzy.

— Czym się zajmuje, będąc w lesie?

— A niby skąd miałabym to wiedzieć! — parsknęła Sophia. — Zapewne chce zwrócić uwagę przechodzącego dżentelmena. Chociaż z jej wyglądem to mało prawdopodobne... — pociągnęła Banksa za rękaw przynaglając go do powrotu do domu.

Wieczorem dołączył do nich mający praktykę w tej okolicy doktor Taylor. Sophia opowiedziała mu, co widzieli z bratem w lesie, licząc, że znajdzie u niego poparcie.

— W samej rzeczy, ta dziewczyna przysparza nam wszystkim zmartwień — potwierdził stary lekarz. — Odkąd jej ojciec okrył się hańbą, córka unika nas zauważalnie. Kłopoty, w jakie popadła jej rodzina, postarzyły ją i uczyniły twardszą. Niepokoi mnie też, że zbyt wiele czasu spędza sama.

Banks przytaknął w zamyśleniu. Wkrótce rozmawiali już na inne tematy.

Nazajutrz rano odnalazł w gabinecie szkło powiększające i udał się do Slipper Wood, w to samo miejsce, gdzie minionego dnia widział dziewczynę. Nim wyszedł z domu, uporał się naprędce z korespondencją, jednakże tak go zaabsorbowały pisma urzędowe, że całkiem zapomniał o liście, który nie dalej jak wczoraj rozpoczął słowami:

Moja ukochana H...

4

Po włamaniu

Czułem się nadzwyczaj nieswojo siedząc w małej kuchni z tyłu domu i przyglądając się, jak Katya parzy herbatę. Naprzeciwko mnie, przy drugim końcu stołu, siedział młody policjant i zadawał normalne w takich sytuacjach pytania. Nie, nic nie zginęło... Wszystko jest dokładnie na swoim miejscu. Żadnych szkód, żadnych strat. Nic.

— A co z paszportem, książeczką czekową, kartami? Wszystko w porządku? — dopytywał się, a ja czułem się, jakbym był własnym dziadkiem.

— W najlepszym — odpowiedziałem.

— Czy trzyma pan gotówkę w domu?

— Bardzo bym chciał, ale jakoś nigdy nie mam gotówki.

Spojrzał na mnie potępiająco.

— No dobrze, skoro jest pan pewien, że nic nie zginęło... — zanotował coś szybko i popatrzył na Katię, która właśnie niosła nam kubki z herbatą, nieporadnie balansując tacą.

— Domyślam się, że to duże przeżycie dla was obojga — dodał, ale oczywiste było, że słowa kieruje tylko do dziewczyny.

Korzystając z momentu, kiedy odwróciła się po cukier, przyjrzałem się jej baczniej, co nie uszło uwagi policjanta. Odkąd się wprowadziła, niewiele się widywaliśmy i nie miałem okazji dobrze się jej przypatrzeć. Wydała mi się wyższa i szczuplejsza, niż myślałem wcześniej, a także atrakcyjna na młodzieńczy, nieco kanciasty sposób. Ubrana była na czarno, pod kolor włosów, długich i prostych, z grzywką obramiającą jej twarz. Przy poprzednich spotkaniach, gdy mijaliśmy się na schodach, najbardziej rzucił mi się w oczy jej srebrny kolczyk w nosie. Pomyślałem sobie teraz, że to dziwne, iż tak mało na nią zwracałem uwagę.

Gdy odpowiadała na pytania policjanta, dało się słyszeć lekki akcent, jednakże mówiła po angielsku bez zarzutu i przychodziło jej to z taką łatwością, jakby znała ten język od dzieciństwa. Niestety do zrelacjonowania miała niewiele. Wróciła tuż przed północą i zastała wybitą szybę w drzwiach. Od razu zawiadomiła policję i nie ruszała się ze schodów. Niczego nie dotykała. Mieszka tu od dwóch miesięcy. Nie, nie zauważyła nikogo podejrzanego kręcącego się pod domem. Pochodzi ze Szwecji i robi magisterium z historii...

Jej opowieść przerwało piknięcie w kieszeni policjanta.

— To wszystko, co mogę w tej chwili zrobić — powiedział odkładając notes. — I tak sądzę, że to sprawka jakichś dzieciaków. Na pana miejscu zabezpieczyłbym dom lepiej. Moim zdaniem miał pan dużo szczęścia, że nie stało się to znacznie wcześniej, z drzwiami takimi jak te... — pokręcił głową.

Podniosłem się, żeby go odprowadzić, ale siedząca bliżej wyjścia Katya poderwała się również, toteż tylko skinąłem mu na pożegnanie. Po chwili z holu doszedł mnie przyciszony konfidencjonalnie głos policjanta.

— Gdybym był pani kiedykolwiek potrzebny, proszę zadzwonić. Oto mój numer, czynny całą dobę...

Trzasnęły drzwi frontowe i Katya wróciła do kuchni. Klapnęła na krzesło naprzeciw mnie. Ta kuchnia, na dole, z tyłu domu, była wyłącznie do mojego użytku — Katya miała na górze aneks kuchenny — i dziwnie się poczułem siedząc z nią tutaj. Chociaż z drugiej strony, było to przytulne miejsce: stary bojler wydzielał sporo ciepła, a nie do końca sprawny system wentylacyjny wtłaczał powietrze z budynku obok, gdzie mieściły się biura, i przepełniał małe pomieszczenie aromatem kawy nawet o tej nieludzkiej porze. Tego wieczoru reszta domu została zbezczeszczona, w holu i pokojach czuło się najście, tutaj jednak to wrażenie nie sięgało. Prawie całą przestrzeń zajmował duży drewniany stół i to właśnie przy nim siedzieliśmy, pozwalając, by otaczał nas tylko aromat kawy, delikatne światło i cisza. Kiedy w końcu spojrzałem sponad kubka z herbatą, Katya wpatrywała się we mnie przez grzywkę opadającą jej aż na oczy.

— To prawda? — spytała. — Naprawdę nic nie zginęło? Wydawałeś się niezbyt pewien...

Odczekałem moment, zanim jej odpowiedziałem, nie chcąc zrobić z siebie głupca — ani słowami, ani tonem głosu.

— Naprawdę. Po prostu czuję się nieswojo.

— Jasne, to żadna przyjemność, kiedy ktoś obcy łazi ci po mieszkaniu — przytaknęła. — Tyle dobrego, że nic nie zabrał.

Wręcz przeciwnie, pomyślałem. Kradzież można by przynajmniej zrozumieć.

— Zauważyłem coś... — Nagle postanowiłem się tym z nią podzielić. — Coś dziwnego.

— Jak bardzo dziwnego? — spytała przyglądając mi się z natężeniem.

Nawet nie próbowałem jej tego wyjaśniać, dopóki nie znaleźliśmy się na górze i nie stanęliśmy naprzeciw rzędów półek, zasłaniających jedną ścianę mojego pokoju.

— Pamiętasz te czarno-białe filmy, na których detektyw wraca do biura i zastaje je splądrowane? W moim wypadku to coś dokładnie odwrotnego.

Potrząsnęła głową nie rozumiejąc. Nie wiedziałem, jak to lepiej ująć w słowa.

— Przejedź palcem po moim biurku. Co widzisz?

Posłusznie wykonała polecenie, po czym uniosła palec i dmuchnęła na niego.

— Nic. Tylko kurz.

— Otóż to. A teraz zrób to samo z półkami biblioteczki.

Podeszła, lecz zamarła z ręką uniesioną do pierwszej z brzegu półki.

— Tu nie ma n i c. Ktoś starł kurze.

— Rozejrzyj się. Czy wyglądam na człowieka, który traci czas na ścieranie kurzu?

Widok pokoju mówił sam za siebie. Każdy przedmiot, z wyjątkiem tych, których codziennie używałem, pokryty był grubą warstwą kurzu. Krzesła, drewniana skrzynia, nawet fotografia stojąca na nocnej szafce. Jednakże półki były nieskazitelne; ani odrobinki kurzu. Ktoś wytarł je do czysta. Nawet mnie wydawało się to tak absurdalne, że aż niemożliwe. Pierwsza myśl, jaka przyszła mi do głowy, to że jednak coś zginęło, a złodziej tak skrupulatnie zacierał po sobie ślady, że rozpędziwszy się, oprócz swoich odcisków palców powycierał także wiekowy kurz. Ale po pierwsze wśród stłoczonych na półkach książek nie pojawiła się świadcząca o ubytku luka, po drugie znałem swą biblioteczkę tak dobrze, że zniknięcie jednego tytułu nie mogło przejść nie zauważone, nawet gdyby włamywacz zadał sobie trud zastąpienia książki inną, wreszcie nie miałem woluminu wartego, by go ukraść. Ani jedna książka z całej kolekcji nie przedstawiała wymiernej wartości.

Ku swemu zdziwieniu usłyszałem, że Katya chichocze.

— Zatem — z trudem walczyła z ogarniającym ją śmiechem — twierdzisz, że ktoś się tu włamał, żeby posprzątać... — rozejrzała się teatralnie. — No wiesz, nie jest a ż t a k brudno...

Chyba właśnie wtedy ją polubiłem. Może sprawił to jej śmiech, a może umiejętność zachowania dystansu. Wciąż czułem się zaskoczony włamaniem, w głowie szumiało mi od nadmiaru informacji po rozmowie z Andersonem. Potrzebny był mi ktoś, kto by mnie wysłuchał, kiedy z chaosu będę wydobywał swój mały kosmos. Czym prędzej zrobiłem jej więc miejsce, zdejmując leżące na krześle rzeczy, i kiedy zobaczyłem, że wcale nie chce ode mnie wychodzić, zacząłem opowiadać o wieczorze spędzonym w hotelu „Mecklenburg". Lecz wcześniej musiałem jej powiedzieć o książce, której nigdy nie ukończyłem, a która miała stanowić kompendium wiedzy o wymarłych ptakach. Ba! więcej — swoją pisaniną chciałem, choć na moment, ożywić wszystkie te nieszczęsne stworzenia. Opowiedziałem jej o odkryciach, jakie poczyniłem w nieznanych wcześniej kolekcjach, i o rycinach, jakie pierwszy odnalazłem w papierach zmarłych podróżników. W końcu zorientowałem się, że opowiadam jej o samych ptakach: o łaziku południowym, wytępionym do szczętu przez zwykłego domowego kota, i o kormoranie okularowym, który żyłby do dziś, gdyby nie zdobywcy Arktyki i rosyjscy wielorybnicy (pierwsi przez lata mieli jego stada za niewyczerpujące się zapasy jedzenia, drudzy zaś spałaszowali niedobitki w ciągu jednego popołudnia).

Katya słuchała mnie trzymając w dłoniach przyniesiony z kuchni kubek herbaty. Łokcie oparła na kolanach, pochyliła się nieco do przodu — z czego, jak również z tego, że pomagała mi czasem, kiedy zabrakło mi właściwego słowa, wnioskowałem, że jej nie nudzę. Herbatę wkrótce zastąpiła polska wódka, którą przyniosłem z lodówki na dole i rozlałem do dwóch kieliszków. Korzystając z przerwy podszedłem do okna zaciągnąć zasłony; ulica pogrążona była w ciemności, tylko gdzieniegdzie mrok rozjaśniało światło latarni. Znów rozpadał się deszcz.

— Dlaczego nigdy jej nie ukończyłeś? — spytała, kiedy dolewałem jej do kieliszka.

Niełatwo to było wytłumaczyć. Odstawiłem powoli butelkę, nadal prawie pełną, na środek stołu.

— Spójrz — powiedziałem i postukałem palcem w szkło butelki na samej górze, tuż ponad linią alkoholu. — Zaczynając myślałem, że czeka mnie opisanie tej części. — Katya spojrzała na pustą część, stanowiącą mniej więcej jedna piątą objętości naczynia. — Po piętnastu latach, zamiast zbliżać się do końca pracy, byłem od niego dalej niż na początku. Żeby pozostać przy tej analogii: poziom w butelce spada z roku na rok coraz szybciej. Coraz to nowe gatunki znajdują się na skraju wyginięcia. Co gorsza, wciąż jeszcze zdarza się odkryć nowy gatunek, ale na ogół trafia on od razu na listę zagrożonych wyginięciem. Poziom w butelce drastycznie się obniża. Są także puste butelki, o których nawet nie wiemy, że istnieją, gdyż gatunek wymarł, zanim go odkryliśmy. Pewnego dnia po prostu uświadomiłem sobie, że nigdy za tym procesem nie nadążę. Że nie można napisać ostatecznej wersji książki o wymarłych gatunkach ptaków. Jedyne, co można robić, to zapisywać te, o których przypadkiem wiemy. Reszta pozostanie nie zapisana, gdyż jej nawet nie poznaliśmy.

— Nigdy o tym w ten sposób nie myślałam — zmarszczyła czoło Katya. — Ale co to wszystko ma wspólnego z kurzem na twoich półkach?

Opowiedziałem jej o spotkaniu z Andersonem i jego zamiarze wytropienia okazu najrzadszego ptaka na świecie. W pokoju robiło się cieplej. Katya sporadycznie brała łyczek wódki, lecz za każdym razem śmiesznie marszczyła nos. Sprawiała wrażenie zafascynowanej usłyszaną historią; nie ukrywam, że ją rozumiałem — świadomość, że zagubiony okaz będący świadectwem istnienia całego gatunku jest wciąż do znalezienia, działa na wyobraźnię.

— Rozumiem, że jest wartościowy — przytaknęła w zamyśleniu, kiedy tłumaczyłem jej, na czym polega Projekt Arka Genów — ale kwota pięćdziesięciu tysięcy dolarów za nieżywego ptaka wydaje się nieco wyśrubowana.

— To zależy — wzruszyłem ramionami. — Jedna alka olbrzymia byłaby warta fortunę, a jest ich z dwa tuziny. Gdyby tak znaleźć wypchanego ptaka dodo, można by do końca życia nie pracować... — Rzuciła mi niedowierzające spojrzenie. — Daję słowo! Widzisz, do czasów współczesnych zachowały się tylko części szkieletu, kawałki dzioba i takie tam. Nikt nie ma całej, nie uszkodzonej skóry. Możliwe więc, że okaz zupełnie unikatowy jest warty kupę pieniędzy. — Katya wciąż wydawała się nieprzekonana, więc kontynuowałem: — Przedstawia także wartość zupełnie innej natury. Pewnie tego nie wiesz, ale żeby gatunek mógł oficjalnie zaistnieć dla nauki, potrzebny jest t y p opisowy. To znaczy gdzieś musi być przykładowy okaz, taki, który uznano za typowego przedstawiciela gatunku. Bez okazu nie ma typu, a bez typu nie ma gatunku, tak to już jest. Gdybyśmy więc chcieli być stuprocentowo naukowi, trzeba by uznać, że Ptak z Uliety nie jest wymarły. Jego po prostu nie ma, nigdy go nie było. Nie ma szczątków, żadnych kości, piór, nic. Tylko taki sobie rysunek, kilka linijek tekstu i utracony jedyny okaz.

Katya pokiwała głową.

— Ale co z tym mają wspólnego twoje książki? — spytała.

Rzuciłem przeciągłe spojrzenie na biblioteczkę.

— Nie mam pojęcia — przyznałem. — Moim zdaniem żadna nie jest wyjątkowa. Poza tym gdyby w którymś tomie znajdowała się wskazówka, ten ktoś nie zostawiłby go, prawda?

Katya się odwróciła, żeby lepiej widzieć ścianę z półkami.

— Może faktycznie nie zostawił — powiedziała zastanawiając się nad czymś. — Mógł przecież wyrwać kartkę. Należałoby to sprawdzić.

— Taak, tysiąc książek po trzysta stron każda, to daje jakieś...

Spojrzała znów na mnie i oboje wybuchnęliśmy śmiechem, tak szalony wydał nam się pomysł przejrzenia całego księgozbioru.

— Rzeczywiście, może innym razem — rzuciła z ognikiem w oku.

— W innym wcieleniu — poprawiłem ją.

Kiedy tak z nią siedziałem i rozmawiałem, a poziom w butelce opadał, najpierw do połowy, potem do jednej trzeciej, nagle zacząłem widzieć dziewczynę w innym świetle. Cała aż się rozjaśniała dyskutując ze mną, a jej żywotność była zaraźliwa. Od ptaków przeszliśmy do historii i wkrótce rozprawialiśmy o dawnych sposobach prowadzenia dokumentacji i o tym, jak to Czas zabiera nam rzeczy, jeśli nie walczymy o nie. Zanim się spostrzegłem, poczułem do niej sympatię, zwłaszcza że jak się okazało, mieliśmy sporo wspólnego.

— Mój ojciec wykłada historię na Uniwersytecie Sztokholmskim — powiedziała w pewnym momencie Katya. — Kiedyś był z niego prawdziwy historyk, taki, co szpera i znajduje różne rzeczy. W czasach gdy poznali się z matką, rokowano mu wspaniałą karierę naukową. A teraz drepcze z przyjęcia na przyjęcie, nie wychodzi ze studia telewizyjnego i pisze książki, jakie wydawca każe mu napisać. Co drugi dzień udziela komuś wywiadu i nie ma czasu zająć się czymś poważnym. — Spojrzała na mnie wzruszając ramionami. — Nie jestem w najlepszych stosunkach z ojcem. Dlatego właśnie przyjechałam do Anglii. Musiałam się wyrwać spod jego wpływu.

— Czemu więc nie odpowiadasz na telefony od matki?
Moje pytanie wywołało na jej czole zmarszczkę gniewu.
Zawahała się, nim mi odpowiedziała.

— Ojciec rzucił ją, kiedy byłam nastolatką. A ona nawet
o niego nie walczyła... jeśli nie dla siebie, to przynajmniej dla
mnie. Pozwoliła mu odejść, jakby to nic nie znaczyło. — Cóż,
faktycznie miała dobry powód, by nie przepadać za matką.
Wciąż odwrócona bokiem do biblioteczki, wyciągnęła
teraz rękę i palcem przejechała wzdłuż grzbietu jednej z książek. Nadeszła pora pytań; rozmawialiśmy już wystarczająco
długo, by zupełnie naturalne wydało mi się, że następne pytanie zadała ona. — Dlaczego nie przyjąłeś pieniędzy, jakie ci
oferował?

— Gdyby zależało mi na pieniądzach, nie zajmowałbym
się tym, czym się zajmuję. A poza tym chodziło o Andersona...
Nie spodobał mi się jego garnitur.

Usłyszawszy to Katya prychnęła odrobiną wódki, którą
właśnie upiła z kieliszka, i wybuchnęła śmiechem. Śmialiśmy
się nadal, gdy zmiataliśmy szkło w holu i za pomocą rekla-
mówki i pinezek łataliśmy otwór w drzwiach. Domorosłej pro-
dukcji szybka prezentowała się mizernie, ale nam to nie wadziło,
uśmiechaliśmy się do siebie z dumą. To dziwne, włamanie
powinno było mnie przygnębić, a tymczasem czułem się
wspaniale.

— Co za strata — zadumała się Katya, nagle poważniejąc. — A właściwie dlaczego sam go nie poszukasz?

Dopiero po chwili zrozumiałem, że mówi o ptaku. Powoli
pokręciłem głową.

— Nie wiedziałbym, od czego zacząć. Ostatnia wzmianka pochodzi sprzed dwustu lat... Anderson jest zawodowcem,
zna się na takich sprawach.

Z tymi słowami położyłem się spać. Nadal uważałem, że
odnalezienie tego konkretnego okazu graniczy z cudem, toteż
pewność siebie, jaką przejawiał Anderson, wydała mi się nie-
zrozumiała. Ale jeśli to on miał rację? Jeśli ptak przetrwał
w czyjejś zapomnianej kolekcji od czasów Cooka i Banksa?
Robiłem, co mogłem, aby uwolnić się od tej myśli, napomina-
łem się w duchu, że dając Gabby i Andersonowi taką, a nie

inną odpowiedź, dokonałem wyboru i muszę się tego trzymać. Jednakże Anderson wiedział, co robi, mówiąc mi o poszukiwaniach. Wiedział, że dzieło mego życia leży nie ukończone i że nigdy nie odkryłem czegoś tak osobliwego. Ptak z Uliety... Utracony ptak. Ktokolwiek go odnajdzie, przejdzie do historii nauki.

Ciało domagało się wypoczynku, lecz umysł nie chciał dać za wygraną. Czerń nocy powoli przeszła w szarość zimowego poranka, a ja na krawędzi snu i jawy uzmysłowiłem sobie, że jest coś, czego mogę się uchwycić, maleńka, słaba nadzieja, coś, o czym wiem ja, lecz czego Anderson nawet nie przeczuwa. Podjąwszy decyzję, odwróciłem się na bok i dopiero wtedy zauważyłem, że towarzyszące mi od lat zdjęcie leży na nocnym stoliku, jak gdyby ktoś je niechcący potrącił. Wyciągnąłem rękę i ustawiłem je w pierwotnej pozycji, po czym przyjrzałem się fotografii. Kiedy gasiłem lampkę, w pokoju było już prawie widno.

Na miejsce, w którym Banks obserwował ją, jak rysuje, powróciła na trzeci dzień. Znalazłszy się w swym ustroniu, delektowała się nieskazitelnym błękitem nieba i dotykiem rozgrzanego powietrza muskającego jej skórę. Bez trudu odnalazła ten sam powalony konar, który posłużył jej ostatnio za siedzisko, i zapatrzyła się przed siebie. W pewnej chwili gestem tak naturalnym, że prawie niezauważalnym sięgnęła po szkicownik i zaczęła rysować. Wokół niej rozbrzmiały zwykłe dźwięki lasu, które początkowo stłumił szelest jej kroków; pochłoniętej pracą dziewczynie towarzyszyło szemranie pobliskiego strumyka i szum ptasich skrzydeł w gęstwinie.

Miała świadomość tego, że jedynie w lesie może sobie pozwolić na odsłanianie prawdziwego jestestwa. Jako nieodrodna córka swego ojca musiała chronić się przed światem, w którym przyszło jej żyć. Na szczęście tutaj, w lesie, świat ten był co najwyżej nieprzyjemnym pasmem zapachu, który przynosiła i zaraz unosiła dalej letnia bryza.

Nie usłyszała zbliżających się kroków. Wzdrygnęła się więc i raptownie odwróciła, gdy nagły głos rozdarł ciszę. — *Lichen pulmonarius* — rzekł, a jej oczy powędrowały za głosem na skraj polanki. — Tak się nazywa porost żyjący na niektórych drzewach w Slipper Wood — dodał wyjaśniająco i wystąpił z cienia, zatrzymując się na tle soczystej zieleni drzew. Dopiero wtedy dostrzegła, że się uśmiecha. Na zawsze zapamiętała ten widok. I ten uśmiech. — To na niego patrzyłaś, pani — oznajmił bez cienia wątpliwości — gdyż zaobserwowałem go wyłącznie na okrążanych przez ciebie drzewach.

Stanął przy niej z uśmiechem w oczach będącym zarazem powitaniem i wyzwaniem. Kołnierzyk koszuli miał rozpięty, włosy w nieładzie. W lewej ręce trzymał skórzaną torbę, do której zbierał rośliny. Pomyślała, że nigdy jeszcze nie widziała kogoś tak przepełnionego radością istnienia.

— Nie znam nazwy łacińskiej — odparła. — Powiadają na niego drzewne płucne ziele. Jest inny od porostów, wśród których rośnie. Ale mylisz się, panie, twierdząc, że występuje tylko na tych paru pniach.

— Doprawdy? — Postawił torbę pod nogami i uważnie przyjrzał się dziewczynie. Nie wstała, by go przywitać, ani nie unikała jego wzroku. Jeśli nawet ogarnęły ją jakieś emocje na jego widok, nie było już po nich śladu. Mimo to miał nieprzeparte wrażenie, że zanim ujawnił swą obecność, dane mu było przyglądać się komuś innemu. Zaszła w niej trudna do uchwycenia zmiana, jedynie zielone oczy pozostały te same.

— Z wielką uwagą przyjrzałem się każdemu rosnącemu tam drzewu.

Kiedy mówił, fragmentem umysłu rozważał tę inną istotę, samotną młodą dziewczynę rysującą z takim zapałem. Znacznie później, przebywając w krainach, gdzie ludzie po prostu cieszą się życiem i nic ich nie zmusza, by to ukrywali, często wracał do niej myślami. Tutaj i teraz wszelako był niemile świadom, że obserwuje go spokojna i zamyślona nad czymś kobieta.

— Rośnie na dwunastu drzewach w Slipper Wood — przyznała. — Ale z pewnością można go spotkać i w innych miejscach, nawet w parku wokół pańskiego domu, jeśli tylko dobrze poszukać.

— To niemożliwe — potrząsnął głową w odpowiedzi, lecz zaraz przyrodnik wziął w nim górę. — To znaczy, jeżeli się tam znajduje, ja nigdy go nie zauważyłem... Czy to prawda, co mówią, że leczy przypadłości płucne?

Poczuł się niezręcznie stojąc tak przed nią, jakby samą swą obecnością narzucał się dziewczynie, choć ona patrząc na niego błyszczącymi spokojnymi oczyma ani go nie zachęcała, ani też nie starała się zniechęcić.

— Och nie, nie sądzę, żeby tak było — udzielając odpowiedzi powędrowała wzrokiem po otaczającej ich roślinności. — Przekonanie wzięło się stąd, że wyglądem przypomina powierzchnię płuca. Ale to musi być przypadek, zbieg okoliczności. Nie wydaje mi się, by Opatrzność czuła potrzebę tak dosłownego wyrażania swych zamierzeń.

— Muszę przyznać, że jestem zaskoczony. Bardzo mile zaskoczony. Nie spodziewałem się, że w Revesby znajdę kogoś o podobnie rozległej wiedzy.

Nie chcąc dłużej nad nią górować wzrostem, jak również nie mogąc usiąść bez wyraźnego zaproszenia z jej strony, przykucnął obok, dla niepoznaki przebierając palcami po poszyciu, jakby coś go tam zainteresowało. Wiedział jednak, że ten ruch bez względu na pozory zostanie odebrany jako spoufalanie się.

Dziewczyna wstała i zbierając się do odejścia, rzuciła:

— To za wiele powiedziane, panie Banks. Nie czytuję ksiąg, a mój wychowawca nie jest już w stanie mnie uczyć.

— Twój wychowawca, pani? — zapytał podrywając się na równe nogi, zaskoczony ostatnią informacją.

— Mój ojciec — wyjaśniła.

— Oczywiście. Proszę o wybaczenie, nie miałem zamiaru wścibiać nosa w nie swoje sprawy...

— A jednak pańska obecność tutaj świadczy o czymś wręcz przeciwnym — powiedziała tonem nie tyle zimnym, ile obojętnym, który na niego wszakże podziałał jak celnie wymierzony policzek.

— Jeszcze raz proszę o wybaczenie — odrzekł wycofując się niezgrabnie. — Nie zdawałem sobie sprawy, że moje towarzystwo jest ci niemiłe, pani.

Nie uszło jej uwagi, że kiedy mówił te słowa, jego twarz jakby poszarzała. Zatrzymała się w pół kroku, zdziwiona własną reakcją, gdyż sądziła, że jest jej obojętny. To wtedy po raz pierwszy poczuła doń coś innego, czego jeszcze nie potrafiła nazwać. Wiedziała, że powinna się odwrócić i odejść drogą do wioski, wzdłuż niskich domów, których mieszkańcy będą jak zwykle unikać jej wzroku. Wszelako jej zamiarem nie było go zranić, lecz uchronić samą siebie i swe ustronie. Rozejrzała się wokół, całą sobą chłonąc piękno letniego przedpołudnia, po czym skierowała wzrok na Banksa i spojrzała mu prosto w oczy, mimo że uprzytomniała sobie ryzyko, na jakie się naraża.

— Nie przywykłam do towarzystwa, panie Banks. Znam te lasy od dziecka i mam w zwyczaju zwracać uwagę na to, co mnie otacza. Za luksus poczytywałabym możliwość rozmowy, lecz dziś muszę dokończyć szkic. Wkrótce minie sezon na te kwiaty, a tym samym ja utracę szansę, by je narysować.

Z przykrością zrozumiał, że bliższa prawdy jest kryjąca się za tymi słowami i mniej dla niego pochlebna odpowiedź, jaką cały czas obawiał się usłyszeć.

— Ależ naturalnie. Co za gbur ze mnie, że przerwałem pracę nad szkicem. Proszę usiąść — gestem wskazał zwalony konar. — I tak nie ma tu roślin, które by mnie interesowały.

— Siadając, baczną uwagę zwróciła, czy suknia ze wszystkich stron równo opadła do ziemi. Ujęła szkicownik i utkwiwszy weń oczy przerzuciła karty zatrzymując się na tej z niedokończonym rysunkiem. — Zatem żegnam cię, pani, i pozostawiam twej pracy... — zaczął, lecz słowa przebrzmiały, a ona wciąż czuła jego obecność.

Banks nie odszedł. Zamiast tego przysunął się bliżej, żeby lepiej widzieć rysunek w jej ręku. Kiedy popatrzyła na twarz mężczyzny, wyraz, jaki tam ujrzała, ucieszył jej serce.

Tamtego dnia pozostała w lesie do późna. Jasne światło dnia przechodziło już w zmierzch, kiedy postanowiła wrócić do domu. Nie śpieszyła się idąc skrajem pól i w pewnym momencie drogę zaczęły jej oświetlać gwiazdy, które nagle pojawiły się nad czubkami drzew. Kiedy dotarła na drugi kraniec wsi i otworzyła drzwi domu, zawahała się chwilę, nim pozwoliła im się za sobą zamknąć. W wieczór taki jak ten tylko te drzwi w całej wiosce pozostawały zamknięte, broniąc wstępu nocnemu letniemu powietrzu. Za sprawą szczelnie zasuniętych okiennic w środku wciąż panował upał i mrok rozproszony jedynie przez płomyk świecy. Obezwładniło ją uczucie gorąca. Odłożyła szkicownik na pusty stolik stojący w zasięgu ręki i wsłuchała się w ciemność. Na piętrze umierał jej ojciec.

Stała nasłuchując prawie minutę. Z góry dochodziły szepty opiekunki Marthy, która jak zwykle wieczorem myła ojca. W ciągu ostatnich miesięcy nabrała takiej wprawy, że czyniła to szybko i zręcznie; nie stękała nawet przewracając ciężkie ciało. Na granicy słyszalności chrapliwy oddech ojca odliczał godziny i dni, powoli, nieubłaganie. Usłyszawszy to wszystko ze swego miejsca w holu, poczuła ulgę, że nic się w jej życiu nie zmieniło. Jakiś czas potem, z włosami jeszcze mokrymi od kąpieli i luźno rozpuszczonymi, weszła po schodach.

Martha przywitała ją skinieniem głowy i uśmiechem. Kobiety przysiadły po obu stronach śpiącego mężczyzny.

— Dziękuję, Martho — odezwała się w końcu. — Teraz ja się nim zajmę. Musisz przecież coś zjeść.

Starsza kobieta zaczęła zbierać się do wyjścia, lecz zatrzymała się w progu.

— Pan Ponsonby znów tu był, panienko.

Wymieniły szybkie spojrzenia.

— W takim razie cieszę się, że mnie nie zastał.

Zapadła cisza, którą przerwała Martha:

— Od roku nie domaga się czynszu, panienko.

— Wiem o tym — odparła spuszczając głowę. — Nic na to nie poradzimy.

Byłaby powiedziała coś więcej, lecz tego wieczoru marzyła, by ją pozostawiono samą. Po odejściu Marthy siedziała przez chwilę wsłuchując się w oddech ojca. Bywało, że nocą jego wdechy i wydechy przenikały do jej snów, przybierając formę jednostajnego, uspokajającego szumu morza. Czasem zdarzało się, że oddychał ciszej, a ona zaniepokojona zaraz przybiegała, niczym matka do niemowlęcia. Tamtej nocy kiedy go przyprowadzili, spała w swoim pokoju na górze. Pomyślała najpierw, że to alkohol tak na niego podziałał, i czuła się zawstydzona. Dopiero gdy zobaczyła krew na jego włosach i usłyszała, jak go znaleziono, zrozumiała. Pijany wtargnął na obiad do Ponsonbych, skąd wyrzuciła go służba. Potem błąkał się w ciemności i przypadkiem tylko natknęli się na niego dwaj mężczyźni, którzy wiedli konie do stajni w Highwoldzie. Leżał w rowie z głową roztrzaskaną o kamień.

Pozbyła się tych ludzi zaraz po tym, jak wnieśli go na górę, gdyż nie chciała, by oglądali go bezbronnego niczym dziecko. Została przy nim całą noc, zmieniając opatrunki i coraz bardziej się niepokojąc. Rana wydawała się czysta, krwi było niewiele, a jednak ojciec się nie ruszał. Wlała mu do ust nieco brandy, a potem nadaremno czekała, żeby otworzył oczy.

Rankiem przyszedł lekarz, choć po niego nie posłała. To był dobry człowiek — ze świecą szukać drugiego, co by z własnej woli przekroczył ich próg.

— Musisz go karmić — powiedział. — Czymś, co gładko przełknie, nie krztusząc się przy tym. Nie wolno dopuścić, by zmarniał.

Najbliższe dni spędziła w półmroku, gdyż światło słoneczne go niepokoiło. Przełykał, co mu wsuwała do ust, lecz poza tym leżał bez ruchu, nieświadomy jej obecności. Tydzień później ponownie odwiedził ją doktor Taylor, tym razem przyprowadzając opiekunkę. Martha pochodziła z sąsiedniej wsi i niegdyś była piastunką jego dzieci, prawdopodobnie dlatego nie odmówiła mu, gdy zaproponował jej pracę w domu grzesznego poganina.

— Trzeba ci wiedzieć, moje dziecko — powiedział doktor Taylor, kiedy Martha zeszła na dół rozpakować swoje rzeczy — że im dłużej twój ojciec będzie spał, tym mniejsze ma szanse się przebudzić. — Skinęła na to głową, lecz poznał, że go nie zrozumiała. Westchnąwszy postanowił, że powtórzy jej swą diagnozę przy innej okazji.

— Panie doktorze — odezwała się nieśmiało, kiedy już wychodził. — Ojciec pozostawił długi, nie mam czym zapłacić opiekunce.

Spojrzał w jej pełne strachu zielone oczy.

— Ja będę płacił Marcie — rzekł.

— Ale ja nie... — nie dokończyła, błagając go w duchu, by zrozumiał. On wszakże już wkładał rękawiczki, całkowicie zaabsorbowany tą czynnością, i odezwał się jedynie po to, by poinformować ją, że przyjdzie znów, gdy tylko znajdzie wolną chwilę.

Podczas następnej wizyty zastał ją odmienioną. Przywitała go schludnie ubrana, lecz bez uśmiechu na twarzy. Prowadząc go na górę pokrótce opisała stan ojca — niestety bez zmian: ranny pozostawał wciąż w swoim świecie. Jednakże lekarz dostrzegł bladość i zapadnięcie policzków, które świadczyły o nadchodzeniu nieuchronnego końca, co więcej: dostrzegł, że i ona to widziała. Sposób, w jaki dotykała chorego, był teraz delikatniejszy, pełen szacunku, jakby miała do czynienia ze zwłokami; stary lekarz nie raz widział, jak ludzie żegnają się z bliskimi.

— Panie doktorze — szepnęła. — Ojciec może nie wyzdrowieć, prawda?

— Obawiam się, że tak, moje dziecko — odparł żałując, że dziewczyna nie ma matki, która by ją pocieszyła. — Rana głowy była poważniejsza, niż się wydawało na pierwszy rzut oka.

— Jak długo to jeszcze potrwa? — spytała niemal bezgłośnie.

— Nie potrafię powiedzieć. Miałem pacjentów, którzy w podobnym stanie przeżyli wiele tygodni. Niektórzy wrócili nawet do zmysłów. Musisz o niego dbać, to wszystko.

— Oczywiście. Potem zaś... — Zdanie zawisło między nimi nie dokończone. Wymieniwszy kilka grzeczności pożegnali się chłodno.

Wcześniej także wypuszczała się na samotne przechadzki. Nazajutrz po wizycie lekarza zatrzymała się na skraju lasu i pozwoliła słońcu opromieniać twarz, jak gdyby pod wpływem tej pieszczoty jej myśli mogły się uspokoić. Czubkami palców błądziła po wysokich źdźbłach trawy pozwalając, by nieprzyjemne wrażenie szorstkości zawładnęło jej umysłem. Zmuszała zmysły, by zapamiętały układ liści w poszyciu i kształt młodych drzewek pnących się ku światłu. Nie dowierzając swej pamięci, a chcąc zatrzymać te widoki na zawsze, tak by wypełniły pustkę w jej wnętrzu, sięgnęła po ołówek i zaczęła rysować.

5

Rysunek

Ludzi od zawsze fascynowały duchy przeszłości. Wystarczy zajrzeć do pierwszego lepszego archiwum, by znaleźć tam żądny wiedzy tłum próbujący ustalić swych przodków. Wiele osób poświęca weekendy, żeby za pomocą imion i dat mozolnie wypełniać cienie postaci, których tak naprawdę przecież nigdy nie odnajdą ani nie poznają. Hans Michaels nie był wyjątkiem, tyle że jego interesowały ptaki, nie ludzie. Poznałem go przez przypadek. Przeczytał jeden z moich artykułów o kormoranie okularowym i napisał do mnie. Jako że po tym artykule otrzymałem niewiele listów (kogóż obchodzi jakiś tam kormoran!), posłałem mu sążnistą odpowiedź. Parę miesięcy i wiele listów później zaprosił mnie, mając nadzieję, że rzucę okiem na zebrane przez niego materiały. Nigdy nie zapomnę tego spotkania; można powiedzieć, że Hans Michaels utarł mi nosa. Już wówczas byłem specjalistą w swojej dziedzinie, lecz on, zupełny amator, dotarł do źródeł i wzmianek, o których nie miałem pojęcia. Okazał się zawodowcem, jeśli chodzi o dwa czy trzy gatunki, które obrał sobie za przedmiot badań. Przesiedzieliśmy u niego w gabinecie całe popołudnie, jego żona tylko podawała nam herbatę i zaraz zostawiała na powrót samych. Bez żadnych obiekcji udostępnił mi swe bogate materiały, zadowolony, że znalazł kogoś, z kim mógł się nimi podzielić. Niestety jego hojność na nic się zdała, gdyż pomysł opublikowania dzieła swego życia zarzuciłem na długo przed tym spotkaniem. Jednakże teraz przypomniałem sobie, że gdy wychodziłem, zapytał mnie o Ptaka z Uliety. Powiedziałem mu tyle, ile sam wiedziałem, a on z roztargnieniem przytakiwał i na sam koniec mimochodem rzucił, że ma pewien pomysł, nad którym od jakiegoś czasu pracuje. Rozmawialiśmy o tym w drzwiach i niezbyt uważnie go wtedy słuchałem. Ale to właśnie jego ostatnie słowa nie pozwalały mi teraz zasnąć; pomimo nieprzespanej nocy jeszcze o świcie zastanawiałem się, co takiego Hans mógł znaleźć.

W sobotę wstałem wcześnie. Przespałem wprawdzie niecałą godzinę, ale zaraz po przebudzeniu mózg zaczął pracować pełną parą, toteż wolałem wyjść z łóżka i czymś się zająć. Szybki prysznic i kawa postawiły mnie na nogi, ba! czułem się rześki jak skowronek. Ranek był zimny, ale w powietrzu bardziej niż zimę czuło się jesień, ładną jesień. Na ulicach panował spory ruch, mimo to wsiadłem na motor i klucząc pomiędzy samochodami udałem się na południe.

Hans Michaels mieszkał w budynku z czerwonej cegły w wiosce za Guildfordem. Podróż zabrała mi mniej czasu, niż się spodziewałem; choć zrobiłem sobie przerwę na śniadanie i nieco pobłądziłem pod sam koniec, zadzwoniłem do jego drzwi tuż po dziesiątej. I doznałem swoistego déjà vu. Z holu dobiegł mnie ten sam co przed laty ostry głos żony Hansa, kiedy prosiła mnie, bym chwilkę zaczekał, a po odsunięciu zasuw i otwarciu drzwi w szparze pojawiła się czujna i inteligentna twarz.

— Nazywam się Fitzgerald — powiedziałem. — Chciałem rozmawiać z pani mężem. Chodzi o wymarłe ptaki.

Spojrzała na mnie pusto.

— Mąż zmarł pięć lat temu. Ale jeśli chodzi panu o jego materiały, może pan wejść.

Wchodząc za nią do domu spostrzegłem, że idzie jakoś inaczej, niż kiedy byłem tu ostatnim razem, jakby szurała stopami po ziemi. Chwilę mi zajęło, nim dostrzegłem i inne oznaki: drżenie ręki, kiedy otwierała drzwi do salonu, strzępiący się dół spódnicy, nie dopiętą bluzkę — niby nic, a jednak zrobiło mi się smutno i poczułem się winny. Irracjonalnie pożałowałem, że nie pozostałem z nimi w kontakcie, jakbym w ten sposób, samą swoją obecnością, mógł wywrzeć zbawienny wpływ na wdowę po dawnym znajomym.

Salon wypełniały po brzegi meble i przedmioty.

— W dalszym ciągu ścieram kurze — poinformowała mnie zataczając ręką szeroki krąg — ale resztę robi kobieta z wioski. Niezbyt dobrze sobie radzi, więc proszę mi wybaczyć, jeśli pokój nie jest tak czysty, jak powinien. Proszę usiąść.

— Przysiadłem na jednym z obitych kwiatową tkaniną foteli. Kobieta wychodząc z pokoju odwróciła się do mnie. — Pamiętam pana, panie Fitzgerald — powiedziała. — Pan jest tym specjalistą. Hans wiele o panu mówił. Był pan tu nawet kiedyś z wizytą, żeby zerknąć na jego pracę.

— To prawda — odrzekłem. Cóż więcej mogłem powiedzieć?

Podczas gdy pani Michaels parzyła herbatę w kuchni, ja rozglądałem się po pokoju. Moją uwagę przyciągnęły książki i obrazy. Przypatrywałem się właśnie akwarelce przedstawiającej szczupłą dziewczynę, w eleganckiej długiej sukni z wyraźnie zaznaczoną talią i z parasolką od słońca w ręku, która stała do widza prawie tyłem na tle jasnoniebieskiego morza, kiedy z zamyślenia wyrwał mnie głos gospodyni.

— To ja — oznajmiła. — Moja siostra namalowała mnie któregoś lata. Miałam wtedy jakieś czternaście lat. Romantyczka była z tej mojej siostry.

Obok obrazu wisiała czarno-biała fotografia uśmiechniętego młodego mężczyzny z fajką. Od razu rozpoznałem w nim człowieka zwyczajnego i cichego, którego poznałem w tym pokoju lata wcześniej. Nie uszło mojej uwagi, że było to jedyne zdjęcie, którego nie pokrywała warstewka kurzu.

Przeszedłem do wyjaśnienia powodu mojej wizyty, kiedy gospodyni nalewała herbatę. Napomknąłem o Ptaku z Uliety, po czym przyznałem, że zależy mi na każdej dostępnej informacji, jaką podzielający moje zainteresowania Hans mógł posiadać.

— Skoro ten ptak jest tak tajemniczy, jak pan powiada, Hans z pewnością coś o nim wyszperał — machnęła drobną, pokrytą plamami dłonią i prychnęła. — On uwielbiał takie rzeczy.

— Zatem — wreszcie mogłem przejść do sedna, które dotąd z grzeczności omijałem — wciąż ma pani jego notatki. Zatrzymała je pani? — chciałem się jak najszybciej co do tego upewnić.

Przyjrzała mi się uważnie i nachyliła w moją stronę.

— Niech pan posłucha. Kiedy człowiek jest w moim wieku, ma bardzo niewiele rzeczy należących do tych, których kochał. I z pewnością nie chce się ich pozbywać. — Powiedziawszy to, odchyliła się na oparcie fotela i wyciągnęła z rękawa bluzki papierową chusteczkę. Kilkakrotnie przytknęła ją do nosa, po czym schowała za mankiet i znów na mnie spojrzała. — Notatki o ptakach to coś, z czego był najdumniejszy. Jakże mogłabym je wyrzucić...

— A czy będę mógł je zobaczyć?

— Tak, myślę, że Hans by sobie tego życzył.

Notatki przechowywała w pokoju na piętrze. Poprowadziła mnie wolno schodami i przystanęła na chwilę, zanim weszliśmy do dużego, przepełnionego książkami pomieszczenia.

— Są tam, na górze — wskazała mi najwyższą półkę.

Zadarłem głowę i zobaczyłem biegnącą dookoła pokoju szeroką platformę, na której zamiast książek stały szeregi pudełek, jakich czasem używa się w biurach do przechowywania akt i które podobnie jak ważne akta były starannie opisane. Górowały nad zawartością biblioteczki, a jednak łatwo było je przeoczyć, gdyż w porównaniu z eleganckimi, oprawnymi w skórę woluminami stojącymi poniżej wydawały się stare i wyblakłe, i jakieś takie... banalne. Mimo to wystarczyło mi na nie rzucić okiem, by dostrzec, z jaką pieczołowitością traktował je właściciel jeszcze za życia. Na każdy gatunek przypadało jedno pudełko, pozostałe zawierały informacje pogrupowane tematycznie, na przykład według nazwisk kolekcjonerów czy nazw kolekcji. Gdybym miał je wszystkie przejrzeć, zajęłoby mi to co najmniej miesiąc.

— Czy pani mąż pokazywał je wielu osobom? — zapytałem nie odrywając oczu od pudełek.

— Tylko mnie — odparła. — I panu.

Tak pośpiesznie przebiegałem wzrokiem po okienkach z opisem, że prawie przegapiłem ten właściwy. To, czego szukałem, nie zostało bowiem włożone do osobnego pudełka, lecz kryło się w niepokaźnej teczce wepchniętej między dwa kartony, a do tego atrament na grzbiecie teczki wyblakł i napis był prawie nieczytelny. Ptak z Uliety nawet tutaj był ledwie uchwytny.

Odwróciłem się do pani Michaels, a ona przyzwalająco skinęła głową.

— Może pan stanąć na którymś krześle.

Gdy tylko wyjąłem teczkę, poczułem, że nie znajdę w niej odpowiedzi. Była za lekka. Początkowo myślałem nawet, że okaże się zupełnie pusta. Myliłem się jednak. Hans Michaels rzeczywiście przeprowadził badania, a to co odkrył, zmieściło się na jednej kartce papieru. Żadnego napisu, daty ani odsyłacza do literatury, tylko twarz. Wykonany ołówkiem oszczędny szkic kobiecej twarzy.

Przyjrzawszy mu się bliżej w jaśniejszym świetle salonu wciąż nie wiedziałem, co o tym myśleć. Szkic przedstawiał młodą kobietę, nie piękną, lecz zasługującą na uwagę, o oczach, które przykuwały. Było w nich tyle życia, że cała twarz natychmiast zapadała w pamięć. I tyle mądrości, że aż przepełniał ją smutek, który udzielał się oglądającemu.

— To ręka Hansa — stwierdziła gospodyni. — Był niezłym artystą, kiedy się postarał. Często rysował, taki miał sposób robienia notatek.

— Czy wie pani, kim jest ta kobieta? — ponownie przyjrzałem się szkicowi.

— Hmm, raczej jej nie rozpoznaję, jeśli o to panu chodziło — zmarszczyła brwi, jakby się nad czymś zastanawiała.

— No, oczywiście. Jest w niej coś z innej epoki, zgodzi się pan ze mną? Jakby Hans skopiował obraz albo rycinę ze starej książki...

— Ale kim ona jest? — powtórzyłem pytanie, bardziej do siebie niż do pani Michaels. Ona jednak oderwała wzrok od szkicu i spojrzała mi prosto w oczy.

— Cóż, to już pan będzie musiał odkryć.

Niedługo potem poprosiła mnie, żebym sobie poszedł, gdyż poczuła się zmęczona i chciała zostać sama. Nie pozwoliła mi zabrać szkicu, toteż rzuciłem nań ostatnie spojrzenie, myśląc przy tym, że to za mało... I wtedy przypomniałem sobie o Dziadku.

Będąc jeszcze studentem Dziadek dostał za zadanie przetłumaczyć fragment łacińskiego tekstu. Napisany przez historyka z czasów starożytnego Rzymu, zawierał szczegółowy opis daniny, jaką jedno z niezliczonych królestw głębokiego południa Afryki przesłało zwycięskiemu wodzowi Rzymian stacjonującemu na północy. Lista podarunków była przewidywalna, wręcz typowa jak na ówczesne czasy: złoto, srebro, przyprawy korzenne, szlachetne kamienie, kość słoniowa, miecze, pawie. Przekład nie sprawił Dziadkowi najmniejszej trudności i byłby zajął się czymś innym, gdyby jego uwagi nie przykuło ostatnie słowo — *pavones*, czyli pawie. Niby nic takiego... Mój Dziadek wszakże, choć potrzebował dodatkowych ćwiczeń z łaciny, na ornitologii znał się wybornie i coś mu tu nie pasowało. Przeczytał fragment ponownie, po raz pierwszy okazując mu prawdziwe zainteresowanie. W tekście czarno na białym stało „pawie". Nie ulegało kwestii, że danina pochodziła z południa kontynentu, a jednak w jej skład wchodziły pawie. Dziadek w zdumieniu spoglądał na leżący przed nim tekst i zastanawiał się, dlaczego nikt wcześniej nie zwrócił na to uwagi. Nie było czegoś takiego jak afrykański paw, Dziadek dałby sobie za to uciąć prawą rękę. Owszem, był błękitnoszyi paw indyjski i jawajski paw złoty, ale żaden nie występował w Afryce.

Dziadkowi nawet do głowy nie przyszło, że historyk mógł się przejęzyczyć bądź też że leniwy skryba niechlujnie zapisał dyktowane mu słowa i tak powstało przekłamanie w opisie bogactwa, przekłamanie, którego nikt przez wiele setek lat nie skorygował. Myśl o zagadkowym afrykańskim pawiu zapadła mu trwale w pamięć, lecz pozostała utajona nawet wówczas, gdy jako doktorant Dziadek rozpoczął kolekcjonowanie okazów poza granicami kraju. Już jako dwudziestokilkulatek odwiedził Karaiby i Amerykę Środkową, gdzie natrafił na pierwsze fizyczne dowody istnienia lelka czarnogardłego. Parę lat później udał się do Afryki w poszukiwaniu rybiarki kreskowanej — niezwykle rzadkiego gatunku sowy polującej na ryby. Przez cały ten czas ani razu nie zdradził się ze swym młodzieńczym podejrzeniem, że gdzieś w Afryce żyją pawie nie znane białemu człowiekowi. Dopiero kiedy w 1913 roku z puszczy porastającej dorzecze Konga wyłonił się Amerykanin James Chapin machając piórkiem, którego nikt nie potrafił dopasować do istniejącego gatunku ptaka, podejrzenie wezbrało i tak zrodziła się obsesja.

Do domu dotarłem wiele godzin później, kiedy było już ciemno i znów rozpadał się deszcz. Z samego rana, jeszcze przed wyjazdem do Guildfordu, zadzwoniłem po ślusarza, żeby zrobił coś z drzwiami wejściowymi, ale po powrocie stwierdziłem, że tylko zabezpieczył wybitą szybkę prowizorycznymi deskami, które nadały całemu domowi wygląd jeszcze większego zapuszczenia niż zazwyczaj. O tym, że dom jest mimo wszystko zamieszkany, świadczyły światła w pokoju Katii i wyraźnie wyższa od panującej na zewnątrz temperatura, którą doceniłem wszedłszy do środka. Popołudnie spędziłem chodząc od jednej biblioteki do drugiej, tak że torbę miałem wypchaną książkami, jednakże ich ciężar mi nie przeszkadzał, wręcz przeciwnie: obiecywał prawdziwą ucztę. Zadowolony zaciągnąłem zasłony w swoim pokoju, aby odgrodzić się od panującej za oknem listopadowej nocy.

Około siódmej wieczorem podskoczyłem usłyszawszy pukanie do drzwi. Na ogół Katya i ja trzymaliśmy się swoich pokojów, tym razem jednak z jakiegoś powodu dziewczyna zdecydowała się naruszyć moją prywatność. Kiedy weszła, od razu zauważyłem, że jest wyszykowana do wyjścia: makijaż uczynił jej twarz bledszą niż zwykle, za to w dwójnasób podkreślał oczy. Uchyliła tylko drzwi i zajrzała do środka uśmiechając się tak, jak czyni to ktoś, kto poprzedniej nocy wysłuchał zbyt wielu zwierzeń.

— Chciałam ci coś pokazać — powiedziała. — Byłam dziś w bibliotece uniwersyteckiej i znalazłam to... — w ręce trzymała biografię Josepha Banksa w twardej oprawie. Sam miałem zamiar się o nią postarać. — Podoba mi się ten twój Joseph Banks — dodała. — Ciekawy z niego gość. Poza tym zawsze kręciły mnie tajemnice.

Uniosłem książkę, którą czytałem, kiedy mi przeszkodziła. Inna biografia, lecz bohater ten sam.

— No to może jutro porównamy notatki... — zażartowałem.

Uśmiechnęła się, tym razem nieco pewniej.

— Czemu nie — rzuciła i zamykając drzwi, powiedziała:
— Podoba mi się, że nie pozwolisz Andersonowi szarogęsić się na swoim podwórku.

Godzinę z okładem później znów mi przerwano, ktoś dzwonił do drzwi na dole. Zanim się pozbierałem, dzwonek rozległ się jeszcze parę razy. Przez zabity deskami otwór po szybce nic nie było widać, toteż otworzyłem drzwi na oścież i pozwoliłem światłu lampy wydostać się na ulicę. Przede mną stała Gabriella. Spojrzała mi prosto w oczy i się uśmiechnęła.

Tak jak wcześniej go zadziwiło, że dziewczyna rysuje, tak teraz zdumiało go, z jaką wprawą to czyni. Banks w młodości zajmował się szkicowaniem okazów, traktując to jako nieodłączną część swego powołania, lecz teraz na pierwszy rzut oka poznał, że jego rysunki i jej to ziemia i niebo. To co wychodziło spod jej ręki, było lepsze nie tylko pod względem artystycznym, choć z pewnością linie były subtelniejsze i miała więcej wyczucia, ale przede wszystkim charakteryzowało się większą dokładnością naukową, jakby była uważniejszym obserwatorem i przykładała większą wagę do szczegółu. Każdy szkic, choć przedstawiał znane mu kwiaty i liście, umożliwiał ujrzenie ich w zupełnie nowym świetle, jak gdyby przypomnienie ich sobie, lecz tym razem w ich prawdziwej postaci.

To z jej powodu dni pozostałe mu do wyjazdu z Revesby spędził niczym w botanicznej gorączce. Radował się ciepłem słońca na plecach, odczuwając coś na kształt pierwotnej gwałtownej pasji, jaką niegdyś napawały go wszelkie żywe stworzenia, a której nie czuł już od dawna, nie z taką siłą. Najpospolitszy i najbardziej mu znany okaz wywoływał dreszcz emocji, był przejawem cudu. Wiedział, że wkrótce znajdzie się wiele tysięcy mil stąd, pod słońcem tropików, i za słuszne uważał, by zabrać ze sobą jak najświeższe wspomnienia z rodzinnych lasów.

Nie od razu pozwoliła mu przyjrzeć się swym rysunkom. Kiedy po raz pierwszy oparł na nich oko, w obronnym odruchu przyciągnęła szkicownik do piersi, i choć początkowo podejrzewał ją o kokieterię, to jednak jej spojrzenie mówiło co innego. Patrzyła na niego, jakby chciała mu zdradzić powód swej odmowy, lecz w końcu poddała się, odsłaniając swe prace.

Właśnie tam, w lesie, na oświetlonej słońcem polance przyglądała mu się, kiedy po raz pierwszy wziął do ręki jej rysunki i z wyrazem zachwytu na twarzy z ociąganiem odrywał wzrok od jednego, by obejrzeć następny. Tam i wtedy właśnie po raz pierwszy poczuła wzbierające w niej gwałtowne uczucie, którego nie poznawała. Życie nauczyło ją, by była ostrożna i zawsze miała się na baczności, lecz tam, w lesie, potrafiła cieszyć się chwilą. Wszakże uczucie, które ją ogarnęło, było dla niej całkowicie nowe i niemal pozbawiło ją tchu. Napominała się w duchu, aby nigdy o tym przeżyciu nie zapomnieć, bezgłośnie się modliła, by dane jej było zapamiętać to uczucie na zawsze. Była to pierwsza od roku modlitwa, która nie dotyczyła jej ojca.

Każdego kolejnego popołudnia wracali na tę samą polanę, jakby wiodło ich tam coś silniejszego od nich samych. Kiedy Banks nie zbierał okazów, ona zaś nie była zajęta rysowaniem, przeglądali zapełniony szkicownik i strona po stronie omawiali widniejące w nim rośliny, wymieniając się informacjami na ich temat. Przebywanie z nią sprawiało mu przyjemność, nad którą się nie zastanawiał, podobnie jak nie myślał o możliwych jej implikacjach; to co czuł, wydawało mu się naturalne i nie wymagające deliberacji. Ona zaś poddając się pieszczocie słońca, w którego świetle wszystko było widać jak na dłoni, dziwiła się, że towarzyszący jej mężczyzna nie dostrzega tego co oczywiste.

Któregoś popołudnia siedział przy niej i chłonął jej widok, kiedy rysowała. Zanim mu na to pozwoliła, protestowała gorąco, wiedząc przy tym, że żadne słowa ani obiekcje nie uświadomią mu, ile ją kosztowało wyrażenie zgody. Pierwsze niezgrabne, jakby czynione na próbę ruchy ołówka zdały jej się zdradą. Lecz rysowanie jak zwykle bez reszty ją pochłonęło; koncentrując się na pracy, zapominała o wewnętrznym wzburzeniu i wkrótce zapomniała także o obecności Banksa. On zaś obserwując, jak czoło marszczy się jej w skupieniu, sam sobie się dziwił, że kiedyś uznał ją za pospolitą. Wyrwał ją z zamyślenia, kiedy rysunek był prawie skończony.

— Dostrzegam u ciebie prawdziwy talent, pani — rzekł.

— A wiedz, że podziwiałem dzieła wielu artystów.

— Czasem wydaje mi się, że rysowanie to wszystko, co mam — przyznała podnosząc nań oczy.

— To wielka strata, że nie możesz podróżować i uwieczniać bujnej przyrody tropików. Oczyma wyobraźni widzę, jak na przekór panującemu tam skwarowi siedzisz, pani, niczym skała i w zadumie szkicujesz, nie zwracając uwagi na ryczącego tygrysa czy pełzającego w trawie węża... — zaśmiał się, ona zaś uśmiechnęła z przymusem, nie dając po sobie poznać, że jego słowa uczyniły odgradzający ją od świata mur wyższym i ciaśniejszym.

Dni mijały, a radosne dotychczas kolory naznaczał cień smutku. Tydzień przed jego odjazdem do Londynu pokazała mu w lesie niepozornego ptaka, mówiąc, że takie małe szare istoty mu nie wystarczają, skoro udaje się w daleką podróż, aby szukać ptaków o dziwnych kształtach i jaskrawych piórach, które dopiero są w stanie go zadowolić. Powiedziała to z taką powagą, że poczuł się urażony. Chciał się tłumaczyć, lecz raptem dotarło do niego prawdziwe znaczenie jej słów, toteż tylko poszukał jej oczu i się do niej uśmiechnął. Uśmiech nie schodził mu z warg, kiedy nieco później się żegnał, aby mogła dokończyć rysunek. Wchodził między drzewa, gdy zawołała do niego.

— Panie Banks! — krzyknęła, a kiedy przystanął i się odwrócił, powiedziała już ciszej: — Dziękuję za dobroć okazaną mi w ostatnich dniach.

— Ależ — żachnął się, poważniejąc w mgnieniu oka. — To ja jestem winien podziękowanie. Dzięki twoim rysunkom, pani, na nowo poczułem powołanie, a miłe wspomnienia naszych spotkań pozwolą mi przetrwać daleką podróż...

Spojrzała na niego z uwagą; we wczesnowieczornym świetle jej twarz nabrała miększych rysów.

— Mimo to chcę, żebyś wiedział, panie, że jestem wdzięczna.

W odpowiedzi skłonił się i już miał odejść, lecz wydało mu się, że dziewczyna chce powiedzieć coś jeszcze. Stał więc, lecz ona tylko skinęła mu głową, toteż uśmiechnął się ostatni raz i zniknął między drzewami.

Wróciwszy w to samo miejsce nazajutrz, zastał je puste. Nie mógł pojąć dlaczego. Pogoda była wyśmienita, a w szkicowniku pozostało jeszcze kilkanaście rysunków, których nie zdążył dokładnie przestudiować. Jeden z nich bardzo go zainteresował i chciał nawet o niego poprosić; jego przyjaciel, Daniel Solander, był prawdziwym botanicznym ekspertem, który umiał wyjaśnić każdą wątpliwość w tej dziedzinie. Co za szkoda, że stracił okazję, by pożyczyć od niej szkic! Zniechęcony położył się na trawie, głęboko do płuc wciągając mocny, lecz przyjemny zapach suchej darni.

Przebudziła go krzątanina ptaków szykujących się na spoczynek. Otworzył oczy; słońce stało już nisko, lecz w dalszym ciągu na polance był sam.

Następnego ranka tak bardzo się śpieszył, by ją tam zastać, że o mały włos przegapiłby list. Wprawdzie nie rozpoznał charakteru pisma, ale od razu wiedział, kto jest nadawcą.

Szanowny Panie!

Stan mego ojca pogarsza się i najbliższe dni muszę spędzić u jego boku. Przysługą dla nas obojga będzie, jeśli poniecha Pan wizyty.

List nie był podpisany.

Aż do wyjazdu Banksa z Revesby nie chciała się z nim zobaczyć mimo jego usilnych starań. Dzień nastał upalny, toteż kiedy maszerował w stronę wioski z jej listem w ręku i wzrokiem utkwionym w horyzont, widział rozedrgane od gorąca powietrze. Początkowo uznał, że nie należy się jej decyzją przejmować, tłumaczył sobie, że w grę zapewne wchodzi kobieca kokieteria albo w najgorszym wypadku smutek z powodu choroby ojca, który minie wraz z kryzysem. Jednakże w drzwiach małego kamiennego domu przywitała go ta sama starsza kobieta co kiedyś, która grzecznie, acz stanowczo go odprawiła. Po południu spotkało go to samo: „Panienka nie czuje się dobrze i nie przyjmuje gości".

Już wcześniej zamyślał podarować jej z okazji swego wyjazdu egzemplarz „Herbariusza" Gerarda. Teraz, gdy sytuacja się nieoczekiwanie zmieniła, uznał, że powinna otrzymać prezent niezwłocznie, i pozostawił go na progu jej domu wraz z pozdrowieniami. Jeszcze raz czy dwa próbował skontaktować się z nią osobiście, lecz za każdym razem bez powodzenia. Rozżalony na los miotał przekleństwa, snując się bez celu po parku łowieckim otaczającym jego rodzinną rezydencję.

Z początku jej nagła ucieczka w zacisze domu irytowała Banksa, dopiero później zaczął się głębiej zastanawiać nad przyczynami. Doktor Taylor twierdził, że stan jej ojca nie uległ zmianie, chociaż faktycznie pozostawał krytyczny. Czyżby więc to on zrobił coś, co spowodowało jej nagłą oschłość? Wszakże jej ostatnie słowa i nieco smutny uśmiech, który mu posłała, temu przeczyły. Próbował nawet potępiać ją w duchu za niekonsekwencję właściwą płci niewieściej, lecz nie potrafił wykrzesać z siebie złości. Nie rozumiał jej, to prawda, ale nigdy nie spotkał kobiety mniej kokieteryjnej. Ta świadomość pogłębiała jego rozgoryczenie, jakby jej inność czyniła ją jeszcze bardziej winną. Czwartego dnia zaprzestał wizyt.

W ciemnościach domu dochodziły ją odgłosy jego kroków, gdy przychodził i odchodził, bywało, że dwukrotnie w ciągu dnia. Pomiędzy wizytami słyszała tylko miarowe oddychanie ojca i skrzypienie podłogowych desek pod stopami Marthy. Przymknięte okiennice nie przepuszczały prawie światła i więziły nagrzane powietrze, tak że zmoczona chusteczka często zdążyła wyschnąć, zanim jej ręka dosięgła zroszonego potem czoła ojca. Starała się nie wyglądać przez okno, lecz jej wzrok przyciągały dorodne korony kasztanowców rosnących po drugiej stronie alei, które wysoko niczym chmury górowały nad łąką. Od czasu do czasu przez niedomknięte okiennice wpadał powiew wznoszący drobinki kurzu, przynosząc tak jej miły zapach pól i rozgrzanej trawy.

Gdy Banks zaniechał wizyt, poczuła zarazem smutek i ulgę. W ciągu zaledwie kilku letnich dni nauczyła się drżeć przed nadzieją, jak niegdyś drżała przed rozpaczą. Odcięła się więc od niego i jedyna nadzieja, jaka jej pozostała, to ta, że po jego odjeździe las znów będzie należał tylko do niej. Przynajmniej do czasu, kiedy coraz słabszy oddech ojca ucichnie na dobre, zmieniając w jej życiu wszystko.

Wieczorami wyciągała swe rysunki i oglądała je przy świetle kaganka. Nocą zaś, w nieprzeniknionej ciemności, chwytała się rozpaczliwie myśli o nim i wydawało się, że nawet nadejście ranka, a wraz nim światła nie wystarczy, by wyrwać go z jej objęć.

Pierwszego dnia po tym, jak zrezygnował ze składania jej wizyt, pozostał w swym pokoju. Następnego wstał wcześnie i wybrał ze stajni konia. Galopem pojechał do domu Charlesa Cartwrighta, sąsiada z trzema niezamężnymi córkami. Flirtował z każdą na przemian, a podczas obiadu pił więcej wina, niż miał w zwyczaju. Opuścił gościnę tak nagle, jak się pojawił, i dosiadłszy konia, batem i ostrogami wymuszał prędkość w drodze do domu. Kiedy wrócił, księżyc stał już wysoko na niebie. Udał się prosto do gabinetu, nie zdejmując nawet czapki jeździeckiej. Wyjął czystą kartkę papieru i pewnym ruchem ręki skreślił słowa:

Najdroższa Harriet!
Bezzwłocznie powracam do Londynu. Chociaż okazałem się jak zawsze marnym korespondentem, na swoje usprawiedliwienie mam to, że wiele się w Revesby wydarzyło; jeszcze więcej — wyjaśniło. Pragnę spotkać się z Tobą natychmiast po powrocie, aby omówić sprawy, których nie przystoi załatwiać listownie...
Twój Joseph.

6

Ara modra

Gabriellę poznałem przy zwłokach papugi. Byłem wówczas młodszy i bardziej optymistycznie nastawiony do świata, a brazylijski las deszczowy wciąż krył wiele tajemnic. Trafiłem tam jako członek ekspedycji De Havillanda, żółtodziób tuż po college'u, znacznie przeceniający swe zdolności. Kiedy De Havilland wyjeżdżał, postanowiłem zostać i dołączyć do grupy, jaka z Oksfordu miała przyjechać następnego miesiąca. Jeden miesiąc oczekiwania wydłużył się do kilku wskutek personalnych przepychanek w kraju (ktoś zachorował czy zmienił zdanie), a także zwykłych problemów ze zbieraniem funduszy. Mnie jednak nie przeszkadzało, że musiałem czekać; byłem przecież młody i pewny siebie i donikąd się nie śpieszyłem. W ciągu wcześniejszego pobytu wyrobiłem sobie znajomości, dzięki którym udało mi się załatwić w miarę czysty pokój, z biurkiem i elektrycznym wentylatorem. Najważniejsze wszakże spoczywało w skrzyni pod łóżkiem: od dawna zbierane fiszki i notatki, oraz w mojej głowie: zamysł księgi utraconych ptasich gatunków, która miała być dziełem mego życia. Tak to przynajmniej wtedy się zapowiadało.

Dnie przesypiałem lub spędzałem z kieliszkiem w dłoni na konsularnych przyjęciach na świeżym powietrzu, noce zajmowała mi pisanina na temat losów gołębia wędrownego i alki olbrzymiej, czemu oddawałem się z pasją neofity. Umysł miałem przejrzysty, cel jasno wyznaczony, toteż zapełniałem stronę za stroną bez jednego skreślenia. Mówię o tym z taką pewnością, gdyż wszystkie kartki wciąż spoczywają w tej samej drewnianej skrzyni.

Pewnego dnia, kiedy druga część ekspedycji szykowała się do odjazdu, odszukał mnie Berkeley Harris, nasz kwatermistrz.

— Masz chwilę, Fitz? — zapytał nie wyjmując fajki z ust. Harris należał do mężczyzn, którzy zawsze noszą długie spodnie i gdyby mogli, jadaliby z fajką w zębach, co pozwalało go zakwalifikować do gatunku wymarłego w Europie zaraz po wojnie; jak widać pojedyncze okazy przetrwały jednak na terenach postkolonialnych. — Pytam, bo w bungalowie mam niczego sobie dziewczynę, która potrzebuje pomocy przy papudze. Już jej powiedziałem, że jeśli ktoś się tutaj na tym zna, to tylko ty.

Chociaż Harris słynął z tego, że zawsze przeinaczał fakty, co do Gabrielli miał stuprocentową rację. Kiedy wprowadził mnie do ogrodu otaczającego bungalow, z początku dostrzegłem tylko majaczącą w cieniu szczupłą sylwetkę, która zaraz wystąpiła w stronę światła, by nas przywitać. Urwałem w pół słowa to, co mówiłem kwatermistrzowi, i wyciągnąłem do niej rękę. Widywałem w przeszłości dziewczyny, które spokojnie można było nazwać pięknościami, lecz Gabriella ani trochę ich nie przypominała. Jednakże było coś w jej oczach, w sposobie, w jaki pochyliła głowę i zmarszczyła brwi, ściskając mi dłoń...

— Panno Martinez, to jest John Fitzgerald. Jestem pewien, że będzie mógł pani pomóc — zaprezentował mnie Harris, do mnie zaś skierował wyjaśnienie: — Fitz, panna Martinez pracuje w zoo. Zmarła jej papuga i trzeba ją wypchać.

— Spreparować — poprawiłem go. — Słowa „wypchać" używają tylko nieokrzesańcy.

— Skoro tak mówisz... Zostawię was teraz, bo mam całą wyprawę na głowie. — I puszczając do mnie oko, dodał: — Muszę ich n a p c h a ć.

Gabriella zaczekała, aż Harris zniknął w budynku.

— Jak zwykle wszystko pokręcił — powiedziała głosem tak bardzo się różniącym od rozchichotanych poszeptywań, które aż nazbyt często słyszałem na przyjęciach w konsulacie. — Nie pracuję w zoo i wcale nie chodzi o zwykłą papugę.

Roześmiałem się, gdyż ani trochę mnie ta informacja nie zdziwiła.

— Cały Harris — westchnąłem. — W czym zatem mogę pani pomóc, panno Martinez?

Spojrzała na mnie z powagą.

— Właśnie straciłam najrzadszego ptaka na Ziemi. Jeśli o mnie chodzi, nie musiała mówić nic więcej.

Gabriella, siedząca teraz po drugiej stronie stołu u mnie w kuchni, miała ten sam poważny wyraz twarzy. Obserwowała mnie z tym samym półuśmiechem, przyglądała mi się z tą samą obezwładniającą troską. Kiedy otwierałem wino i ukradkiem się jej przyglądałem, uderzyła mnie nieoczekiwanie myśl, że kuchnia jest dla nas dwojga za mała, jakby to nie drobna kobieta, lecz dzikie zwierzę przez przypadek zabłąkało się do gospodarstwa domowego.

— Za zaginione ptaki? — zaproponowała toast podnosząc kieliszek. Osobiście wolałbym wypić za coś innego, ale mówi się trudno. Uniosłem kieliszek i szkło brzęknęło o szkło, choć z dziwnym plastikowym pogłosem. — Cieszę się, że znów się widzimy. Wczoraj nie mieliśmy właściwie okazji porozmawiać...

— To prawda.

Ujęła kieliszek inaczej, całą dłonią, i zaczęła nim delikatnie kołysać, tak że wino zataczało kręgi wokół ścianek.

— Wiele razy chciałam do ciebie zadzwonić, ale skoro nie odpowiedziałeś na żaden mój list... nie byłam pewna, czy to dobry pomysł. Kiedy jednak Karl wspomniał o tobie, uznałam, że to świetny pretekst.

Pomyślałem, że wcale nie potrzebowała pretekstu, ale nie powiedziałem tego na głos. Siedzieliśmy dłuższą chwilę bez słowa, przyglądając się sobie nawzajem i zastanawiając, jak powinna się potoczyć ta rozmowa. W końcu to ona zaczęła mówić, zasypując mnie informacjami na temat pracy w dorzeczu Amazonki, którą kontynuowała po moim wyjeździe. Oczy jej błyszczały, kiedy opowiadała o odniesionych sukcesach, małych bitwach stoczonych i wygranych wbrew wszystkiemu i wszystkim, co jak wiedziałem, bardzo lubiła.

Wciąż wiele czytałem i nie uszło mojej uwagi, że odetchnęła z ulgą stwierdziwszy, iż może ze mną rozmawiać jak naukowiec z naukowcem — o biogeografii wysp, korytarzach ochronnych i tym podobnych sprawach, jakie ją zajmowały. Jakby za obopólną zgodą ignorowaliśmy pozostałe tematy, te, na które nigdy nie udało nam się porozmawiać — nasze ostatnie wspólne dni, zdjęcie wciąż stojące przy moim łóżku, życie, jakie dawno temu zostawiliśmy. Wiele za to mówiliśmy o procentach i wykresach, i przyśpieszającym tempie wymierania gatunków. Na koniec, dokładnie tak, jak się tego spodziewałem, rozmowa zahaczyła o wczorajszy wieczór.

— Chcę cię o coś zapytać — powiedziała Gabby odstawiając kieliszek, po czym sięgnęła rękoma za głowę i rozburzyła włosy, jakby uwalniając je zza kołnierzyka bluzki. Dobrze znałem ten gest. — Karl ci się nie spodobał, prawda?

— A miał mi się spodobać? — odpowiedziałem pytaniem na pytanie.

— Nie, ale sądziłam, że będziesz przynajmniej zainteresowany.

— Owszem, zainteresował mnie proponując pięćdziesiąt tysięcy dolarów za parę telefonów...

— Od samego początku mu mówiłam, że proponowanie ci pieniędzy to błąd. Że albo mu pomożesz, albo nie.

— I miałaś rację. Nie pomogę mu.

Przypatrzyła mi się z uwagą, podczas gdy w jej spojrzeniu kłębiły się pytania. Stara dobra Gabby. Czułem się prawie normalnie, rozmawiając z nią, jakbyśmy nie widzieli się góra tydzień. Nie odrywając wzroku od mojej twarzy wstała i przeniosła się na krzesło obok mnie.

— Opowiem ci o Karlu — rzekła nachylając się ku mnie i prawie tracąc równowagę na brzeżku krzesła.

Potrząsnąłem głową.

— Nie jestem pewien, czy chcę o nim usłyszeć — odparłem, starając się zapanować nad głosem, chociaż i tak, kiedy się odezwałem, przebijała zeń panika.

— A jednak ci opowiem. To nie to, co myślisz, Fitz. A możesz mi wierzyć, że to, co myślisz, wyraźnie widziałam w twoich oczach wczoraj wieczorem. Zastanawiałam się nawet, czy to dlatego nie chcesz mu pomóc.

— Myśl sobie, co chcesz.

Tym razem to ona potrząsnęła głową.

— Nadal nie rozumiesz. Karl to interesujący mężczyzna. Zdarza mu się wywoływać kłopoty, więc właściwie powinieneś go polubić. I nie układa mu się z autorytetami. Nie biorą go poważnie, bo nie ma naukowego zaplecza, chociaż jest lepszym fachowcem od nich wszystkich razem wziętych, czego oczywiście nie mogą przeboleć. Jednym słowem, jesteście do siebie bardzo podobni... — urwała i popatrzyła na kieliszek. — Naturalnie nie dlatego was sobie przedstawiłam. Fitz, przecież wiesz, co zawsze chciałam robić. I teraz mam okazję... okazję, żeby zrobić coś dobrego, coś naprawdę się liczącego. Mam szansę zmienić ludzkie nastawienie do idei ochrony przyrody, rezerwatów... Kiedy poznałam Karla, losy projektu wciąż się ważyły... z powodów finansowych oczywiście. Pracujemy praktycznie za darmo, a granty, jakie przyznaje nam Europa, nie wystarczają nawet na sprzęt komputerowy. Karl nas kiedyś znacznie wspomógł, a od jakiegoś czasu robi to systematycznie. — Nagle ściszyła głos: — Przyznaję, że przy pierwszym spotkaniu pomyślałam o nim dokładnie to co ty wczoraj; że to szarlatan, kolekcjoner, ktoś, przed kim powinniśmy bronić to co cenne. Jednakże nigdy od nas niczego nie chciał. Nigdy nie chciał niczego ode mnie. Płaci, kiedy sytuacja staje się tragiczna, i to wszystko.

— Pierwsze słyszę, że taki z niego filantrop.

— Och, no dobrze. Pewnie, że dostaje coś w zamian. Dzięki nam środowisko patrzy na niego przychylniej, łatwiej mu o kontakty. Nie jestem aż taka naiwna, by sądzić, że wszystko, co robi, robi tylko dla mnie. Ale prawdę powiedziawszy mógłby zażądać o wiele więcej.

— I dlatego chcesz mu pomóc w odnalezieniu okazu zaginionego z kolekcji Josepha Banksa?

— Fitz, on nie potrzebuje mojej pomocy. Znalazł trop, wie, gdzie szukać. Ale wciąż nie jest pewien, czy mu się uda, i dlatego właśnie wolałby, żebyś był po jego stronie aniżeli po stronie kogoś innego. Chodzi o to, że Karl jest przekonany, że ty coś wiesz. Że przeczytałeś właściwe książki.

— Nie wiem, co on przez to rozumie, ale wygląda na to, że wcale nie potrzebuje mojej pomocy. A nawet gdyby, i tak mu nie pomogę.

— W takim razie pomóż m n i e — powiedziała Gabby cicho, kładąc mi rękę na ramieniu. Poczułem, jak jej palce zaciskają się niby kleszcze. — Jeśli nie chcesz pomóc jemu, pomóż mnie — powtórzyła z desperacją. — Muszę odnaleźć tego ptaka, Fitz. To być albo nie być dla mojego projektu.

— Jak to? — spytałem.

Spojrzenie wciąż miała utkwione w mojej twarzy, głowę przechyloną lekko w moją stronę.

— Chcę, by Ted Staest zwrócił na mnie uwagę. Karl jest hojny na swoją miarę, ale Staest to zupełnie inna liga. Na razie obchodzi go wyłącznie Arka Genów, ale jeśli uda mi się odnaleźć dla niego tego ptaka i jeśli zdołam zainteresować go projektem... Fitz, on rozdaje granty, którym nawet ty nie potrafiłbyś się oprzeć. A nie wydaje mi się, żebyśmy długo pociągnęli bez naprawdę znaczącej pomocy. Staest mógłby nam zapewnić całe l a t a pracy. Dosłownie. Pięć lat dobrej roboty, co najmniej dziesięć ocalonych gatunków. Pomyśl tylko, Fitz...

W mojej przytulnej kuchni nagle zrobiło się za ciepło. Wstałem od stołu i obszedłem go dookoła, by podejść do okna. Oparłszy czoło o szybę, dłonie zaś o zimny metal kurków, długo się tak chłodziłem. Pomóc jej, pomóc Andersonowi, pomóc projektowi... Czułem się, jakby wciągano mnie w splątaną, złowieszczą sieć.

A potem przypomniałem sobie, że to wszystko jedna wielka pomyłka.

— Gabby, coś tu jest nie tak — powiedziałem odwracając się do niej. — Przecież ja nic nie wiem. Nie mam żadnej informacji, która mogłaby ci pomóc.

— Masz kontakty... — nalegała Gabriella. — I notatki. Myślałam, że musi w nich coś być...

Potrząsnąłem głową. Chociaż też bym sobie życzył, żeby moje notatki zawierały mnóstwo wartościowych informacji, niestety nie było w nich nic na temat Ptaka z Uliety. Na powrót odwróciłem się do zlewu, żeby Gabriella nie widziała mojej twarzy.

— Przykro mi — odezwałem się po dłuższej chwili — ale jeśli zachowałaś odrobinę rozsądku, wrócisz teraz do Andersona i będziesz dla niego miła do czasu, aż znajdzie tego ptaka. — Już wypowiadając te słowa, zdałem sobie sprawę, że mogłem być dla niej delikatniejszy, jednakże w tamtej chwili tak właśnie myślałem i tak się czułem.

Usłyszałem, jak Gabriella wstaje. W oknie pojawiło się jej odbicie; nie patrzyła już na mnie.

— Jutro odlatuję do Niemiec — oznajmiła sucho. — Wracam za parę tygodni. Umówiliśmy się z Karlem, że wtedy znów się spotkamy... Uważa, że zejdzie mu tutaj co najmniej miesiąc. — Zaczęła wkładać marynarkę. — Jeśli uda mi się natrafić na jakąś informację, przekażę ją tobie, a ty zrobisz z nią, co uznasz za stosowne. — Podeszła do drzwi, ale nie dobiegło mnie ich zwykłe skrzypnięcie. Odwróciłem się, by znów ujrzeć utkwione we mnie jej intensywne spojrzenie. Tym razem nieoczekiwanie smutne.

— Pamiętasz, jak się poznaliśmy, Fitz? Pamiętasz ptaka, którego ci wtedy przyniosłam?

— Owszem — przytaknąłem.

— A znasz ostatnie wieści?

Ponownie skinąłem głową. Ara modra, którą zamkniętą w klatce Gabby wtedy znalazła na jakimś targu, była jednym z ostatnich żyjących przedstawicieli tego gatunku. Dziesięć lat temu żyły na wolności może trzy sztuki. Dwa lata temu został już tylko jeden stary samiec. Naukowcy spodziewali się, że i on dość szybko zejdzie z tego świata, z powodu wieku lub samotności, jednakże ów, stary i samotny, uparcie trzymał się życia. Kiedy w końcu umrze, pozostanie około trzydziestu osobników trzymanych w niewoli, przy czym ani jednej parki.

Gabby i ja na ułamek sekundy spojrzeliśmy sobie w oczy.

— Zadzwonię po powrocie. Chciałabym jeszcze porozmawiać.

Nie ruszyłem się z miejsca, dopóki nie usłyszałem, jak zatrzaskują się drzwi frontowe. Kiedy posprzątawszy ze stołu wyszedłem do holu, zauważyłem, że Gabby zostawiła płaszcz, schludnie powieszony na haku obok drzwi. Obietnica, pomyślałem. Albo pośpieszne pożegnanie.

Chociaż powinienem był pozwolić tamtemu dniowi się zakończyć, nie uczyniłem tego. Potrzebowałem odpoczynku i snu, lecz kiedy udałem się do sypialni, widok biblioteczki nie dawał mi spokoju. Co takiego powiedział Gabrielli Anderson? Że przeczytałem właściwe książki? Starałem się wyobrazić sobie, że oto po raz pierwszy usłyszałem o Ptaku z Uliety. Gdzie bym szukał o nim informacji? Były dwa tomy, od których każdy by zaczął, i oba stały na półce przede mną. Bez odrobinki kurzu. Ostrożnie je zdjąłem. Już sam tytuł pierwszego brzmiał poważnie i miarodajnie: „Wymarłe i ginące ptaki świata" autorstwa Jamesa Greenwaya. Otworzyłem go i poszukałem strony traktującej o Ptaku z Uliety. Tyle, ile było o nim wiadomo — czyli niewiele — wyłożono z podziwu godną przejrzystością. Przyglądałem się stronicy z uwagą, starając się dostrzec znaki, że ktoś na nią patrzał zeszłej nocy. Chociaż dlaczego ktoś miałby patrzeć akurat na nią? Egzemplarz, w którego posiadaniu byłem, to najzwyklejsze wydanie w miękkiej oprawie, do tego stosunkowo niedawne. Gdyby komuś tak bardzo na nim zależało, dostałby je w pierwszej lepszej księgarni.

Sięgnąłem po drugi wolumin: „Rzadkie gatunki ptaków" R. A. Fosdyke'a. Ten był pokrętny tam, gdzie Greenway był naukowy, i pełen ogólników w miejsce ścisłości i faktów. Fosdyke to aktywny w latach sześćdziesiątych amator, którego hobby stało się zbieranie notatek na temat rzadkich i wymarłych ptaków ze starych czasopism naukowych. Jego książka nie pretendowała do miana biblii ornitologów, ale i tak każdy zainteresowany tematem miał ją w swych zbiorach, gdyż zdarzało się, że Fosdyke podawał informację, jakiej nigdzie indziej by się nie znalazło.

Stanąłem bliżej lampy i dokładnie obejrzałem trzymaną w ręku książkę. Byłem szczęśliwym posiadaczem pierwszego wydania, do tego z autografem Fosdyke'a zdobytym tuż przed jego śmiercią. Czyżby książka była coś warta? To dla niej się do mnie włamano? Raczej nie, skoro wciąż tutaj była — odkurzona, ale z pewnością nie ukradziona. Jeśli chodzi o treść, Fosdyke zamieścił dwie notatki, obie wspomniane przez Greenwaya, i podobnie jak Greenway doszedł do wniosku, że Ptak z Uliety był ostatnio widziany w kolekcji Josepha Banksa.

Ze znużeniem zatrzasnąłem okładki. Zastanowiłem się przelotnie, czy to właśnie o tej informacji jako o swym „tropie" mówił Anderson. Jeśli tak, był to trop bardzo mizerny. A moja cała wiedza sprowadzała się do tego, co napisali Greenway i Fosdyke, toteż w ogóle nie była pomocna. Chyba że za pomocną uznać wskazówkę, od czego należy zacząć, a mianowicie: od Josepha Banksa, przyrodnika, gdzieś pod koniec osiemnastego wieku.

Londyn był duszny w porównaniu z cienistymi lasami Revesby, lecz Banksa zbytnio pochłaniały nadchodzące wydarzenia, by zwrócił na to uwagę. Zajmowały go prozaiczne czynności domagające się wypełnienia przed wyjazdem, czas zaś naglił, toteż nawet odbierający dech w piersiach gorąc miasta nie był w stanie go spowolnić. Podczas nieobecności spowodowanej wizytą w Revesby nie wszystkie sprawy potoczyły się po jego myśli, narosły rachunki do zapłacenia, powstał problem wybrania dostawców i zapewnienia prowiantu, a także nie zmalała liczba listów do napisania. Banks pracował zawzięcie i z niepohamowaną energią.

Kilka dni po tym, jak wrócił do Londynu, znalazła swój finał sprawa jego zaręczyn z Harriet Blosset. Poznał ją parę miesięcy wcześniej i pozwolił flirtowi rozwijać się podobnie jak wielu innym przedtem. Jednakże kiedy po raz pierwszy wymieniono jego nazwisko jako uczestnika wyprawy Cooka, poczuł się w obowiązku stawić u opiekuna dziewczyny, gdzie — znalazłszy się z nią sam na sam w ogrodzie — z zaskoczeniem skonstatował, że postrzega Harriet w nowym zupełnie świetle, jakby szykując się do podróży zyskał inną perspektywę, jakby wszystko zaczęło się klarowniej jawić jego oczom.

Obserwował ją z natężeniem, gdy się pochylała, i zdumiało go nieprawdopodobne piękno kobiecej sylwetki, perfekcja linii wiodącej od szyi do ramienia. Gdy przepuszczał ją przodem, podziwiał wąskość jej kibici, kiedy całował jej dłoń, nie mógł się nadziwić smukłości jej palców i nadgarstka, a dostrzegał to wszystko jakby po raz pierwszy. Pochwyciwszy jej spojrzenie, wyczytał zeń tak wielką prośbę, że nie mógł się powstrzymać, by nie ująć jej dłoni w swoją. Zarazem cudowne i zaskakujące mu się zdało, że istota tak doskonała może na niego patrzeć w taki sposób. W rosarium pocałował ją, jak na wielbiciela przystało, ona zaś spłoniła się aż po dekolt, lecz zaraz sama mocniej pochwyciła jego dłoń i pocałowała j e g o, pocałunkiem jeszcze namiętniejszym i dłuższym, by w końcu, złapawszy powietrze, roześmiać się dźwięcznie i nie wypuszczając jego dłoni, pociągnąć go w głąb domu. Kiedy myślał o tym przeżyciu później, wróciwszy już na swoją kwaterę, zalała go fala czułości i ogarnęło zadziwienie szczęściem, jakiego dane mu było doświadczyć.

Zdając sobie sprawę z oczekiwań, jakie wywołał w Harriet jego wysłany z Revesby list, Banks zjawił się u niej z krótką wizytą, gdy tylko czas i obowiązki mu pozwoliły. Z zadowoleniem zauważył, że dziewczyna, choć pąsem policzków zdradzała podniecenie, umiała nad sobą panować, a pełen uniesienia pocałunek, jakim go obdarzyła, sprawił, że poczuł się wzruszony i zapragnął niezwłocznie roztoczyć nad nią opiekę. Wszelako ustalili, że zaręczyny ogłoszą dopiero po jego powrocie z wyprawy, tak by nie uchybić dobrym obyczajom. Mimo to, kiedy widziano ich razem, wyraźnie dało się poznać, że dziewczyna jest zakochana. Biel jej cery i błękit oczu zawsze przyciągały uwagę, lecz teraz zdawała się wprost jaśnieć, gdy śmiejąc się wesoło, kroczyła u jego boku. Zostawiona na chwilę, kiedy Banks podchodził do kogoś, by porozmawiać, czym prędzej do niego dołączała, wyraźnie radośniejsza w jego bliskości. Natomiast jej obecność czyniła go silniejszym i przepełniała opiekuńczością, zwłaszcza gdy na wysokości swego ramienia widział jej uroczą twarzyczkę. Jedynie perspektywa ekspedycji oddalała ich od siebie. Banks smutniał, kiedy narzeczona z wiarą mówiła o jego powrocie, jakby wybierał się nie na drugą półkulę, lecz do sąsiedniego miasta. Ona zaś nie chciała słuchać, kiedy próbował jej uzmysłowić trudy i niebezpieczeństwa podróży i dzielić wiązane z wyprawą nadzieje — zamykała mu wówczas usta dziewczyńskim pocałunkiem, po czym odwracała uwagę od poważnych tematów, ujmując jego dłoń i całując opuszek każdego palca z osobna.

Banks, jeżeli nie przebywał w towarzystwie Harriet Blosset, szukał kompanii mężczyzn. W ostatnich dniach przed wypłynięciem Cook okazał się surowy i praktyczny, co bardzo przypadło do gustu Banksowi, który nie podzielał hałaśliwej ekscytacji pozostałych członków ekspedycji. Cook nosił się dystyngowanie, a jednak naturalnie, zachowując przede wszystkim zdrowy rozsądek, i w miarę zbliżania się momentu podniesienia kotwicy urósł w oczach Banksa na prawdziwego i jedynego dowódcę. Kiedy wielki dzień w końcu nadszedł, Joseph Banks i Daniel Solander wspólnie odbyli podróż z Londynu do Plymouth, gdzie jak było ustalone, mieli się spotkać z Cookiem i zaokrętować na „Endeavoura". Podczas trwającej cztery dni podróży lądem obaj mężczyźni byli przygnębieni; ich udział w ekspedycji stawał się coraz realniejszy i nie sposób było nie myśleć o czających się niebezpieczeństwach. Znalazłszy się na pokładzie statku, ramię przy ramieniu spoglądali na wybrzeże kraju, którego być może nigdy więcej nie ujrzą. Ciszę przerwał Solander, zadając pytanie, które skierowało myśli Banksa ku Revesby.

— Zadowolony z wizyty w domu?

— Bardzo — odpowiedział Banks spoglądając w stronę ruchliwego portu. — Pożegnałem się i z miejscem, i z ludźmi. — Na usta wypłynął mu uśmiech, kiedy dodał: — I dostałem lekcję od studenta botaniki na temat lokalnych porostów...

— Doprawdy? — Solander także się uśmiechnął. — Nie wiedziałem, że Revesby to ośrodek akademicki.

— Widzę, przyjacielu, że na swe nieszczęście nie doceniasz Revesby. Co byś powiedział, dowiedziawszy się, że właśnie w Revesby odkryłem artystę przyrodnika, który pod względem umiejętności w niczym nie ustępuje naszym towarzyszom?

— Powiedziałbym, przyjacielu, że wyolbrzymiasz talent wioskowego rysownika. Czy przywiozłeś może jakieś jego szkice, które by obroniły twą opinię?

Banks nagle spoważniał.

— Nie, nie mam ze sobą żadnych szkiców... Kto wie? Może faktycznie się pomyliłem — rzekł jakby do siebie, patrząc na zachodzące słońce. — Czas zejść pod pokład, pewnie już tam na nas czekają.

Dom stojący na końcu wioski bronił wciąż latu dostępu zamkniętymi drzwiami i okiennicami. Córka siedziała przy ojcu od rana do zmroku, potem wymykała się do siebie, by przy otwartym oknie rozkoszować się wieczorną bryzą kołyszącą czubkami drzew. Doszły ją słuchy o zaręczynach Banksa wkrótce po tym, jak „Endeavour" odpłynął, i od tego czasu w nabrzmiałe gorącem godziny pomiędzy zmrokiem a świtem wyobrażała sobie jego podróżującego z tą nieznajomą kobietą w sercu. Oczyma wyobraźni widziała go, jak stoi na progu czekających na odkrycie światów, pełen głodu życia, jakim go znała, chłonąc widoki i dźwięki, które w podarunku przywiezie tej, co na niego czeka.

Nie spodziewała się, że tętniące życiem lasy po jego odjeździe wydadzą się jej puste, że całe Revesby zda się jej mniejsze, a ludzie na powrót staną się podli bądź złośliwi, w zależności od nastroju. Rozumiała wszelako, że jego towarzystwo w letnie miesiące wiele odmieniło w jej życiu — teraz zaś płaciła za to cenę, którą przeczuwała od samego początku. Samotność bolała ją jeszcze bardziej, gdyż po raz pierwszy poznała uczucie zazdrości.

Ku swemu zdziwieniu podczas pierwszych tygodni ekspedycji napisał do niej dwa listy. Pierwszy, kiedy wciąż jeszcze stali na kotwicy, a Solander na pokładzie pilnował, by wnoszony dobytek trafił do właściwych kajut.

Z wielkim smutkiem dowiedziałem się, że stan zdrowia Twego ojca pogorszył się na tyle, że zdecydowałaś, Pani, nie dopuścić do siebie tego, który tylko Twe dobro ma na sercu.

Zamiarem moim było pozostawić u Ciebie kilka przedmiotów, które mnie w podróży na nic się nie zdają, Tobie zaś byłyby pomocne w prowadzonych studiach. Ogarnia mnie żal na myśl, że teraz przedmioty te leżą bezużyteczne, zamiast wypełniać należną im rolę.

Zaledwie kilka godzin dzieli nas od wyruszenia w podróż i wszyscy, którzyśmy na pokładzie, zdajemy sobie sprawę z ryzyka, jakieśmy podjęli. Jest możliwe, że nigdy więcej się nie zobaczymy. Przeto chciałbym podziękować za radość, jaką sprawiło mi Twe towarzystwo w ostatnich dniach pobytu w Revesby, i życzyć Ci, Pani, wszelkiej pomyślności na przyszłość.

Z poważaniem etc.
Joseph Banks.

Osiemnaście dni później znalazł ten list wciąż leżący na biurku w jego kajucie i starannie przedarł na dwoje. Tej samej nocy poczuł, że podróż rozpoczęła się na dobre. Morze niebieszczyło się wokół i znikąd nie dochodził najlżejszy nawet powiew zapachu lądu. Co najważniejsze jednak, noc była bezchmurna — stojąc na dziobie statku, Banks czuł, jak bierze go w objęcia nieboskłon. Skórę owiewał mu delikatny ciepły wietrzyk, nad głową świeciły miriady gwiazd, a z ramion staczał mu się ogromny ciężar odpowiedzialności. Nagle poczuł, że ma prawo do szczęścia.

Został na pokładzie do czasu, aż niebieskość morza i granat nieba zmieniły się w głęboką czerń, tak że na horyzoncie nie sposób było odróżnić, gdzie kończy się jedno, a zaczyna drugie. Wtedy dopiero zszedł pod pokład i w słabym świetle lampy oliwnej napisał drugi list.

Dzisiejszego ranka morze przybrało barwę zieleni, tylko na moment, w świetle wschodzącego słońca, lecz była to zieleń, jakiej z lądu nigdy się nie dostrzeże. Wysoko nad nami, nad morzem, szybował samotny jerzyk. Nie mogłem uwierzyć, że wypuścił się tak daleko od stałego lądu, jakby chciał przekazać nam ostatnie pożegnanie od tego wszystkiego, cośmy zostawili za sobą.

Nieczęsto mam okazję myśleć o Revesby, ale kiedy wracam myślami do naszego pożegnania, ogarnia mnie smutek. Jeszcze bardziej zasmuca mnie, że nie widzisz, Pani, tego nieba. Właśnie wschodzi księżyc, chmury napływają na jego tarczę. Bajeczne, zmieniające się kolory. Pragnęłabyś, Pani, namalować to niebo...

Przerwały mu hałasy za drzwiami kajuty; tej nocy nie dokończył listu. Nigdy go nie dokończył.

7

W muzeum

W poniedziałek spotkałem się z Katią w kawiarence Muzeum Historii Naturalnej, żeby — tak jak się umówiliśmy — „porównać notatki". Przy schludnej dziewczynie, ubranej w czyste dżinsy i sztywne od nowości tenisówki, w swej wysłużonej marynarce poczułem się jak niechluj. Na szczęście muzeum nie takich zwiedzających widziało, toteż nawet jeśli ktoś z obsługi pomyślał, że stanowimy dziwną parę, nie dał tego po sobie poznać. Nieopodal zrekonstruowany szkielet największego lądowego drapieżnika majestatycznie górował nad wycieczkami szkolnymi; gdzieś nad naszymi głowami, wiele pięter wyżej, w grobowych ciemnościach na swym niewygodnym kamiennym łożu spoczywał pierwszy odnaleziony archeopteryks. Pochyleni nad filiżankami spienionej kawy, nie zwracaliśmy uwagi na te cuda natury.

Wpadłem na Katię wcześniej tego ranka, jak w holu szykowała się do wyjścia na wykłady. Sam nie wiedząc dlaczego, zacząłem jej opowiadać o wdowie po Hansie Michaelsie. Dotąd sądziłem, że wizytę u niej zachowam dla siebie, lecz zobaczywszy Katię nagle zmieniłem zdanie. Być może dlatego, że szkic Hansa zburzył moje dotychczasowe wyobrażenia o czekającej mnie pracy. Zamiast mozolnego rycia w archiwach, podążania za pogłoskami i wydzwaniania po ludziach z branży miałem do rozwiązania zagadkę. Prawdopodobnie wtedy właśnie uświadomiłem sobie, że będę potrzebował jej pomocy.

Pomysł, aby spotkać się w muzeum, wyszedł od Katii i od razu przypadł mi do gustu, gdyż było to jedno z moich najbardziej ulubionych miejsc — eleganckie, przestronne i pełne cudów. Poza tym ucieszyłem się, że będę mógł z nią wszystko obgadać. Zaczęliśmy od wymiany informacji, do jakich udało nam się dotrzeć (albo dotyczących sprawy, żeby użyć detektywistycznego żargonu). Faktów była tak naprawdę garstka, toteż spodziewaliśmy się, że zajmie nam to niewiele czasu. Na początek wzięliśmy na tapetę Josepha Banksa, nad wyraz wdzięczny temat. Przystojny, czarujący mężczyzna z fantazją, do tego jeden z bardziej znanych przyrodników swej epoki oraz — o czym nie można zapominać — bogacz. W wieku dwudziestu ośmiu lat miał za sobą wyprawę dokoła świata, był beniaminkiem wyższych sfer, świetną partią, na którą polowały niezliczone matki z córkami na wydaniu, został sportretowany przez Joshuę Reynoldsa i był uważany za najważniejszego członka Królewskiego Towarzystwa Naukowego. Mnie udało się wyszperać więcej faktów, Katya zaś lepiej poradziła sobie z postaciami. Dwadzieścia minut później mieliśmy już wynotowane:

1743	*urodził się w Revesby w hrabstwie Lincoln.*
1760	*lat 17: studiuje w Oksfordzie; zapalony przyrodnik.*
1766—67	*lat 23: wyprawia się do Nowej Fundlandii z Danielem Solanderem.*
1768	*lat 25: zaręcza się z Harriet Blosset; udaje się z Cookiem i Solanderem w wyprawę dokoła świata na „Endeavourze" — na Tahiti obserwuje zaćmienie Słońca przez Wenus, współpracuje przy tworzeniu mapy wybrzeży Australii, zbiera okazy; świetny kompan i ulubieniec całej załogi.*
1771	*lat 28: wraca z wyprawy Cooka; bryluje w wyższych sferach.*
1772	*lat 29: przygotowuje się do udziału w drugiej wyprawie Cooka; rezygnuje w ostatniej*

chwili; zastąpiony przez przyrodnika Johanna Forstera.

1774   lat 31:   Forster zbiera okazy na polinezyjskiej wysepce Uliecie (obecnie Raieta).

1775   lat 32:   powrót drugiej wyprawy Cooka; Forster daruje Banksowi jedyny okaz Ptaka z Uliety.

— No i jak? — spytałem.

— Całkiem nieźle... — Katya pokiwała w zamyśleniu głową. — Możemy to zatytułować: „Wypadki wiodące do zbrodni".

Ponownie przyjrzałem się naszej liście.

— Prawdę mówiąc, jest tu parę faktów, które nie do końca są dla mnie jasne... Napisaliśmy: „1768 — zaręcza się z Harriet Blosset", ale później nie ma wzmianki o ślubie. Dlaczego?

Katya zerknęła do swoich notatek.

— Hmm... Spotkali się w Londynie. Zdaje się, że zaręczyn oficjalnie nie ogłoszono, nie było na to czasu przed wyprawą... Musieli ze sobą zerwać zaraz po jego powrocie.

— Z powodu?

— Tego nie wiemy, ale nie możemy zapominać, że Banksa nie było przez trzy lata...

Chociaż Katya sugerowała, że trzyletnia nieobecność jednego z narzeczonych jest zrozumiałym powodem do zerwania zaręczyn, czułem, że w głębi ducha oboje myślimy podobnie.

— Ciekawe, czy istnieje jakiś jej portret? — zastanowiłem się na głos.

— Jeśli tak, to jeszcze na niego nie natrafiłam. — Katya wyraźnie się zmartwiła. — Ale przecież musi być choć jeden w którejś z książek?... — spojrzała na mnie pytająco.

Wcale nie byłem tego pewien. Po chwili wahania zmieniliśmy nieco naszą listę:

1771   lat 28:   wraca z wyprawy Cooka; nie jest już zaręczony (dlaczego?).

Inna moja wątpliwość dotyczyła drugiej wyprawy Cooka w rok później. Banks był gotów do drogi, pozałatwiał wszystkie sprawy i dobrze się zaopatrzył na długą podróż, a mimo to wycofał się z udziału w ostatniej chwili, po sprzeczce z Cookiem na temat wielkości czy liczby kajut do jego dyspozycji. Dziwne zachowanie jak na mężczyznę słynącego z łagodnego usposobienia... Katya przyznała mi rację.

— Jemu współcześni też byli zdziwieni — powiedziała.

— Czytałeś o człowieku nazwiskiem Burnett?

— Burnett? — powtórzyłem kręcąc w zamyśleniu głową. Nic mi to nazwisko nie mówiło.

Katya sięgnęła po jedną z leżących na blacie książek i przekartkowawszy ją pośpiesznie, znalazła zaznaczone wcześniej miejsce. Tekst listu Cooka do Admiralicji, wysłanego na początku drugiej wyprawy, cytowany w oryginalnej pisowni.

Od kapitana Jamesa Cooka ze statku „Resolution"
do sekretarza Admiralicji
Madera, 1 sierpnia 1772
(fragment)

...Trzy dni przed naszym przybyciem na wyspę niejaki Burnett opuścił ją w pośpiechu. Czekał na p. Banksa około trzech miesięcy, na początku twierdząc, że przyjechał dla podreperowania swego zdrowia, później jednak rozpowiadając, że jego zamiarem było udać się w podróż z p. Banksem, wszelako rozmaicie przedstawiał znajomość z tym Dżentelmenem, jednym powiadał, że go nie zna, innym zaś, że na Maderze znalazł się za jego wskazówką, jako że nie mógł się zaokrętować na wybrzeżu angielskim. Następnie dowiedziawszy się, że p. Banks z nami nie płynie, przy pierwszej sposobności opuścił wyspę. Z wyglądu zdawał się przeciętny, a pobyt umilał sobie zbierając rośliny i tym podobne. Zachowanie pana Burnetta, jak również podejmowane przeżeń działania świadczyły, że jest on Kobietą — o czym zapewniała mnie każda ze spotkanych osób. Za sprawą przywiezionych ze sobą listów uwierzytelniających otrzymał zakwaterowanie u zamieszkałych na Maderze Bry-

tyjczyków. Podkreślić należy, że domniemana pani Burnett opuściła Anglię w tym samym czasie, gdy „Resolution" szykował się do wypłynięcia...

— No i co o tym sądzisz? Fanka Josepha Banksa? — wyszczerzyła zęby Katya, kiedy skończyłem czytać.
— Może — uśmiechnąłem się. — Albo tylko plotka? Banks znany był z podbojów, toteż pewnie nie raz go obgadywano... Poza tym obaj panowie się poróżnili i Cook mógł się nie oprzeć pokusie, by Banksa obsmarować w oczach przełożonych.

Katya wyjęła mi książkę z ręki i odłożyła na bok.
— Tak czy siak, niewiele nam ta informacja daje — powiedziała. — Ptaka z Uliety odkryto przecież znacznie później. I kiedy Cook tą samą drogą wracał z wyprawy, okaz był na pokładzie. A co wiemy o jego losach potem?

Pytanie było łatwe: nie wiedzieliśmy dosłownie nic. Czułem się, jakbym czytał kryminał, z którego wyrwano wszystkie kartki opisujące głównych podejrzanych. Na domiar złego prześladowało mnie przeczucie, że jeśli kiedykolwiek poznam rozwiązanie, to tylko dzięki Andersonowi. Z drugiej jednak strony Anderson był przekonany, że to ja wiem coś ważnego... Zamówiwszy świeżą kawę, która miała usprawiedliwiać naszą przedłużającą się bytność w muzealnej kawiarence, kontynuowaliśmy mrówczą pracę detektywów.

Z łatwością przyszło nam ustalić newralgiczny moment. Wiedzieliśmy, że Banks dostał okaz ptaka wkrótce po powrocie „Resolution". Co więcej, parę lat później Latham stwierdził obecność okazu w jego kolekcji. Jednakże już cztery lata od powrotu drugiej wyprawy Cooka, kiedy francuski ornitolog Malbranque miesiącami badał tę kolekcję, nie natknął się na okaz Ptaka z Uliety — w przeciwnym razie w starannie sporządzonym katalogu znalazłaby się jakaś wzmianka. I aż do dziś nikt nigdy o nim nie wspomniał.

Pozostawały zatem niecałe cztery („kluczowe dla sprawy" — jak by powiedziała Katya) lata, w ciągu których podarowany od niechcenia ptak niechcący zaginął. Ponad czterdzieści miesięcy, podczas których tłumy przewinęły się przez dom

Banksa w Soho, a choć sporządzał on notatki, jakie okazy komu pokazywał, Ptak z Uliety w nich nie figurował. Jednakże to właśnie wtedy musiał albo się rozpaść, albo zostać wyniesiony z tego domu. I jeśli wierzyć Andersonowi, od przeszło dwustu lat gdzieś sobie leży, czekając, aż odnajdzie go osoba wiedząca, w jakim miejscu szukać.

Kiedy bazgrałem po kartce, zapisując różne daty mające naprowadzić mnie na właściwy trop, kątem oka zauważyłem, że Katya zaczęła zerkać na zegarek. Pomyślałem, że pewnie ma ciekawsze zajęcia, jednakże ona zapytała:

— To co robimy dalej?

Uśmiechnąłem się do niej i sięgnąłem po czystą kartkę papieru.

— Postaramy się przechytrzyć przeszłość. Na podstawie szkicu, który znalazłem w domu Michaelsa, można sądzić, że w sprawę zamieszana jest kobieta. Wypiszemy teraz nazwiska wszystkich kobiet, jakie kręciły się koło Banksa w czasie, kiedy zaginął okaz. Uznamy je za podejrzane i przyjmiemy, że w jakiś sposób okaz trafił do nich. Potem możemy prześledzić, co stało się z ich kolekcjami. O ile m i a ł y swoje kolekcje.

— To mi się podoba — rzekła z entuzjazmem, sięgając po notatki. — *Cherchez la femme...* „Jeśli nie wiadomo, kto nabroił, szukajcie kobiety." Oczywiście i tak nic z tego nie będzie, ale możemy przynajmniej spróbować.

Listę stworzyliśmy w pięć minut. Pierwsze nazwiska nie sprawiły nam kłopotu: matka Banksa, jego siostra Sophia, Harriet Blosset, dwie damy z towarzystwa, żony przyjaciół, na których przyjęciach bywał. To wszystko, na co natrafiliśmy podczas lektury. Gdzieś na pewno można znaleźć ich portrety, jeśli tylko zadamy sobie trochę trudu. Po piątym nazwisku utknęliśmy w martwym punkcie.

— Ktoś jeszcze?

— Kochanka — powiedziała Katya po chwili namysłu. — Już po zaręczynach. Czytałam o niej, ale nie zapisałam nazwiska.

— Wciąż obecna w 1775 roku?

Katya zaczęła zbierać swoje rzeczy. Pakując się powiedziała z roztargnieniem:

— Chyba nie, ale na wszelki wypadek ją zapisz. W razie czego po prostu ją... jak się to mówi?

— Wyeliminujemy z grona podejrzanych? — podpowiedziałem.

— Otóż to — uśmiechnęła się wstając. — Teraz musimy tylko znaleźć ich portrety... — Ruchem głowy pokazała hol muzeum. — Chodź, chcę się tu rozejrzeć.

Już podnosząc się z miejsca, dopisałem na dole listy „Kochanka Josepha Banksa" i pod wpływem impulsu dodałem pytajnik.

Doprawdy los lubi płatać psikusy. Mój Dziadek spędził najlepsze lata życia szukając afrykańskiego pawia, co powinno stanowić wystarczające ostrzeżenie dla każdego, komu się wydaje, że zdoła odnaleźć coś, o czym nawet nie wiadomo, czy na pewno istnieje ani tym bardziej gdzie tego szukać. A stało się tak za sprawą piórka znalezionego przez Jamesa Chapina, który w 1913 roku udał się do dorzecza Konga w poszukiwaniu okapi, rzekomej żyrafy żyjącej w puszczy, a traktowanej podówczas jak legenda. Któregoś wieczoru pod koniec wyprawy grupa Chapina przyglądała się ceremoniom tubylców. Uwagę naukowca zwróciły pióra, jakimi przystrojony był wódz plemienia. Uzyskawszy zgodę na przyjrzenie im się z bliska, Chapin z łatwością rozpoznał wszystkie — z wyjątkiem jednego. Zaintrygowany i zdeterminowany, by odkryć, od jakiego ptaka pióro pochodzi, zabrał je ze sobą, lecz wyprawa wkrótce się zakończyła, a zagadka pozostała nie rozwiązana. Piórko niczym specjalnym się nie wyróżniało; z pewnością nie pochodziło z ogona i w ogóle nic nie świadczyło o tym, że należało kiedyś do pawia, a mimo to Dziadek nie potrzebował nic więcej. Niepozorne piórko zmieniło całe jego życie. I choć ani on, ani Chapin się tego nie spodziewali, musiało minąć ponad dwadzieścia lat, żeby Natura zdecydowała się odsłonić tajemnicę.

Zwiedzanie Muzeum Historii Naturalnej Katya rozpoczęła od miejsca, z którego ruszają wszystkie zorganizowane wycieczki — od holu głównego, gdzie króluje diplodok, a właściwie jego monstrualnych rozmiarów szkielet. Był początek tygodnia, pora wczesna, a na zewnątrz czuło się zbliżającą zimę, toteż muzeum było wyludnione i ciche. Po posadzce przesuwały się blade smugi światła, kreśląc wymyślny wzór.

Ruszyliśmy bez planu; dwie ludzkie figurki, w milczeniu przemieszczające się z sali do sali, przytłoczone ogromem wysoko sklepionych wnętrz, niknące w kontraście z czającymi się ze wszystkich stron prehistorycznymi stworzeniami. Przechodziliśmy obok skamieniałych odcisków gigantycznych mieszkańców oceanów i pod olbrzymimi żebrami dawno wymarłych ssaków, otaczały nas istoty jak z koszmarnego bestiariusza: starożytne krokodyle, pancerniki wielkości koni, leniwce równie potężne jak niedźwiedzie.

W pewnej chwili Katya odwróciła się do mnie i zaciekawiona spytała:

— Zawsze taki byłeś? To znaczy, taki dociekliwy?

Spojrzałem na nią zaskoczony. Zaczekałem, aż idąca za nami kobieta ciągnąca dwójkę dzieci nas minie, i dopiero wtedy odpowiedziałem:

— Chyba tak... przynajmniej w odniesieniu do pewnych spraw. Odkąd pamiętam, wałęsałem się po bezdrożach i coś zbierałem. Zacząłem od chrząszczy i kijanek, a później zainteresowałem się resztą. Pamiętam, że wagarowałem, żeby łapać traszki.

— A potem? W okresie dojrzewania? Nigdy się nie buntowałeś, nie brałeś narkotyków ani nie zostałeś wyrzucony ze szkoły?

— Kiedy miałem siedemnaście lat, na Kostaryce zbierałem tamtejsze owady — roześmiałem się niepewnie, nie wiedząc, czy o coś takiego jej chodziło.

Uśmiechnęła się, ale wydawała się myśleć o czymś innym.

— Przeszłam przez to wszystko — powiedziała. — To znaczy narkotyki i takie tam... Ale nigdy nie... — szukała odpowiedniego słowa, lecz koniec końców nie wyartykułowała myśli. — Każdy chłopak, z jakim się wtedy zadawałam, zdążył nie raz wylecieć ze szkoły albo od małego palił marychę, albo mieszkał w komunie. Miałam ich na pęczki... Można powiedzieć, że ich kolekcjonowałam.

— Nie rozumiem — odparłem. — Wcale mi się taka nie wydajesz.

— Akurat... — zrobiła śmieszną minę. — No wiesz, każdemu może się zdarzyć...

Ujęła mnie pod ramię i pociągnęła dalej. Sunęliśmy przez kolejne wystawy w pełnej wzajemnego zrozumienia ciszy, aż wróciliśmy do holu głównego, gdzie zatrzymaliśmy się przed starannie odtworzonym szkieletem ptaka dodo.

— Teraz już wiesz, czemu ludzie mówią: martwy jak dodo — zażartowałem ponuro.

— Martwy od trzystu lat — odczytała opis eksponatu.

— Skoro już mowa o nieżywych ptakach... — zerknąłem na zegarek. — Mamy umówione spotkanie.

Poprowadziłem ją na tyły muzeum. Tam, na uboczu, znajduje się biblioteka muzealna, w której oczekiwała mnie Geraldine, pracująca w niej od niepamiętnych czasów.

— Już po niego poszli, panie Fitzgerald — odezwała się, zaraz kiedy weszliśmy. — Będzie lada chwila. A na tamtym stole wyłożyłam biografie Banksa, o które pan prosił.

Katya popatrzyła na mnie pytająco.

— Zaraz sama zobaczysz — odpowiedziałem na nie zadane pytanie. — A tymczasem możemy się przyjrzeć książkom.

Usiedliśmy blisko siebie i razem zaczęliśmy przeglądać wyłożone książki, tropiąc nazwisko kochanki Banksa. Tropienie to dobre słowo... Im usilniej bowiem staraliśmy się znaleźć jakąkolwiek o niej wzmiankę, tym bardziej nam się wymykała. Zupełnie jakby nikt nigdy nie wiedział, jak się nazywała. Nie posunęliśmy się ani o jotę do czasu, gdy Geraldine podeszła do nas z przedmiotem, o który wcześniej ją poprosiłem. Położyła go na stole obok i znów zostawiła nas samym sobie.

Wstaliśmy, by lepiej widzieć. Przykryty plastikową osłoną leżał mistrzowsko wykonany rysunek ptaka o kolorach tak żywych i wyrazistych jak pewnego czerwcowego popołudnia 1774 roku, kiedy Georg Forster ukończył go w swej kajucie. Nawet przez osłonę było można dostrzec ślady, jakie artysta pozostawił: poprawki pierwotnego szkicu, rozmazany ołówek w miejscach, gdzie spocona dłoń niechcący przejechała w trakcie pracy. Mieliśmy oto na wyciągnięcie ręki papier, na którym Forster rysował, toteż tamten dzień wydawał nam się bliższy, a przedstawiony ptak niemal żywy.

— To o tego ptaka chodzi — szepnęła Katya wypuszczając długo wstrzymywane powietrze.

— Tak — potwierdziłem. — Właśnie tego wówczas złapano, ten sam trafił do kolekcji Josepha Banksa. Nie wiemy, jak liczna była kiedyś ich populacja ani jak żyły... nie wiemy o nich praktycznie nic. Znamy tylko ten jeden okaz.

Wpatrywaliśmy się w rysunek w zadumie, aż Katya w pewnym momencie zaczęła się wiercić.

— Muszę lecieć — powiedziała spojrzawszy na zegarek — bo inaczej spóźnię się na seminarium. — I wkładając płaszcz dodała: — Powinniśmy... — po czym urwała. — Nieważne. To na razie — i już jej nie było. W drzwiach odwróciła się i mi pomachała.

Po jej wyjściu czułem jakiś niedosyt. Nie zaprotestowałem, kiedy Geraldine przyszła zabrać rysunek, i na powrót zająłem się leżącymi przede mną tomami, wciąż żywiąc nadzieję, że natrafię na ślad tajemniczej kochanki. Najbliższe pół godziny przyniosło tylko parę niejasnych do niej odniesień, z których na wszelki wypadek zrobiłem kopie dla Katii, mimo że żadne nie zawierało nazwiska. Jednakże pokazałem je Katii znacznie później... Kiedy wróciłem z muzeum do domu, zaraz za drzwiami zauważyłem szarą kopertę, którą ktoś musiał wrzucić przez otwór na listy, gdyż nie miała przyklejonego znaczka. Tajemnicza przesyłka od razu wzbudziła moje podejrzenia; po pierwsze, nigdzie nie znalazłem nadawcy, po drugie, w zawartości rozpoznałem sekretny trop Andersona...

Mierzenie upływu czasu w trakcie długiej morskiej podróży to wyzwanie samo w sobie, zagadka z wieloma rozwiązaniami. Cookowi pozostawiono sprawę długości geograficznej, oficerowie obliczali położenie statku według kursu i logu, zwykli marynarze zaś nacięciami w drewnie zaznaczali dni nieżeglowne z powodu słabego wiatru. Dopiero na dalekim morzu Banks odkrył, że czas to zaiste tajemnica. Dni mijały mu tak szybko, że zanim się zorientował, rok dzielił go od wypłynięcia z Anglii, a każda doba dołączała do grupy podobnych jej, istniejących już tylko w jego wspomnieniach. Wkrótce miesiące podróży piętrzyły się w jego umyśle niczym pasmo gór dzielących go od domu. A jednak ostatnie dni, jakie spędził na lądzie, pozostały nad wyraz żywe w jego pamięci. Lasy Revesby, głowa Harriet złożona wdzięcznie na jego ramieniu, Londyn o świcie, Plymouth o zachodzie słońca. Każde wydarzenie mające miejsce podczas podróży czyniło te wspomnienia jeszcze wyrazistszymi, tak że wreszcie stały się zarazem celem, jak i pomocą w żeglowaniu ku stronom rodzinnym na podobieństwo przyjaznych świateł w bezgwiezdną noc. Banks miał niesłabnące przeczucie, że gdy podróż dobiegnie końca, świat będzie jak zawsze stał przed nim otworem — pełen zieleni, bezpieczeństwa i ofert.

W Revesby czas odmierzała inaczej: żółknącymi liśćmi, wypalonymi świeczkami, coraz wolniejszym i płytszym oddechem ojca. Banksowi dni mijały z zawrotną szybkością, jej zdało się, że czas stanął w miejscu. Jeden dzień przechodził w drugi niezauważalnie, każdy następny do złudzenia przypominał poprzedni, aż ich nagromadzenie zaczęło jej ciążyć, a nawet zamazywać wspomnienia z lata. Aby je uchronić i zachować, mimo coraz krótszego dnia starała się wykorzystać każdą chwilę światła, by oddawać się rysowaniu — każda postawiona przez nią linia w jej mniemaniu czyniła las bardziej rzeczywistym. Po zachodzie słońca, czekając, aż nadejdzie sen, robiła to samo ze wspomnieniami o nim — sięgała pamięcią po każde z osobna, poprawiała mu kontury i barwy, tworząc świetlisty portret zawieszony w ciemnościach.

Tego roku jesień była krótka, przepędzona przez szybko nadchodzącą zimę. Lecz jeszcze pod koniec października zdarzył się dzień, jakby lato chciało mieć ostatnie słowo. Wyszła wówczas z domu wcześnie, żeby nacieszyć się ciepłem i słońcem. Miała nadzieję przejść przez wieś niezauważona, lecz rychło spostrzegła, że nie tylko ją ładna pogoda wywabiła na zewnątrz. Idąc w kierunku łąki, którą musiała przemierzyć, jeśli chciała wejść w las, zauważyła zdążające w jej stronę dwie postaci. Rozpoznała w nich siostrę Banksa i córkę doktora Taylora i nie uszło jej uwagi, że obie wyraźnie się zawahały dostrzegłszy ją w pobliżu. Chociaż już dawno powinna się była do tego przyzwyczaić, jako że była to typowa reakcja mieszkańców Revesby na jej widok, poczuła w środku chłód, gdy uświadomiła sobie, że chcąc się dostać do wsi, będą musiały przejść mimo niej. Zebrała się w sobie i nie zwolniła kroku. Kiedy były już tylko parenaście stóp przed nią, utkwiła wzrok prosto przed siebie, postanawiając, że nie zejdzie ze ścieżki. To o n e będą musiały ustąpić, jeżeli nie chcą, by doszło do zderzenia. A tego z pewnością nie chciały, gdyż zderzenia z nią nie dałoby się zignorować. Jeszcze dwa kroki i usłyszała, jak obie kobiety z szelestem sukni znalazły się na zarośniętym poboczu, i kątem oka dostrzegła, że coś sobie pokazują w oddali. Mając ścieżkę dla siebie, kontynuowała wędrówkę już bez przeszkód, podobnie jak nierzadko w przeszłości. Jednakże tym razem, zrównawszy się z nimi, wyjątkowo pozwoliła sobie oderwać wzrok od linii drzew i zwrócić go na twarze kobiet. Tak jak przypuszczała, zobaczyła Taylorównę z wysoko zadartą głową zwróconą w przeciwną stronę, lecz panna Banks rzuciła jej nieśmiałe spojrzenie. Ich oczy spotkały się na ułamek sekundy, ona wszakże parła dalej naprzód i nim któraś zdążyła zareagować, już na siebie nie patrzyły. Wędrówkę można było kontynuować, jakby nic się nie stało.

Było to pierwsze spotkanie z kimś z krewnych Banksa od czasu, kiedy się dowiedziała o jego zaręczynach. Z trudem jej przyszło wyobrazić go sobie na łonie rodziny, ba! ledwie potrafiła myśleć o nim w zamknięciu, w murach, otoczonym bibelotami i wśród szmeru salonu. Kierując się w stronę lasu, żałowała, że panna Banks na nią spojrzała.

Żadna z dwu kobiet nie skomentowała spotkania na ścieżce, tylko panna Banks z ciekawością przyglądała się twarzy towarzyszki, jakby chcąc odgadnąć, jakie myśli pozostają w jej ustach nie wypowiedziane. Przeszedłszy wzdłuż całą wieś, stanęły na koniec pod domem o oknach zasłoniętych okiennicami. W ten słoneczny jesienny dzień budynek wydawał się im bardziej podupadły niż zwykle. Patrzyły nań z niezdrową fascynacją, nie obawiając się, że zostaną dostrzeżone.

— Nie mogę się doczekać, kiedy pan Ponsonby wynajmie ten dom komuś innemu — odezwała się Taylorówna jadowicie.

— Ponsonby? — Sophia odwróciła się zaskoczona. — Nie wiedziałam, że to on jest właścicielem.

— Zatem nie słyszałaś, że... — Taylorówna aż paliła się, by ten stan rzeczy naprawić. — Dom przechodzi na własność pana Ponsonby'ego z uwagi na długi. Od czasu... hmm... incydentu nie był spłacany i odsetki tak narosły, że... — Wreszcie zdecydowała się przestać owijać w bawełnę. — Mieszkają tu wyłącznie dzięki dobrej woli pana Ponsonby'ego.

— Dobrej woli? A niby dlaczego miałby okazywać im dobrą wolę? Przecież t e n człowiek — Sophia wskazała brodą na budynek — spoliczkował go w jego własnym domu, kiedy siedział z rodziną przy obiedzie.

— Moja matka twierdzi, że to prawdziwie chrześcijański uczynek, gdyż pan Ponsonby nie szuka rozgłosu. O sprawie wie tylko mój ojciec i pan Burrows.

Sophia się zamyśliła.

— Ale przecież młoda kobieta nie powinna być stawiana w takiej sytuacji. Kiedy jej ojciec umrze, znajdzie się na łasce i niełasce pana Ponsonby'ego... Nie wydaje mi się, żebym się dobrze czuła w jej położeniu.

Taylorówna uniosła brwi zdziwiona.

— Nie zapominaj, że ta rodzina nie jest znana ze swych niezłomnych zasad, a poza tym zdaje się, że wszyscy są zadowoleni. Zresztą niebawem się przekonamy... Ojciec powiada, że pogrzeb będzie góra za kilka miesięcy. Ale skończmy już rozprawiać o tak brzydkich sprawach! Spójrz na żywopłot, Sophio, czyż nie jest piękny o tej porze roku?

I obie kobiety ruszyły na przełaj przez pole — jedna rozszczebiotana, druga dziwnie milcząca.

Wkrótce nadeszła zima. Doktor Taylor zaglądał coraz rzadziej, ale pewnego lutowego poranka pojawił się o wcześniejszej niż zazwyczaj porze. Wszystko wciąż było skute mrozem, a na ścieżce wiodącej do domu błyszczał lód. Najzwyklejsze rzeczy wyglądały inaczej; stary doktor zauważył ślady ptaków na śniegu i zamarzniętą pajęczynę w oknie, smutno zwisającą z jednej strony i kołyszącą się na wietrze.

Gdy wszedł do środka, przywitał go chłód; ogień w kominkach palił się widać od niedawna i niemrawo. W holu, gdzie zostawił kapelusz i rękawiczki, było tak zimno, że widział wydychane przez siebie powietrze w postaci białych obłoczków pary. Jednakże pokój chorego był dobrze ogrzany i poznać było, że ognia pilnowano nawet nocą. Pacjent dotychczas zadziwiał doktora uporem, lecz tego ranka nie mogło być wątpliwości: to już nie potrwa długo. Od miesięcy przychodził tu bardziej ze względu na córkę niż na ojca.

— Co zamierzasz począć? — zapytał, nadając głosowi delikatne brzmienie, kiedy już zakończył rutynowe badanie. — Nie zostało wiele czasu...

— Nie chcę jeszcze o tym myśleć — odparła. — Nie chcę myśleć o nim jak o zmarłym. — Mówiąc to sięgnęła po bezwładnie leżącą dłoń ojca.

Doktor pokiwał głową ze zrozumieniem, lecz po chwili podjął:

— Niewiele mam znajomości, ale znam kogoś... rodzinę... z dziećmi, które potrzebują guwernantki.

Spojrzała na stojącego obok niej mężczyznę z niedowierzaniem.

— Przecież wiesz, co o mnie powiadają, panie. Nikt mnie nie przyjmie — głos jej nawet nie zadrżał, jakby za tym stwierdzeniem nie kłębiły się emocje.

Stary doktor ponownie pokiwał głową.

— Przykro mi — rzekł, chociaż nie było jasne, z jakiego dokładnie powodu odczuwa smutek.

Kiedy wychodził, zatrzymała go opiekunka Martha, kładąc mu na ramieniu dłoń i wskazując kuchnię.

— Nikt we wsi nie chce już sprzedawać na kredyt na nazwisko jej ojca — powiedziała cicho.

— Przykro mi — powtórzył i z wyraźnym wahaniem dodał: — W takim razie kupuj na moje nazwisko. — Sam nie był zamożny i miał rodzinę na utrzymaniu, ale zdecydował, że nie pozwoli, by jego pacjent umarł z głodu. Zresztą był pewien, że wszystko skończy się za najwyżej parę dni.

Tej nocy czuwała w ciemności rozmyślając nad pytaniem, które zadał jej doktor Taylor. Pchnęła okiennice i stojąc przy otwartym oknie czuła, jak mróz przenika do wnętrza pokoju. Na granatowym niebie świecił półksiężyc dając tyle światła, że łąka zdawała się jasna niczym w pochmurny dzień, lecz kępy drzew pozostawały w mroku. Na nie pokrytej śniegiem trawie malowała się szadź. Poczuwszy przejmujące zimno, otuliła się szczelniej szalem. Zdawała sobie sprawę, że na pytanie doktora jest tylko jedna odpowiedź, jaką wielu w jej położeniu uznałoby za zbawienie. Wszelako dla niej nic się nie liczyło, kiedy tak po ciemku siedziała w samotności czekając, aż jej dotychczasowe życie rozsypie się w pył.

Przez moment jej myśli zwróciły się ku Josephowi Banksowi żeglującemu wśród lata półkuli południowej i przez krótką chwilę była szczęśliwa — wdzięczna losowi za to, że chociaż on nie kostnieje z zimna w otaczających zewsząd ciemnościach. Uświadomiwszy sobie bliskość śmierci ojca, po raz pierwszy poczuła radość na myśl o zaręczynach Banksa, ciesząc się, że odnalazł swe przeznaczenie. To właśnie wtedy, spoglądając na spowite mrokiem drzewa, zrozumiała, że uparte trzymanie się ojca przy życiu dla niej okazało się nie — jak wcześniej myślała — przekleństwem, lecz błogosławieństwem. To dzięki niemu dane jej było radować się minionego lata lasami, dzięki niemu zakosztowała odrobiny miłości, to on pokazał jej, jak oswoić ból, który niechybnie by ją powalił w chwili jego śmierci, gdyby wcześniej nie nauczyła się z nim sobie radzić.

Zima w hrabstwie Lincoln z pewnością nie zaprzątała myśli Banksa. Niespodziewanie ukazała mu się nowa strona jego osobowości, nowa jej wartość. Pośród ciemnoskórych mieszkańców półkuli południowej, tam gdzie inni członkowie załogi „Endeavoura" widzieli odmienność i prymitywizm, on dostrzegał po prostu ludzi. Natomiast wyspiarze ciepłych mórz, nie potrafiąc pojąć niezrozumiałej dla nich sztywności Cooka i oficerów, lgnęli do Banksa, w którego otwartości i przystępności odnajdywali własną naturę. Nawet wziąwszy poprawkę na różnice w wykształceniu i sposobie życia, Banks rychło doszedł do wniosku, że lotność myśli bynajmniej nie jest przypisana białej rasie, że jego towarzysze nie mają monopolu na honor i niezłomność charakteru. Zafascynowany i uradowany tym odkryciem, całą swą uwagę skupił na tubylcach — tak od niego innych, a zarazem tak podobnych.

Oprócz ludzi, jakich napotkali, otworzył się przed nim zupełnie nowy świat rafy koralowej, który całkowicie go pochłonął. Bez cienia znużenia godzinami potrafił obserwować grę światła na wodzie czy podziwiać barwy i dźwięki wysp. Jako botanik nie mógł wyjść z podziwu nad różnorodnością i obfitością rojącej się wokół przyrody. Jego kolekcję zasilały coraz to nowe rośliny, ptaki i inne zwierzęta, aż w końcu Banks uzmysłowił sobie, że jest w posiadaniu czegoś absolutnie unikatowego.

Nigdy nie opowiedział jej o nocy na wyspie Otaheite, gdzie znienacka dopadło go wspomnienie o niej. Tubylcy świętowali ich pojawienie się, była uczta i tańce, w których Banks brał udział z właściwym mu zapamiętaniem, wymieniając uściski z każdym obecnym. Zatrzymawszy się na moment dla złapania tchu, poprzez liście palm dostrzegł odbijający się w falach morza księżyc i niewiele myśląc podszedł na brzeg. Stojąc nad samą wodą, zapatrzony w połyskującą taflę, nagle poczuł się dziwnie oddalony od dobiegającego z tyłu harmideru. Górę wzięły naturalne dźwięki nocy: szelest liści nad głową, cykanie owadów w trawie, szum potężnych fal rozbijających się o skały daleko od brzegu. I gdy tak stał i wszystkimi zmysłami chłonął otaczające go piękno, ogarnął go nieprzebrany smutek, przejmująca melancholia, które w końcu znalazły ujście i wypełniły mroczniejącą noc wokół niego.

Sam nie rozumiał, co wzbudziło w nim tak silne emocje. Stojąc w bezruchu, starał się zapamiętać każdy widziany szczegół. Wreszcie dotarło do niego, że jeszcze mogąc wszystko ogarnąć oczyma, odczuwa żałość, że ta czarowna rozszeptana księżycowa noc nie pozostanie jego na zawsze. Nieważne, ile roślin i ptaków uda mu się zebrać i umieścić na statku, nigdy nie zdoła zatrzymać tej idealnej chwili w doskonałym miejscu.

I to wtedy przypomniał sobie o niej, o jej szkicach, i od razu pomyślał, że gdyby była z nimi popłynęła, tej nocy znalazłby ją właśnie w tym miejscu, przycupniętą na brzegu, pewnymi ruchami dłoni zapamiętującą najdrobniejszy niuans.

Jakby mając za złe latu, że tak długo się zeszłego roku utrzymało, zima ciągnęła się aż do końca marca. Kiedy zaczął się Wielki Post, ziemia była wciąż zmarznięta, a strumienie skute lodem. Oddech jej ojca stał się pozornie spokojniejszy, lecz każde zaczerpnięcie tchu w rzeczywistości stanowiło wygraną bitwę. Z zaciśniętymi ustami czekała, aż wiosna przyniesie wyzwolenie; czuła, że powinien zobaczyć choć jej początek. Gdy go doglądała, paplała o nadchodzącej odwilży, radosnymi słowy wywołując pełne ciepła obrazy, jak gdyby to, co mówiła, mogło rozpalić w nim chęć do życia. Odszedłszy od łóżka chorego, wyglądała przez okno na smutne sine niebo i gałęzie drzew bez jednego pączka.

Wszakże pierwsze żniwo, jakie śmierć zebrała tego roku w Revesby, było nieoczekiwane. Pod koniec marca zmarł doktor Taylor, jego pacjent zaś, na którego utrzymanie łożył, wciąż był przy życiu. Wioskę ta śmierć poraziła, a na pogrzeb zeszli się żałobnicy z pięciu okolicznych parafii. Ona uczciła jego pamięć siedząc przy łóżku ojca na miejscu, które doktor zawsze zajmował. Śmierć jedynego przyjaznego jej człowieka spotęgowała trapiące ją poczucie samotności.

Martha, spojrzawszy na wynędzniałą twarz pacjenta i szron pokrywający szyby okien od wewnątrz, postanowiła zostać. W spiżarce było wystarczająco żywności aż do nadejścia wiosny, co dawało trochę czasu na zastanowienie się nad dalszymi krokami. Panienka podziękowała Marcie oczyma, lecz nic nie powiedziała. W głębi duszy już się martwiła, skąd weźmie pieniądze na nieunikniony pogrzeb.

W Londynie Harriet Blosset także na coś czekała. W pierwszych miesiącach po wyjeździe Banksa traktowała swe położenie jak szal żałobny, którym na balach i tańcach odgradzała się od reszty towarzystwa, celebrując swą samotność, co nie przynosiło jej szkody, gdyż w żałobie wydawała się jeszcze piękniejsza. Wiele dni spędziła na szyciu niezliczonych kamizelek dla Banksa, lecz z czasem doszła do wniosku, że marna z niej Penelopa i że nie do twarzy jej w czerni. Kiedy mniej więcej w połowie sezonu zaczęła znów tańczyć z kawalerami, napominała się w duchu, że żaden z nich nie dorasta Banksowi do pięt, i usprawiedliwiała sama przed sobą, że z drugiej strony są czarujący, nie dają za wygraną, no i są na wyciągnięcie ręki. Na swój sposób cierpiała, choć emocje nią targające nie należały do najgłębszych. Z upływem kolejnych miesięcy poznała znaczenie czasu, a nawet była zmuszona zacząć go odmierzać w inny niż dotychczas sposób. Pewnego dnia uczestniczyła w uroczystości zrękowin swej najlepszej przyjaciółki — doczekała do końca ceremonii, a potem, upewniwszy się, że nikt jej nie zobaczy, załkała z głębi serca.

W Revesby zaś konający mężczyzna być może słyszał modlitwy odmawiane przez siedzącą u jego wezgłowia córkę. Tej samej nocy, kiedy odszedł, przez śnieg leżący u progu jego domu przebiły się pierwsze nieśmiałe główki żółtych krokusów.

8

Jeden list i kilka ulotek

Czterdzieści minut zabrało mi, żeby odwołać wykłady na uniwersytecie na najbliższe trzy dni, przez kolejne dwadzieścia walczyłem z motorem, który miał mi posłużyć za środek transportu podczas planowanej podróży. Gotowałem właśnie wodę na herbatę, kiedy wróciła Katya. Usłyszawszy chrobot klucza w zamku drzwi wejściowych, czym prędzej przeszedłem do holu, żeby mi nie uciekła na górę. Najpierw zaparzyłem herbatę i dopiero kiedy usiadłem naprzeciwko Katii, przesunąłem w jej stronę kopertę. Otworzyła ją ostrożnie, nie wiedząc, czy ma się spodziewać dobrych czy raczej złych wiadomości.

W środku były dwie fotokopie. Pierwsza, znacznie powiększona, ukazywała front koperty, na którym jak byk widniał znaczek z czasów Jerzego V, zamazany i niestety nieczytelny stempel pocztowy oraz jak najbardziej wyraźny, napisany pochyłym charakterem pisma adres:

> *Miss Martha Ainsby*
> *Stary Dwór*
> *Stamford*
> *Hrabstwo Lincoln.*

Druga fotokopia to napisany tym samym charakterem list:

Hotel „Savoy", 17-ty stycznia 1915 roku
Kochana Martho!

Pułkownik Winstanley dotrzymał danego słowa i oto jestem w Londynie. *Niestety wszystko stało się tak szybko, że nie miałem możności wcześniej do Ciebie napisać, by Cię uprzedzić, ani tym bardziej przyjechać z wizytą. Jestem tu niespełna osiem godzin, ale papiery już trafiły do generała Wintersa i z samego rana wyruszam w drogę, by powrócić na łono pułku.*

Twój ostatni list krążył za mną po Francji, lecz dopiero dwa dni temu został przekazany do moich rąk i od razu wywołał falę smutku. Co za strata! Staruszek był wyborną postacią i naszym przyjacielem. Pocieszyło mnie jedynie to, że śmierć miał lekką — zasłużył przynajmniej na tyle.

Doprawdy zdumiała mnie Twoja zapobiegliwość, jeśli chodzi o cennego ptaka, w którego posiadaniu był staruszek. Widać nie zapomniałaś, jak bardzo mi zawsze na tym okazie zależało. Nawet gdyby jego historia nie sięgała wstecz aż do czasów Cooka i Banksa, nawet pomimo jego późniejszych losów, i tak jest najbardziej romantycznym i znaczącym przedmiotem, jaki potrafię sobie wyobrazić.

Kiedy tylko zdołam wyrwać się stąd i przyjechać na parę dni, spiszemy jego historię i prześlemy do Muzeum Historii Naturalnej. Godzi się, by ich powiadomić, że tak unikatowy dla nauki okaz jednak przetrwał! Do tego czasu strzeż go jak oka w głowie — nie chciałbym po powrocie dowiedzieć się, że sprzątnął mi go sprzed nosa ten Twój Lisek Chytrusek.

Pobyt w Londynie, choć krótki, dobrze mi zrobił; czuję się o niebo lepiej i ufam, że całe to zamieszanie wkrótce ucichnie, a ja będę mógł wrócić do domu.

Tymczasem, proszę, pozdrów ode mnie wszystkich.

Twój kochający brat,
John.

Kiedy Katya uniosła głowę znad listu, popatrzyliśmy na siebie z napięciem. Wprawdzie siedziała bez ruchu, jednakże poznać po niej było wyczekiwanie.

— Ptak z Uliety — odezwała się ściszonym głosem.
— O nim mowa w liście, prawda?

Nie musiała zadawać tego pytania, widziałem po jej oczach, co myśli.

— Być może.

Skrzywiła się lekko i niecierpliwie spojrzała znów na list.

— Jak to: być może? Okaz unikatowy dla nauki, powiązany z Cookiem i Banksem. Na pewno o niego chodzi — powiedziała z przekonaniem.

— Nie — pokręciłem głową. — Mimo wszystko tylko „być może". I również tylko „być może" jest to ten sam list, który wprawił Andersona w takie podniecenie. Gdyby szukał wypchanego ptaka, który zniknął z ludzkich oczu ponad dwieście lat temu, byłby szaleńcem, lecz szukając okazu, który widziano zaledwie osiemdziesiąt lat wstecz...

— Czyli jest szansa na jego odnalezienie! — Katya złapała mnie mocno za ramię. — A to oznacza, że my także możemy go znaleźć!

Uniosłem wolną dłoń, nie chcąc pozwolić, by emocje wzięły górę.

— Zaraz, zaraz... Sporo się wydarzyło od 1914 roku. Bombardowania, postępowania spadkowe, zakradająca się wszędzie wilgoć. Po tylu latach niczego nie można być pewnym...

— Ale skoro wciąż był w jednym kawałku w styczniu 1915 roku...

— Tak — wpadłem jej w słowo. — Skoro przetrwał aż do wtedy, jest szansa, że wciąż gdzieś jest. Anderson zdaje się nie mieć co do tego wątpliwości. Ale jeśli właśnie ten list stanowi główną przesłankę Andersona, jakim cudem trafił do nas? Nie sadzę, żeby to sam Anderson nam go podrzucił, żeby wyrównać szanse...

Katya podniosła obie fotokopie, jakby od nich mogły się odbić moje argumenty.

— No, niby racja — zawahała się. — A kto jeszcze o tym wie?

Pierwsza przyszła mi na myśl Gabby. Obiecała przekazać mi każdą informację, na jaką się natknie, i zdaje się właśnie dotrzymała obietnicy. Wprawdzie pojechała do Niemiec, ale przecież zostawiła u mnie swój płaszcz. Zręcznym ruchem wyjąłem papiery z rąk Katii.

— Co zamierzasz? — spytała.

— To oczywiste — odparłem. — Pojadę do Stamfordu sprawdzić, czy te papiery nie są sfałszowane.

— Świetnie — rozjaśniła się. — Jadę z tobą.

Wyruszyliśmy następnego ranka. Motor musiałem zostawić jako bezużyteczny, skoro podróżowaliśmy we dwójkę. Na szczęście Geoff, właściciel pubu „Pod Sierpem i Młotem", miał mały zardzewiały obiekt koloru wyschłej cytryny, szumnie nazywany przezeń samochodem, który mi czasem pożyczał. Kiedy wrzucaliśmy do bagażnika nasze torby, było jeszcze ciemno. Popyrkując włączyliśmy się do ruchu ulicznego Londynu tuż przed poranną godziną szczytu.

Jechaliśmy powoli, ale nie zniechęcało nas to; już na początku podróży ogarnęło nas dziecięce podniecenie, które nie ustępowało mimo przeciwności: deszcz zalewał przednią szybę, tak że prawie nic nie było widać, wycieraczki zaś przeraźliwie piszczały, nieomal uniemożliwiając rozmowę; radio nie działało, a ogrzewanie o tyle o ile — dobrze, że przynajmniej szyby nie były od środka zaparowane. Jeszcze na przedmieściach Londynu poddaliśmy się i zatrzymawszy, szybko nałożyliśmy płaszcze. Katii był długi i czarny, z eleganckim kołnierzem, za którym chowała twarz. Mój natomiast stary i sfilcowany, dzięki czemu prezentowałem się jak statysta w „Doktorze Żywago". Pod przykrótką jesionką rozpychał się jednak optymizm, którego nic nie mogło przytępić. No bo co, jeśli ten ptak faktycznie przetrwał? Przecież mógł przetrwać, prawda? Przypadkiem, wskutek cudownych zbiegów okoliczności... Z zamyślenia wyrwał mnie widok pustej jak okiem sięgnąć szosy. Wcisnąłem pedał i prędkościomierz niechętnie ruszył w drogę, osiągając — niewiarygodne! — liczbę 100.

Za Londynem już tak bardzo nie padało, a jeszcze kawałek dalej mogłem wyłączyć wycieraczki. Nagle produkowany przez samochód hałas został zredukowany to basowego mruczenia.

— Wiesz, że jesteśmy szaleni, prawda? — zapytałem nieco podniesionym z przyzwyczajenia głosem.

— Jasne — kiwnęła głową uśmiechając się przy tym szeroko. — Ale i tak fajnie jest szukać.

Też się uśmiechnąłem, częściowo do Katii, częściowo zaś na myśl o tym, co czeka nas u kresu podróży.

— Dokładnie to samo mówiłem ludziom, kiedy przez sześć lat siedziałem w lesie deszczowym szukając różnych rzeczy — stwierdziłem.

— Jakich na przykład?

— Roślin, ptaków. Związków. Wiesz, mam to w genach, pewnie po Dziadku. I Ojcu. Zdziwisz się, ale są chrząszcze nazwane ich imieniem, każdego z osobna. Chyba mnie nie podejrzewasz, że w dorosłym życiu mógłbym się interesować takim paskudztwem? — roześmiałem się i wkrótce śmialiśmy się już oboje.

— A co ty odkryłeś?

— Niewiele — wzruszyłem ramionami. — Jak miałem dwadzieścia pięć lat, opublikowałem artykuł o zgubnym wpływie wycinania drzew na pewien gatunek rzekotek żyjących prawie pięćset kilometrów w dół rzeki od miejsca wyrębu. W tamtych czasach to była rewelacja... przynajmniej dla ludzi, którzy się takimi sprawami przejmowali. Wygłosiłem też na ten temat parę odczytów. Tyle że niestety nikt nie pomyślał, że trzeba zaprzestać wycinki drzew. Kiedy później wróciłem w to samo miejsce, po rzekotkach zostało tylko wspomnienie.

Katya przyjrzała mi się, niepewna, czy mówię poważnie czy żartuję.

— Ale i tak odwaliłeś kawał dobrej roboty, prawda? — zapytała.

— W czysto teoretycznym sensie, owszem. Ale teoria nie na wiele zdała się rzekotkom... — przerwałem, nie wiedząc, co jeszcze powiedzieć. — Myślę, że właśnie wtedy przestało się układać między mną a Gabriellą. Tam się poznaliśmy, wiesz? W końcu nawet razem pracowaliśmy, wyznaczając w lesie deszczowym tereny chronione. Ale po tej sprawie z rzekotkami zacząłem się zastanawiać, czy gdzieś nie popełniamy błędu. To czym się zajmowaliśmy, można by nazwać leczeniem objawów. Choroba zaś była nie do opanowania: przyrost ludności, potrzeby konsumpcyjne tubylców, takie tam. Zacząłem nawet publicznie twierdzić, że rezerwaty nie załatwią sprawy, że stanowią jedynie opatrunek na nasze sumienia. A naprawdę trzeba było się zająć czym innym: zapanowaniem nad przyczynami. Katya wciąż mi się przyglądała. Tylko oczy wyzierały jej zza nieokiełznanej grzywki; jedną ręką trzymała kołnierz jak najbliżej szyi, drugą objęła się w pasie, jakby chcąc się rozgrzać.

— I o to wam poszło? Przestaliście być po tej samej stronie?

— Nie tylko o to... poszło o coś jeszcze... — chciałem powiedzieć więcej, ale okazało się, że jestem zbyt wolny albo zbyt nieśmiały, albo po prostu wyszedłem z wprawy. — Zawsze jest „coś jeszcze", prawda? — zakończyłem bez przekonania. — Tak czy inaczej każde z nas poszło swoją drogą. Gabby została w lesie deszczowym, a ja zabrawszy notatki wyjechałem śledzić to, co pozostało z ptaków, które już dawno utraciliśmy. Wydawało mi się, że skoro nasz gatunek przyczynia się do wymierania innych, jest winien przyszłym pokoleniom przynajmniej jakiś zapis, żeby ci, którzy przyjdą po nas, wiedzieli, co stracili — zerknąłem na Katię i uśmiechnąłem się uspokajająco. — Chyba prześladowała mnie wtedy jakaś mania... nie najlepiej wspominam tamte czasy. Doszedłem do siebie dopiero po paru latach od tamtych wydarzeń, a tutaj wróciłem, żeby dojść do ładu z samym sobą. Tamto działo się dawno temu i daleko stąd... — zakończyłem ze smutnym uśmiechem.

Katya chciała coś powiedzieć, ale zanim zebrała się na odwagę, deszcz zaczął padać na nowo i włączone na powrót wycieraczki udaremniły rozmowę.

Kiedy w końcu przedarliśmy się do centrum Stamfordu, pora lunchu prawie się kończyła, nasz optymizm wszakże zdawał się niewyczerpany. Przejeżdżając koło dworca kolejowego zauważyliśmy niepokaźny budyneczek z wystawioną w witrynie tablicą oferującą „Przekąski, dania i noclegi". Właścicielka tawerny trochę się zdziwiła, gdy poprosiliśmy o dwa pokoje, ale nie potrafiłem rozgryźć, czy chodziło jej o to, co jej zdaniem łączyło mnie i Katię, czy raczej zdumiało ją, że ktokolwiek chciał u niej przenocować? Odebrawszy klucze zabawiliśmy na górze tyle tylko, by zostawić torby, i wyszliśmy poszukać przyzwoitego miejsca na lunch. Jeszcze zanim podano nam jedzenie, zdążyłem zatelefonować na uczelnię, żeby zostawić informację, gdzie mnie mają szukać — na wypadek gdyby Gabby chciała się skontaktować.

Rozsiadłszy się wygodnie, piliśmy drugą filiżankę kawy i planowaliśmy pobyt. Jako że przepełniała nas pewność siebie (i kofeina), zdecydowaliśmy się rozdzielić. Katya miała się udać do lokalnego archiwum, ja zaś popytać w informacji turystycznej o Stary Dwór. Prawdę mówiąc dopiero tam poczułem, że nie pójdzie nam łatwo. Wnętrze biura bynajmniej mnie nie zdziwiło — boazeria udająca sosnę i wszechobecny zapach linoleum i pasty do podłóg. Wzdłuż blatu pod jedną ze ścian wystawiono ulotki i broszury, jakich należało się po takim miejscu spodziewać, toteż od nich zacząłem, połowicznie tylko wierząc, że od razu znajdę to, czego szukam. Kiedy poszukiwania nie przyniosły zamierzonego rezultatu, grzecznie odczekałem w ogonku za wybierającym się w podróż koleją człowieczkiem, któremu jak zauważyłem, nigdzie się nie śpieszyło. Kobieta w informacji podniosła głowę i spojrzała mi w oczy dopiero, gdy tamten z hałasem zamknął za sobą drzwi.

— Właściwie nie powinnam udzielać informacji o rozkładzie jazdy pociągów — powiedziała krzywo się uśmiechając. — Ale staram się pomóc zawsze, jeśli tylko potrafię...

Uśmiech spełzł jej z twarzy, kiedy oznajmiłem, że interesuje mnie Stary Dwór. Ponownie spojrzała mi w oczy, jakby wietrząc podstęp.

— Nic nie rozumiem — wzruszyła ramionami. — Zaledwie parę dni temu ktoś pytał dokładnie o to samo miejsce.

Ścisnęło mnie w dołku.

— I cóż w tym takiego niezwykłego? — spytałem, uważnie się jej przyglądając.

— Teoretycznie nic — odpowiedziała czujniejszym tonem. — Tyle że to miejsce raczej nie istnieje.

Na mojej twarzy musiało malować się potężne rozczarowanie, bo co innego sprawiłoby, że nagle stała się rozmowniejsza? Opowiadając mi o poprzednim turyście zainteresowanym Starym Dworem, kładła przede mną kolejne ulotki, tak że wkrótce byłem w posiadaniu parunastu kolorowych reklam zachwalających zabytkowe domy w okolicy. Postukała paznokciem w leżącą na samej górze fotografię.

— Ten by mi najbardziej pasował — pokiwała głową do siebie. — Stary Folwark. Jego najstarsze części pamiętają pewnie czasy Henryka VIII. Leży na północ od miasta.

Uśmiechnąłem się uprzejmie.

— A czy ten turysta był wysoki? Typ nordycki? — zapytałem, choć właściwie znałem już odpowiedź.

— Ależ skąd! — Kobieta wyrwała się z zamyślenia nad architektoniczną ciekawostką i przyjrzała mi się podejrzliwie. — To był Amerykanin. Bardzo dobrze wychowany. Nosił okrągłe okularki... i nie był najmłodszy. A może teraz pan mi powie, o co w tym wszystkim chodzi?

Wyjaśniłem, że szukam śladów rodziny o nazwisku Ainsby, która żyła w tej okolicy na początku dwudziestego wieku. Nazwisko nic jej nie mówiło, toteż skierowała mnie do miejscowego archiwum — podobnie jak dobrze wychowanego Amerykanina.

Deszcz nie ustawał przez resztę popołudnia, robił sobie jedynie krótkie przerwy, po czym uderzał z nową siłą. O szóstej wieczorem spasowaliśmy i zacumowaliśmy w „Przydworcowej Tawernie", która po zmroku prezentowała się znacznie lepiej niż za dnia. W saloniku gazowy kominek dawał złudzenie przytulności, a czerwone abażury lampek poustawianych na stolikach przepuszczały tak mało światła, że brzydkie zacieki na ścianach były prawie niewidoczne. W kontraście z przejmującym zimnem panującym na zewnątrz lokal wydał się nam przyjaźnie ciepły, toteż zaryzykowaliśmy nawet zamówienie posiłku. Czekając nań, zasiedliśmy przy kominku i popijali wybrane trunki: Katya czerwone wino, ja miejscowy browar.

W archiwum udzielili Katii informacji, jaką się obawiałem usłyszeć: rodzina nosząca nazwisko Ainsby z całą pewnością nie mieszkała w okolicy Stamfordu ani w 1914 roku, ani kiedykolwiek indziej. Katya nie dawała za wygraną przez bite trzy godziny, zaangażowała w poszukiwania dwójkę urzędników, ale w końcu musiała pogodzić się z faktami. Wyglądało na to, że utknęliśmy w martwym punkcie, nie dowiadując się praktycznie niczego. Mimo to nie podupadliśmy na duchu; zajadając miejscowe przysmaki, popuszczaliśmy wodze fantazji i zastanawiali się, jak dopasować do siebie nieliczne elementy układanki, w których posiadaniu byliśmy. Czyżby fotokopia listu, z którego powodu znaleźliśmy się w hrabstwie Lincoln, została spreparowana? Chcieliśmy wierzyć, że nie, że pomimo wszystko jest autentyczna — przecież był to jedyny trop, jaki oprócz szkicu Hansa Michaelsa zdobyliśmy. Postanowiliśmy więc powęszyć jutro nieco dokładniej.

Skończywszy omawiać nasze „śledztwo" nagle poczuliśmy się w swoim towarzystwie niezręcznie. Katya oznajmiła, że jest zmęczona i że chce się wcześnie położyć, ja nie miałem nic przeciwko powtórzeniu kolejki. Właśnie zastanawiałem się, czyby nie zamówić trzeciego kufla, kiedy owionęło mnie lodowate powietrze. Podniósłszy wzrok na drzwi zauważyłem, że do baru wszedł niewysoki korpulentny jegomość. Nie uszło mojej uwagi, że sądząc po stanie, w jakim znajdował się jego płaszcz, deszcz nie daje za wygraną. Coraz bardziej podobało mi się wnętrze baru z jego gazowym kominkiem, który — choć nikt nie dokładał do ognia — posykiwał równomiernie, dodając mi otuchy. Pod wpływem impulsu wyjąłem z kieszeni ulotki zabrane z informacji turystycznej i rozłożyłem je wachlarzem na blacie.

— Nic z tego — usłyszałem charakterystyczny amerykański akcent. Przybyły przed chwilą gość zdążył już podejść do mojego stolika, gdzie otrząsał poły płaszcza z wody.

— Słucham? — zareagowałem błyskawicznie, chcąc zachować resztki godności, co było trudne, gdyż właśnie zostałem przyłapany na wczytywaniu się w ulotkę zatytułowaną „Dolina Chochlików i Grota Elfów".

— Nie o to miejsce panu chodzi — odpowiedział rzucając przemoknięty płaszcz na pobliski taboret. — Pan Fitzgerald, prawda? Mogę się dosiąść? — Pytanie było czysto kurtuazyjne, gdyż już wysuwał sobie krzesło. Kiedy siadał, zwróciłem uwagę, że pod płaszczem miał elegancki trzyczęściowy garnitur z rodzaju tych, które w latach trzydziestych dwudziestego wieku nosili w Anglii wiejscy lekarze. Obrazu dopełniały siwe włosy i okulary w staromodnych oprawkach. Gdybym go wcześniej nie usłyszał, nigdy bym nie powiedział, że to Amerykanin. — Nazywam się Potts — przedstawił się podając mi dłoń. — Na uczelni powiedzieli mi, gdzie pana znajdę... Zatrzymałem się w hotelu „Królewskim" na High Street — dodał. Wciąż będąc lekko zdziwiony nie odzywałem się, on zaś nie zamierzał oddać mi inicjatywy. Sięgnąwszy do kieszeni marynarki wydobył podobne do moich ulotki i zaczął jedną po drugiej wykładać na stół jak karty, a oczy mu przy tym błyszczały podnieceniem. — Stary Folwark? Nie. Dwór Hawsleyów? Też nie. Dwór Thurleyów? Odpada. Dwór Radnorów? Rany, tam robili sery, nie ma mowy! Dwór Pulkingtonów? Skądże! Dolina Chochlików? — wzruszył ramionami, nie wiem, czy z powodu nazwy czy z jakiegoś innego względu. — Może się pan tam przejechać, jeśli pan chce, ale proszę nie mieć później do mnie pretensji...

W ręku wciąż trzymałem swoje ulotki, które zebrałem ze stołu, żeby zrobić mu miejsce. Upuściłem je teraz na jego foldery.

— Myślę, że powinien pan zacząć od początku. Kim pan jest?

— Potts — powtórzył i mógłbym się założyć, że mrugnął do mnie, jakby był wujaszkiem, który zdradza bratankowi sekret. — Chyba jesteśmy tu z tego samego powodu.

— Szuka pan zaginionego ptaka? — zapytałem dla pewności.

— Bingo! — Sięgnął do kieszonki kamizelki i wręczył mi wyłuskaną stamtąd wizytówkę, która jednak niewiele wyjaśniała.

Emeric Potts
Sztuka — Antyki — Unikaty

— Handluje pan dziełami sztuki? — chciałem się upewnić, obserwując go przy tym uważniej.

Złożył usta w ciup, jakby poczuł się obrażony.

— Niezupełnie. Ale rzeczywiście mam do czynienia z handlarzami antyków: znajduję dla nich to, co oni potem sprzedają. Jeśli ktoś szuka zaginionego van Dycka albo pierwszego wydania „Ulissesa", prędzej czy później trafi do mnie.

Oddałem mu wizytówkę.

— Czy ta sprawa nie wykracza nieco poza pana zainteresowania zawodowe?

— Och, nie... Nazwałbym to raczej... — szukał właściwego słowa — dywersyfikacją branży. Przecież wypchane zwierzę to coś jak rzeźba, nie sądzi pan?

Nie skomentowałem tej osobliwej opinii.

— Zatem zna pan kogoś, kto chce kupić Ptaka z Uliety — bardziej stwierdziłem, niż zapytałem.

Tym razem prawie na pewno poczuł się dotknięty.

— Co za bezpośredniość, panie Fitzgerald — pokręcił głową. — Wolę swoją wersję: zależy mi, by go odnaleźć. A z jakichś powodów wiele osób uważa, że pan może mi w tym pomóc. Dzwoniłem do pana kilka razy w ciągu ostatnich paru dni, ale zdaje się, że rzadko bywa pan w domu...

Wciąż bacznie mu się przyglądałem, nie wiedząc, co sądzić o tym dziwnym spotkaniu.

— A co pan robi w Stamfordzie? Naturalnie jeśli nie liczyć szukania mnie?

Znów zaczął grzebać w którejś z niezliczonych kieszeni i za chwilę moim oczom ukazała się pomięta kartka.

— Widział pan to wcześniej? — zapytał rozprostowując papier.

— Hmm... nie jestem pewien — skłamałem bez zmrużenia oka, choć od razu rozpoznałem fotokopię listu Johna Ainsby'ego.

— Ależ tak, widział pan — zapewnił mnie, po czym rozparł się wygodniej na krześle i przyglądając się leżącej przed nim fotokopii, dodał: — Sam to do pana wysłałem. — Cóż, zaskoczył mnie, toteż nic dziwnego, że nie zdołałem zapanować nad wyrazem twarzy. — A pan myślał, że kto to panu przysłał? Karl Anderson?

— Nie... To znaczy...

Zaśmiał się cicho.

— Tak, to j e s t list Andersona, ten, który sprawił, że w takim pośpiechu się tutaj znalazł i rozpoczął poszukiwania.

— Mnie powiedział, że miał także inne powody do przyjazdu. Malarstwo botaniczne, zdaje się. Ptak z Uliety to dla niego fucha.

Potts nadal się dobrodusznie uśmiechał, ale czułem, że przygląda mi się badawczo zza swoich okularków.

— Tak panu powiedział, co? No, no — potrząsnął głową, po czym zdjął okulary i zaczął czyścić szkła o materiał kamizelki, jakby Anderson i jego motywy przestały go interesować. Mnie jednak cała sprawa interesowała coraz bardziej, toteż nie popuściłem.

— To nie trzyma się kupy — wyraziłem swoje zdanie.

— Niby dlaczego pan miałby mi przysłać tę fotokopię?

Zrobił grymas, jakby odpowiedź rozumiała się sama przez się.

— Żeby zobaczyć, jak pan zareaguje — odparł. — Pan jest fachowcem, panie Fitzgerald, i słyszałem, że takie odkrycie wiele by dla pana znaczyło. Więc pomyślałem sobie, że jeśli podsunę panu list Ainsby'ego, reakcją będzie albo brak działania, co świadczyłoby, że to trop fałszywy, albo pański przyjazd tutaj, czyli że coś w tym jest. No i proszę, jest pan tutaj! — zakończył zadowolony.

Potts najwyraźniej należał do ludzi, którzy uwielbiają mówić. Rozgrzawszy się przy kominku, nie czekał, aż zacznę go wypytywać — sam zaczął opowiadać o liście Johna Ainsby'ego. Anderson otrzymał go, zdaje się, od jakiegoś naukowca zaangażowanego w badania poświęcone pierwszej wojnie światowej. Kiedy list znalazł się w jego rękach, Anderson od razu powiązał go z Ptakiem z Uliety, choć wymarłe ptaki nie leżały w głównym nurcie jego zainteresowań. Pierwsze, co uczynił, to pokazał list Tedowi Staestowi, z którym wspólnie doszli do przekonania, że ptak może okazać się cenny (w tym miejscu opowieść Pottsa najbardziej kulała, jakby nie do końca wiedział, na czym polega układ pomiędzy Andersonem i Staestem). Dopiero kiedy w środowisku zaczęły rozprzestrzeniać się plotki, Potts zdobył fotokopię listu.

— Niezbyt legalnymi metodami, panie Fitzgerald — nie omieszkał podkreślić.

— Przekupił pan kogoś?

Po raz kolejny tego wieczoru zrobił urażoną minę.
— Ależ, panie Fitzgerald! Po cóż wdawać się w szczegóły... Najważniejsze, że mamy fotokopię listu... — ruchem brody wskazał leżącą przed nim kartkę papieru. — Intrygująca treść, nieprawdaż? Odniesienia do Cooka i Banksa, wzmianka o unikatowym okazie. No i adres: hrabstwo Lincoln, skąd pochodził Banks. Nic dziwnego, że list rozbudził tyle nadziei. Ale jest pewien fragment... — poszukał go wzrokiem i odczytał: — „nie chciałbym po powrocie dowiedzieć się, że sprzątnął mi go sprzed nosa ten Twój Lisek..." Jak pan myśli, o co tutaj chodzi? Potencjalny rywal?
— Lisek, lis... podejrzewam, że chodzi o kogoś przebiegłego i z lekka bez skrupułów. Chociaż z drugiej strony zdrobnienie sugeruje, że łączyła ich jakaś zażyłość... Może konkurent do ręki siostry Johna, przy okazji myszkujący w dobrach rodzinnych?
— Konkurent... kochanek... — pomysł wyraźnie się Pottsowi spodobał. — Taak, dlaczego nie? — Schowane za grubymi szkłami oczy na moment mu się zamgliły, jakby uciekł myślami daleko, ale zaraz odzyskał rezon i wrócił do przerwanej opowieści. Dowiedziałem się, że list sprowadził go najpierw do Londynu, a wkrótce potem do Stamfordu, gdzie uderzył głową w mur. Ani śladu Ainsbych, ani śladu Starego Dworu, ani tym bardziej wypchanego ptaka. Nie mówiąc już o Andersonie. — Jego nieobecność zmartwiła mnie chyba najbardziej — zwierzył mi się. — Skoro nie było tutaj Andersona, ja też powinienem być gdzie indziej. Ale czwartego dnia pobytu w hotelu „Królewskim" zauważyłem pewnego gościa... — z portfela wyciągnął wizytówkę.

Edward Smith
dyskrecja gwarantowana
63 North Hill Road
Londyn

— Smith pracuje dla Andersona — kontynuował Potts. — Nie musiałem go nawet naciskać, by się do tego przyznał. Jest wyjątkowo pewny siebie... między wierszami dawał mi do zrozumienia, że poszukiwania już się właściwie zakończyły. Bardzo się ucieszyłem, kiedy na niego wpadłem, ale jeszcze bardziej uradowałoby mnie, gdybym znał obecne miejsce pobytu Andersona.

— A czym dokładnie zajmuje się ten cały Smith? — zapytałem.

Potts wzruszył ramionami.

— Wychodzi wcześnie rano, wraca późno wieczorem. Jeździ wszędzie samochodem. Próbowałem go śledzić, ale się zorientował. Objechaliśmy całe hrabstwo, niech pan sobie wyobrazi, przeszło sześć godzin jazdy! Drogi mają tu takie, że... — westchnął przeciągle i znów wygodnie się oparł. Patrząc na mnie przyjaźnie, wyznał: — Wie pan, gdyby nie to, że natknąłem się na Smitha, już dawno bym dał sobie z tym miejscem spokój; jeśli nawet jest tutaj coś do znalezienia, ja tego nie widzę, a pogoda dopiekła mi do żywego. No a teraz pan... Czemu nie mielibyśmy być wobec siebie szczerzy? — nachylił się ku mnie i mimowolnie zniżył głos do szeptu. — Ma pan rację, panie Fitzgerald, to właściwie nie moja działka. Mimo to szalenie mi zależy, by odnaleźć tego ptaka p r z e d Andersonem. Proponuję panu układ: pan znajduje ptaka i idziemy do Staesta razem. Będzie pan mógł z nim negocjować osobiście, ja nie chcę więcej niż, powiedzmy, jakieś pięć procent. Ot, tyle co wpisowe...

Dopiero w tamtej chwili doceniłem przydatność image'u Pottsa. Niczym dobroduszny wujaszek przez ponad dwadzieścia minut z wielką kulturą wypytywał mnie o Ptaka z Uliety i gdzie moim zdaniem może się obecnie znajdować. Rozmowa na ten akurat temat powinna być o wiele krótsza, ale podobnie jak Anderson Potts nie chciał uwierzyć, że wiem tak mało. Mój kufel dawno już wysechł, a on wciąż drążył. Wreszcie przerwałem falę pytań pod pretekstem kupienia kolejnego drinka. On sam niczego nie zamówił, a kiedy wróciłem do stolika, wciskał się w płaszcz. Przerwał na chwilę akrobacje, by podać mi rękę.

— Proszę pamiętać, co panu dziś powiedziałem. Moim zadaniem jest odnaleźć ptaka, zanim Anderson go dopadnie. Ale gdyby przypadkiem udało się go panu znaleźć przed nami oboma, niech pan pamięta, że z przyjemnością pomogę panu dostać za niego jak najlepszą cenę.

Po jego odejściu w zamyśleniu sączyłem piwo, utwierdzając się w przekonaniu, że dzieje się coś, czego dalibóg nie rozumiem. Pottsowi niewątpliwie zależało na odnalezieniu okazu, podobnie jak Andersonowi, ale żaden z nich nie był specjalnie zainteresowany, by na tym zarobić. Czy naprawdę chodziło im o wkupienie się w łaski Teda Staesta? Ile może być warta przychylność kanadyjskiego miliardera? A może nie o to chodziło? Może rzeczywista wartość okazu była niewyobrażalnie wysoka i dlatego radośnie pozwalali mi wyznaczyć cenę, wiedząc, że nigdy nie wymienię właściwej nawet w przybliżeniu do paru zer? Rozważałem przez chwilę taką możliwość, ale w końcu ją zarzuciłem. Niemożliwe, by ptak był wart aż tyle... Chyba że cały ten biznes z genami był o wiele bardziej lukratywny, niż sądziłem.

Na stole wciąż leżały dwa zestawy ulotek: moich i Pottsa. Machinalnie je podniosłem i zacząłem jeszcze raz przeglądać. W końcu co innego mi zostało?

Kilka chwil później, kiedy starałem się zmieścić ulotki w kieszeni, w oczy rzuciły mi się fotokopie, jakie w Muzeum Historii Naturalnej zrobiłem dla Katii. Kochanka Josepha Banksa. Rozejrzałem się dookoła, ale bar był nadal czynny. Nie chciało mi się jeszcze spać, przy kominku było mi ciepło, toteż rozsiadłem się wygodniej i po raz pierwszy przyjrzałem im się uważniej.

Kiedy „Endeavour" w końcu wyruszył w drogę powrotną, po jego pokładzie spacerowała Śmierć. W Batawii* załogę dopadła gorączka i od tego czasu nie było dnia, by ktoś nie umarł. Banksowi udało się uniknąć najgorszego, lecz zdrowie zarówno jego, jak i Solandera mocno wtedy ucierpiało. Zanim

---

* B a t a w i a — obecnie Dżakarta, miasto portowe i stolica Indonezji, leży na północnym zachodzie wyspy Jawa (przyp. tłum.).

dotarli do Przylądka Dobrej Nadziei, stracili dwudziestu trzech ludzi; kiedy wpływali na wody Atlantyku, zabrakło wśród nich Parkinsona, Monkhouse'a i Molineux wraz z trzecią częścią załogi. Ci, którzy przeżyli, zwrócili twarze ku północy, w nadziei że tam czeka ich ocalenie.

Jednakże to ostatnie dni podróży okazały się najcięższe. Na otwartym morzu walczyli o przetrwanie i wypełniali swe obowiązki; posłuszni rozkazom i rutynie zmierzali do jasno wytyczonego celu. Lecz z każdą milą morską zbliżającą ich do lądu stawali się coraz bardziej niepewni tego, co zastaną w domu. Dla wielu powrót miał oznaczać rozczarowanie.

Wreszcie na horyzoncie pojawił się kanał La Manche, którego widok oderwał od pracy także Banksa. Już wówczas, tak daleko od Londynu, wiedział, że plon ich wyprawy jest nie do przecenienia. Zobaczyli i opisali światy, o jakich ci, którzy ich na wyprawę wysłali, nawet nie mogli marzyć. On sam wiózł do Anglii kolekcję okazów roślin i zwierząt oraz przedmioty, jakich nigdy wcześniej w Europie nie oglądano. Będąc po ludzku słabym, z młodzieńczą niecierpliwością wyczekiwał chwili tryumfu, pozwalając przy tym, by sukces go lekko odmienił. A mimo to denerwował się i zazdrościł Cookowi, który na lądzie wiódł ustatkowane życie — zazdrościł mu żony czekającej nań w domu i poczucia przynależności, jakie mogła dać tylko kochająca kobieta. W tym samym czasie Banks odkrył, że wyobrażenie domu, jakie zabrał ze sobą na półkulę południową, ulega zmianie wraz ze zbliżaniem się do ziemi ojczystej i rzeczywistości.

Och, wciąż się widział w londyńskich salonach, jak opowiada przeżycia z wyprawy i jak równy z równym rozmawia z największymi naukowcami epoki. Prawdopodobnie cały czas o tym marzył, choć nie miał odwagi tego przyznać nawet przed samym sobą, dopóki nie był pewien sukcesu. Lecz kiedy próbował wyobrazić sobie u swego boku Harriet, na wykreowanym w umyśle obrazie pojawiała się rysa. Harriet nie pasowała do tych poważnych mężczyzn rozprawiających o poważnych sprawach. Banks ze wstydem uświadomił sobie, że im usilniej stara się przywołać w pamięci jej twarz, tym uporczywiej jawi mu się przed oczyma alabastrowa skóra dekoltu i ramion, po której wędrują jego palce, burząc mu krew nawet teraz! Aby uwolnić się od tych wspomnień, czynił wysiłki, by przypomnieć sobie jej głos i uśmiech, nadaremno jednak. Zażenowany własną reakcją, odegnał od siebie myśli o Harriet do czasu, kiedy spotka ją osobiście.

„Endeavour" przybił do wybrzeży Anglii w porcie Deal po prawie trzech latach żeglugi.

Ich powrót okazał się sensacją znacznie większą, niż Banks mógł sobie wyśnić, przyjęcie w Londynie przerosło jego najśmielsze oczekiwania. Nie minął tydzień, a jego twarz powszechnie kojarzono z wyprawą, uznawano go w równej mierze za śmiałka i awanturnika, co za żądnego wiedzy szkolarza. Podczas gdy Cooka pochłaniały nudne zebrania w Admiralicji, on obracał się pośród śmietanki towarzyskiej — obaj dzielili się jednak tym samym, poszerzając horyzonty swych słuchaczy. Nawet jeśli jeszcze niedawno obawiał się, że to czego doświadczył — jako przeżycie unikalne — nie znajdzie zrozumienia, mylił się całkowicie. Gdy szkice i rysunki odkrytych miejsc nie wystarczały, zawsze miał pod ręką okazy ze swej kolekcji, które stanowiły cuda same w sobie. Zebrane rośliny przysporzyły botanikom pracy na lata, a przecież nie one były najbardziej fascynujące. Banks rozprawiał zatem o krzewiącej się bujnie roślinności, do czasu gdy słuchacze nie zapragnęli dowiedzieć się więcej na temat wyglądu i zachowania kangurów. Niestrudzenie wędrując od jednego salonu do drugiego, zdobywając sławę dzięki oryginalności tematu i swadzie, z jaką opowiadał, nie potrafił wprost uwierzyć w zaszczyty, jakie na niego spadły.

Początkowo unosił się na fali popularności jak mała łódź podczas burzy: w wiecznym ruchu mknął przed siebie, nie mając kontroli nad kierunkiem ni celem. Pięć dni minęło od ich spektakularnego powrotu, a on wciąż nie spotkał się z Harriet Blosset, która wreszcie przesłała mu pełen wymówek liścik, dając wyraz urażonej dumie z powodu jego impertynencji. Wówczas udał się do niej niezwłocznie, lecz spotkanie było dziwne i nie zadowoliło żadnej ze stron — zbytnio się przez te trzy lata zmienili. Harriet zapamiętała Banksa swobodnym i zabawnym, tymczasem teraz wydawał się jej skrępowany i niepewny siebie. Nudziły ją opowieści przywiezione z odległych wysp, znacznie bardziej interesująca jawiła jej się ich wspólna przyszłość w Londynie i na angielskiej wsi. Banksa z kolei zmroził chłód, z jakim przywitała go narzeczona, gdyż nawet o tym wcześniej nie wiedząc, najbardziej upodobał sobie w niej otwartość, z którą okazywała mu swoje uczucia. Wciąż tęskniąc za tamtą dawną Harriet, nie znajdował w siedzącej obok kobiecie nic znajomego. Nie była już tak olśniewająca, jaką ją zapamiętał, mlecznobiała cera wydawała mu się nie tak idealna, a chód nie tak pełen gracji i naturalności. Pragnął jej dotknąć, poczuć miękkość, za którą tak tęsknił, lecz nie odważył się wyciągnąć ręki do tej siedzącej sztywno obcej kobiety. Spędzili ze sobą niemiłe pół godziny, aż w końcu Banks, czując, że spotkanie do niczego nie prowadzi, wstał. Wytłumaczył się, że od powrotu nie jest już panem własnego czasu. Nadmienił, że w najbliższych dniach czeka go podróż do Revesby, gdzie musi dopilnować rodzinnego majątku, i obiecał, że jak tylko się z tym upora, wróci, by rozmówić się co do przyszłości.

Udając się do Revesby, czy to z powodu pełnych podniecenia dni spędzonych w Londynie, czy też trudów wyprawy, które wciąż dawały o sobie znać, niewiele rozmyślał o ostatnim pobycie w rodzinnych stronach. Bardziej zajmowały go zmiany, jakie wprowadzi, i decyzje, jakie podejmie w odniesieniu do czynszów i stawek. Zaskoczyło go, że na powitanie wyszli mu ludzie, którym nie poświęcił ani jednej myśli podczas całej wyprawy, a którzy teraz uśmiechali się doń z radością i na bok odłożywszy typową angielską rezerwę, cieszyli się ze sławy i majątku, jakich sobie przysporzył. Widząc znajome twarze, po raz pierwszy od wielu dni ochłonął i po raz pierwszy wrócił pamięcią do wydarzeń sprzed trzech lat. Dopiero wtedy znalazł się naprawdę w domu.

Radość z powitania przyćmiła mu nieco wiadomość o śmierci doktora Taylora dwa lata wstecz. Ktoś poinformował go mimochodem, że rodzina doktora opuściła Revesby wkrótce potem, znajdując się w bardzo złym położeniu. Ktoś inny dodał, że wyjechali do Clerkenwell, do rodziny pani Taylor, i że najstarsza Taylorówna rychło wyszła za wikarego. Jej młodsza siostra, zaledwie siedemnastoletnia, poślubiła czterdziestoletniego mężczyznę, właściciela niewielkiego majątku w sąsiednim hrabstwie.

Otrząsnąwszy się ze smutku, Banks skupił się na wiadomościach dotyczących posiadłości i w nich znalazł pocieszenie — wyglądało bowiem na to, że majątek był dobrze zarządzany podczas jego nieobecności. Spędziwszy trzy dni z nosem w księgach rachunkowych, uznał, że niczego nie zaniedbano i nie musi podejmować natychmiastowych działań naprawczych. Nie ograniczył się jednak do ksiąg; popołudniami opuszczał mroczne wnętrze dworu i w towarzystwie rządcy udawał się na obchód, by na własne oczy przekonać się, jak się sprawy mają. Wydzierżawione farmy, chaty, park łowiecki, ogrody... Wszystko zostało dokładnie obejrzane ku nieukrywanej satysfakcji Banksa.

Szóstego dnia jego pobytu w Revesby, kiedy razem z rządcą Nicholsonem pieszo wracali z jednej z takich inspekcji, zboczyli w stronę lasu leżącego pomiędzy dworem a wsią. Dzień był upalny, mimo że lato zbliżało się ku końcowi, toteż obaj z ulgą schronili się w cieniu drzew. Kilka minut później Banks rozejrzał się wokół, ze zdziwieniem mrugając powiekami. Pochłonięty służbową rozmową z Nicholsonem dopiero teraz zauważył, gdzie się znaleźli.

— Pójdźmy tędy — mruknął pod nosem i odbił w prawo.

— Tam chyba jest polana... — Rządca ruszył za nim i wkrótce obaj wyszli na otwartą przestrzeń, jaskrawą od światła słonecznego. Banks uśmiechał się do siebie. — To zadziwiające, jak miejsca się nie zmieniają. Minęło tyle lat, a ja znajduję te same ścieżki, te same drzewa co wtedy, gdy stałem tu ostatnim razem...

— Święta prawda — przyznał Nicholson rozglądając się dokoła. — Las za ludzkiego życia prawie się nie zmienia. Myślę, że pańskie dzieci będą tu swawoliły sądząc, że nikt przed nimi nie chodził tymi oto ścieżkami.

Banks pokiwał głową; zawsze lubił starego Nicholsona.

— Proszę mi coś powiedzieć — odezwał się. — Ostatnim razem kiedy tu byłem, po tym właśnie lesie chadzała kobieta, która czuła się tutaj jak w domu. Mieszkała z ojcem na końcu wsi. Z ich nazwiskiem wiązał się jakiś skandal, ojciec rodziny był wolnomyślicielem czy kimś takim... w każdym razie dużo pił i obrażał sąsiadów.

— Wiem, o kim mowa. Ten człowiek zmarł parę lat temu, na wiosnę. Niezbyt go tutaj lubiano.

— A jego córka? Co się z nią stało? Wyszła za mąż?

— Wyjechała, proszę pana. Nie wiem dokąd... Ale z całą pewnością nie wyszła za mąż. Jeśli to, co o niej powiadają, jest prawdą...

Banks rozglądał się po polanie, ale usłyszawszy ostatnie słowa rządcy, gwałtownie się doń obrócił.

— Jak mam to rozumieć?

— Eee... — Nicholson nie wiedział, jak zacząć. — To nie tak, żebym wiedział na pewno, ale kobiety ze wsi mówiły, że jako nieodrodna córka swego ojca musiała... Sam pan rozumie... Ta rodzina... — Rządca miał nadzieję, że jego zażenowanie wzbudzi litość u chlebodawcy i nie będzie musiał kończyć, ale pytające spojrzenie Banksa zmusiło go, by kontynuował. — Cóż, wiele się o niej mówiło, proszę pana. Dokąd chodzi i z kim... Z całą pewnością jednak nikt nie mówił o ślubie...

— Ależ, Nicholson! To brzmi jak zwykłe plotki!

— Nic nie wiem na pewno, proszę pana. Widziałem ją raz po tym, jak się wyprowadziła, w Louth w dzień targowy... Zazwyczaj nie jeżdżę tak daleko, ale wystawiali tam konie, które chciałem zobaczyć — wyjaśnił, jakby się usprawiedliwiając. — Widziałem ją całkiem z bliska, proszę pana, pod kościołem i zauważyłem, że była elegancko ubrana... na pewno nigdy się tak nie ubierała, kiedy jeszcze mieszkała w Revesby i gdy żył jej ojciec.

Banks popatrzył na czubki butów, przetrawiając tę informację.

— Była sama? — zapytał.

— Z Marthą, proszę pana. Z tą, co to opiekowała się jej ojcem.

— Wystarczy, Nicholson — powiedział Banks podnosząc wzrok na rządcę. Jego twarz przybrała poważny wyraz, a rysy stężały. — Oczywiście bardzo to wszystko zajmujące, co mówisz, ale nie pomaga nam w ocenie wartości naszego drewna... — zatoczył ręką wokół.

To powiedziawszy ruszył w stronę dworu, a rządca podążył za nim. Polana na powrót opustoszała, jeśli nie liczyć igrającego na źdźbłach trawy słońca i pary ptaszków, które sfrunęły na podszycie, gdy tylko ludzie zniknęli wśród drzew.

Kolejne trzy dni minęły, nim Banks znalazł czas na wyjazd do Louth. Zanim udał się w drogę, nie raz myślał, że nie powinien tam jechać; losy, dobre czy złe, jego byłych sąsiadów nie były przecież jego sprawą. Wszakże wraz z powrotem do lasów wokół Revesby wróciły także wspomnienia, które towarzyszyły mu podczas konnej przejażdżki do Louth. Kiedy zsiadał z końskiego grzbietu na miejskim targowisku, czoło znaczyły mu głębokie bruzdy.

Rozpytywał o nią wśród przyjaciół, podając jej nazwisko, lecz choć każdy był zachwycony jego wizytą i zapraszał go na herbatę, lampkę wina czy obiad, nikt nie potrafił udzielić mu odpowiedzi. Postanowił więc odwiedzić przyjaciela ojca, sędziego, który wiedział o miasteczku i okolicy więcej niż ktokolwiek z mieszkańców. Mimo całej swej wiedzy nawet on nie był jednak w stanie pomóc Banksowi.

— Najpewniej wyszła za mąż — powiedział ze wzruszeniem ramion — i znam ją pod nowym nazwiskiem. Zbyt długo cię nie było, Josephie, byś mógł oczekiwać, że wszystko zostało po staremu. Ani chybi jest już matką dwójki sporych urwisów.

— Być może... — Banks uśmiechnął się niepewnie.

— Tak tylko sobie pomyślałem... Gdybym się dowiedział, gdzie mieszka, mógłbym złożyć jej kondolencje z powodu śmierci ojca.

— Ależ oczywiście — starszy mężczyzna pokiwał głową — tak właśnie wypadałoby ci postąpić. A teraz pozwól ze mną, chłopcze... Nasze spotkanie to świetna okazja, byś spróbował wyśmienitego portwajnu, jaki przesyła mi mój bratanek...

Degustacja zajęła prawie godzinę. Uwolniwszy się wreszcie od towarzystwa sędziego, Banks niepewien, do kogo jesz-

cze mógłby się zwrócić, i przeklinając swą gorącą głowę, przez
którą podjął poszukiwania bez należytych przygotowań, skierował się w stronę kościoła, gdzie Nicholson ją kiedyś widział.
Przecinając rynek miasteczka, nawet o tak późnej porze czuł
rozgrzany bruk i lepiące powietrze, toteż dotarłszy do bramy
chętnie przystanął w cieniu jej zadaszenia. Z ulgą wdychając
chłodniejsze powietrze i spoglądając w stronę rynku, zauważył, że targ już się kończy, a miasteczko powoli zapada
w popołudniowy letarg. Cieszył się na myśl, że w kościele
znajdzie ucieczkę od upału i ludzi. Zwieńczony strzelistą dzwon-
nicą budynek był stary, przez lata mech zdążył go pokryć zielo-
nobrunatną warstwą. Rozejrzawszy się po przykościelnym
terenie Banks dostrzegł nieliczne lśniące nowością nagrobki
i inne, chylące się ku ziemi, prawie całe ukryte pod porostami.
Chwytające za serce miejsce... Odpocząwszy w cieniu, zaczął
okrążać bryłę kościoła, przystając przy niektórych kamieniach
nagrobnych, by odczytać inskrypcje, zadowolony, że może zająć umysł czymś innym aniżeli własna nieroztropność. Zato-
czywszy koło, stanął przy zapadniętym w ziemię podłużnym
omszałym nagrobku tuż przy bramie. Wyglądał na najstarszy
ze wszystkich, lecz niemożliwością było to stwierdzić na podstawie nieczytelnych od dawna napisów. Banks przykucnął
przy kamieniu i jął zdrapywać warstwę porostów skrywają-
cych nazwiska tych, którzy od dziesiątków lat spoczywali
w pokoju. Zaintrygowany pracował coraz szybciej i już prawie
wydobył na światło dzienne pierwsze imię, kiedy za plecami
usłyszał czyjś głos.

— *Lichen pulmonarius* — powiedział głos.

Chadzała tam często, szukając ciszy i spokoju, gdy popołudniowy upał dawał się jej zbytnio we znaki. O tej porze
miejsce to było zazwyczaj wyludnione; niezmiernie rzadko
kogoś tam w ogóle spotykała.

Lecz tego zwykłego, niczym się nie wyróżniającego popołudnia pod koniec lata, kiedy całe miasteczko toczyło swe leniwe życie, tuż przy bramie natknęła się na klęczącego przy
płycie nagrobnej mężczyznę. Rozpoznała go od razu, czerpiąc
pewność z głębi duszy, a szok odkrycia uczynił ją bezbronną.

Dawniej, jeszcze za życia ojca, nie raz się zastanawiała, jak będzie wyglądać chwila, kiedy znów się spotkają. Lecz to było dawniej... w Revesby, przed tym jak jej życie się zmieniło. W Louth nigdy o nim nie myślała. Nawet wtedy, gdy doszły ją słuchy o jego powrocie, nie zaprzątała sobie tym głowy. Wyrzucić go z pamięci było... łatwiej.

Ujrzawszy go przed sobą, dłuższą chwilę tylko się przyglądała, wstrzymując oddech. Był do niej odwrócony plecami, zauważyła, że ma inaczej przycięte włosy. Może więc mimo wszystko popełniła pomyłkę... To przecież nieprawdopodobne, niemożliwe wręcz... Targana sprzecznymi uczuciami nawet przez moment nie pomyślała, by się odwrócić i odejść. Dzieliło ich raptem parenaście stóp, ale jego sylwetka przykuwała jej wzrok z magnetyczną siłą. Usłyszała, że z tyłu zbliża się Martha, i wyciągnąwszy rękę, dała jej znak, by się zatrzymała. Stała, w milczeniu obserwując, jak paznokciem zdrapuje coś z nagrobka, aż nieomal zachłysnąwszy się poznała, co to takiego. Odezwała się, nim świadomie podjęła decyzję, że zdradzi swą obecność.

Usłyszawszy jej głos, odwrócił się i spojrzał w górę z taką gwałtownością, że prawie stracił równowagę. Stała nieopodal bramy, drobna i wyprostowana postać, z uwagą mu się przypatrująca. Choć częściowo skrywał ją cień, rozpoznał bez trudu tę sylwetkę i tę twarz, które wryły mu się w pamięć. Nagle uderzyło go jej piękno i sam się zdziwił, gdyż nie zawsze tak o niej myślał. Zrobiła krok do przodu i w jaśniejszym świetle, padającym teraz pod innym kątem, dostrzegł różnice. Cerę miała bledszą, niż zapamiętał, prawie pozbawioną piegów. Jakby spędzała mniej czasu na zewnątrz, pomyślał.

Kiedy postąpił w jej kierunku, w pierwszej chwili cofnęła się nieznacznie, lecz zaraz zatrzymała w miejscu, przybierając poważny wyraz twarzy i patrząc mu prosto w oczy. Otworzył usta, by przemówić, przywitać ją jej imieniem, lecz ona uniosła dłoń i potrząsnęła głową.

— Nie wolno ci wymieniać tamtego imienia, panie — powiedziała. — Tutaj nazywam się inaczej...

Stanął jak wryty.

— Zatem wyszłaś za mąż, pani? — zapytał.

Znów potrząsnęła głową, tym razem prawie niezauważalnie.

— Nie, nie jestem zamężną — rzekła. — Lecz mimo to tutaj noszę miano panny Brown — oznajmiła wytrzymując jego spojrzenie.

On pierwszy spuścił wzrok, bezradnie się rozglądając, nie wiedząc, co powiedzieć albo zrobić. Po chwili wahania spojrzał jej w oczy.

— Nasza znajomość trwała krótko, panno Brown. Na świecie jest zbyt mało zdolnych artystów, bym ich zaniedbywał... Prawdę mówiąc teraz jest ich jeszcze mniej, niż kiedyśmy się widzieli po raz ostatni. Pragnę usłyszeć, co się z tobą działo przez ten czas.

Zanim odpowiedziała, spuściła na moment głowę, jakby się nad czymś musiała zastanowić.

— Martho — rzekła wskazując kamienną ławę nieopodal bramy — zaczekaj tu na mnie, proszę. Mam coś do powiedzenia panu Banksowi na osobności.

Podał jej ramię. Poczuwszy dotyk drobnej dłoni, aż przystanął z wrażenia, jednakże ona nie zważając na to ruszyła naprzód. Stawiając niepewnie kroki, podążył za nią, wychodząc z cienia na światło późnego popołudnia.

9

Zagadki

Do tematu kochanki Josepha Banksa wróciłem w rozmowie z Katią dopiero następnego wieczoru — cały dzień spędziliśmy bowiem w trasie, jak oszalali turyści krążąc pomiędzy tudorowską rezydencją a georgiańskim dworkiem, kupując bilety wstępu i zadając nietypowe jak na turystów pytania, a wszystko to w bladym listopadowym słońcu. Podejrzewam, że choć nie każdy zdaje sobie z tego sprawę, nie ma człowieka, który w głębi duszy nie tęskniłby za odrobiną przygody, nawet jeśli miałoby nią być poszukiwanie niemożliwej do odnalezienia rzeczy. W każdym razie Katię i mnie przepełniała tego dnia energia i nic nie mogło nas zniechęcić. Zwłaszcza Katya połknęła bakcyla: w Starym Folwarku, który okazał się zamknięty na sezon zimowy, postanowiła nie dać za wygraną i podszedłszy do bramy, zbudziła z drzemki wystrojoną w perły paniusię, natomiast we Dworze Pulkingtonów tak ujęła swoim zainteresowaniem łysawego pucołowatego człowieczka, że ten nas nie wypuścił, dopóki nie obejrzeliśmy jego szklarni. Niestety, żadne z tej miłej dwójki nie słyszało nigdy o rodzinie Ainsbych.

Niektóre miejsca były otwarte dla zwiedzających, mimo że sezon turystyczny dawno się skończył. We Dworze Radnorów pokazano nam, jak wytwarza się ser, w Dolinie Chochlików zaś wygnietliśmy własne kręgi w zbożu, chodząc wśród pożółkłych wysokich traw porastających wejście do Groty Elfów. Jeden z dworków był dosłownie zapchany ptakami wypchanymi w dziewiętnastym wieku, które mimo to i ku zdumieniu stróżki zażyczyliśmy sobie dokładnie obejrzeć. Koło czwartej po południu zaczęła się robić szarówka, toteż nie chcąc dłużej jeździć po nie znanych drogach, skierowaliśmy się do Stamfordu. Reflektory samochodu z mozołem przebijały gęstniejący mrok, co sprawiało wrażenie, że świat skurczył się do leżącego przed nami tunelu światła.

Ni stąd, ni zowąd Katya zaczęła chichotać.

— Widziałeś minę tej kobiety, kiedy zachwyciłeś się wypchanym cietrzewiem?

W jej głosie było coś miękkiego, radosnego, co nieomal sprawiło, że się uśmiechnąłem. W ostatniej chwili skrzywiłem usta w grymasie i przewróciłem oczyma.

— A cóż innego mogłem powiedzieć? Przyłapała mnie, jak stałem na krześle antyku i wgapiałem się w to ptaszysko — w końcu nie wytrzymałem i też się roześmiałem. Odpłacając pięknym za nadobne, zauważyłem: — Przynajmniej z nikim nie flirtowałem, jak ty z tym starowinką... Już myślałem, że nie skończy się na popijaniu herbatki i trzeba go będzie zabrać ze sobą do domu!

— Musiałam być dla niego miła — długie światła nadjeżdżającego z naprzeciwka samochodu wydobyły na moment jej uśmiech. — Sądząc po jego wyglądzie, mieszka w tej okolicy od co najmniej 1914 roku... Zresztą ty wcale nie byłeś lepszy. Wyraźnie wpadłeś w oko tej damulce ze Starego Folwarku... wystarczyło, że o coś ją zapytałeś, a cała się czerwieniła i chichotała jak podfruwajka.

W Stamfordzie zaparkowaliśmy jak zwykle niedaleko dworca kolejowego i udawszy się tym razem w przeciwną stronę, znaleźliśmy włoską restauracyjkę, która wewnątrz okazała się całkiem przytulna. Wciąż żartując i czyniąc niewinne docinki, zamówiliśmy butelkę wina. Po którymś z kolei kieliszku odsunąłem kartę dań na bok i rozłożyłem na stole fotokopie, które zaprzątnęły moją uwagę minionego wieczoru.

— Pamiętasz, jak natrafiliśmy na wzmiankę o kochance Josepha Banksa, która pojawiła się w jego życiu niedługo po tym, jak wrócił z wyprawy? Poszperałem trochę i zgadnij, co znalazłem?

— No? — zaciekawiła się Katya.

— Zupełnie nic — odparłem. — Intrygujące, prawda? We wszystkich książkach, do których zajrzałem, istnieje tylko pomiędzy wierszami. Napomyka się o niej, ale niczego nie mówi wprost. Z imienia nie jest wymieniona w ogóle, jak gdyby nikt go nie znał... Popatrz na to — podsunąłem Katii pierwszą fotokopię. Był to urywek trącącej myszką biografii pióra Havelocka, pochodzący z rozdziału opisującego pierwsze kilka lat życia Banksa po jego powrocie z wyprawy Cooka. Już wcześniej zakreśliłem interesujący mnie fragment.

Niewiele wiadomo o osobistym życiu Banksa po tym, jak zostały zerwane jego zaręczyny z panną Blosset. Wydaje się, że bez żalu odsunął od siebie myśli o małżeństwie, rad koncentrując się na powołaniu naukowca. Wszakże trudno uwierzyć, by zamożny przystojny młody mężczyzna całkowicie odciął się od płci pięknej, nie dziwi więc, iż zaczęły chodzić słuchy, iż ma kochankę. „The Town & Country Magazine", rynsztokowe pismo z chęcią szkalujące ludzi takich jak Banks, używało sformułowania „Panna B---n" sugerując, że Banksa łączą z nią więzy na tyle poważne, że opłaca jej mieszkanie na Orchard Street. Plotki plotkami, jednakże romans okazał się przelotny, gdyż po roku 1774 nie pada już o niej żadna wzmianka. Najważniejsze, że młodzieńcze przygody takie jak ta nie zdołały oderwać Banksa od pracy naukowej...

— Praca naukowa, też coś! — sarknęła Katya i przez zęby rzuciła: — Protekcjonalny dupek! Mam nadzieję, że żadna przedstawicielka płci pięknej nie odrywała Havelocka od j e g o pracy...

— Mało prawdopodobne, jeśli w życiu był równie interesujący jak jego proza — stwierdziłem.

Katya sięgnęła po drugą fotokopię, zawierającą urywek nieco bardziej współczesnej biografii Banksa.

Chociaż powszechnie twierdzi się, że Banks zmarł bezpotomnie, to — jeśli wierzyć dziennikarzom kolumn towarzyskich tamtych czasów — jego romans z „Panną B---n" zaowocował ciążą. Są podstawy, by sądzić, iż akurat w tym wypadku nie była to czcza, podła plotka. Fakt zdaje się potwierdzać list pochodzący z 1773 roku, a napisany do Banksa przez Johanna Fabriciusa, który na początku lat siedemdziesiątych XVIII wieku studiował jego kolekcję.

„Gratulacje i najlepsze życzenia w związku z Orchard Street. Cóż ci dała? Zresztą to bez różnicy: jeśli chłopca — będzie równie bystry i wytrwały jak jego ojciec; jeśli dziewczynkę — bez wątpienia uroczą i elegancką jak matka."

Tak czy inaczej, później nikt już nie wspomina ani o dziecku, ani o matce. Bez względu na to, czy romans został zakończony za obopólną zgodą kochanków czy też przerwany przez śmierć w połogu, w roku 1774 był już historią.

Katya oddała mi fotokopię marszcząc brwi.

— A jej portret? — zapytała.

— Nie jestem pewien, czy jakiś istnieje, ale powinniśmy to sprawdzić.

Katya była innego zdania.

— Co za smutna historia — westchnęła i dodała: — Ale technicznie rzecz biorąc możemy ją wykreślić z naszej listy podejrzanych. Skoro w 1774 roku zniknęła z obrazka, a Ptak z Uliety pojawił się dopiero rok potem... — spojrzała na mnie wymownie.

Przytaknąłem jej bezwiednie, przez moment nie myśląc wcale o ptaku, lecz o człowieczym życiu, po którym kiedy już minie, nie zostaje prawie żaden ślad, i o ulotności ludzkich uczuć.

— Najbardziej smutne jest to, że nikt nawet nie znał jej prawdziwego imienia — rzekłem.

Katya napełniła kieliszki i wzniosła swój do toastu.

— Za rozwiązanie zagadki — powiedziała.

— I znalezienie ptaka — ujmując swój kieliszek pomyślałem, że jedno niekoniecznie będzie się równać drugiemu.

Tego wieczoru nieprzytomnie się upiliśmy. Restauracja na przemian zapełniała się gośćmi i pustoszała, kelnerzy coraz to zapalali nowe świeczki na stolikach, z nieoświetlonej części sączyła się nieprzerwanie wiązanka starych włoskich przebojów. Godziny mijały. Kończyliśmy właśnie pierwszą butelkę wina, kiedy Katya zaczęła opowiadać mi o sobie. Jej rodzina przez osiem lat mieszkała w Londynie, w czasach gdy jej ojciec tam wykładał. Do Szwecji wrócili, jak miała czternaście lat, i zaraz po powrocie małżeństwo jej rodziców się rozpadło. Następne cztery czy pięć lat spędziła na buncie przeciwko nim obojgu, robiąc rzeczy, jakie im się najmniej podobały — rzucając szkołę i mieszkając w komunie.

— A potem co się zmieniło? — wtrąciłem pytanie, kiedy na chwilę przerwała zwierzenia.

— Ja — odparła krótko. — Mniej więcej kiedy miałam dziewiętnaście lat — uśmiechnęła się jednym kącikiem warg i wzruszyła jednym ramieniem. — Pewnego dnia uświadomiłam sobie, że moje życie jest nudne i żałosne. Całe dnie spędzałam wtedy w bibliotekach, pochłaniając książkę za książką. Sama przed sobą udawałam, że tylko szukam ciepła, nie mając innego przyjaznego kąta, ale kiedy zaczęłam wykradać książki, żeby móc je czytać także tam, gdzie wówczas mieszkałam, zapytałam sama siebie, kogo tak naprawdę oszukuję? I komu robię na złość? Tydzień później wróciłam do szkoły, choć wcześniej zdążyłam jeszcze wysmażyć długi, pełen złości list do ojca, w którym oznajmiłam mu, że mój powrót na dobrą drogę nie oznacza, iż mu przebaczyłam.

Dalszą część wieczoru pamiętam jak przez mgłę. Goście chyba powoli wychodzili, ale otoczeni kręgiem światła rzucanego przez stojącą na naszym stoliku świeczkę nie zwróciliśmy na to uwagi. Rozmawialiśmy o historii i polityce, zastanawialiśmy się, czy Joseph Banks darzył uczuciem swą kochankę i czy ona czuła coś do niego. Nagle Katya odchyliła się na krześle i przyglądając mi się poważnie spod grzywki, zapytała, dlaczego się jednak zdecydowałem odnaleźć Ptaka z Uliety.

— Kto powiedział, że chcę go odnaleźć? — spytałem, zdając sobie sprawę, że myślę mniej jasno, niż kiedy zaczynaliśmy tę rozmowę.

— Chcesz — powiedziała z przekonaniem. — Bez dwóch
zdań. Ale parę dni temu, jeszcze po włamaniu, nie byłeś zdecydowany na sto procent. — Nachyliła się do przodu, tak że
nie mogłem uniknąć jej wzroku.

— Zdaje się, że wtedy sądziłem, iż Anderson i tak odnajdzie go pierwszy.

— A teraz już tak nie sądzisz? — wpatrywała się we mnie
uporczywie.

— On miał rację. Zawsze zależało mi na odkryciu tej
miary. Przez cały ten czas — podkreśliłem. — Myślę, że
w głębi duszy wiedziałem, że kiedyś będę musiał spróbować
jeszcze raz. — Urwałem i zamyśliłem się na chwilę. Wieczór
posunął się już tak daleko, że przestało mieć znaczenie, czy to,
co mówię, ma sens czy też nie. — Ludzie się rodzą, umierają
i nie zostaje po nich ślad. Bez względu na to, jak byś się starała,
od momentu śmierci z każdym dniem tracisz kolejną ich cząst-
kę. W końcu jedyne, co ci po nich pozostaje, to nieokreślone
skrawki wspomnień i uczuć... — Spojrzałem na Katię i wzruszyłem ramionami, a chybotliwy cień świecy spotęgował ten
gest. — Ale to wszystko, co masz, więc powinnaś za wszelką
cenę je zatrzymać...

— Ludzie? Czy ptaki? — Katya wydawała się skonfun-
dowana moim wyznaniem.

— Jedne i drugie — odparłem. Katya dotknęła mojej
dłoni, lecz się nie odezwała. Strasznie mi się podobała, kiedy
tak siedziała, a na jej twarzy tańczył blask świecy. — Ale jest
też inny powód — ciągnąłem poważnym tonem.

Cofnęła dłoń i lekko zesztywniała.

— Jaki mianowicie?

— Jeśli ten ptak przeżył Cooka i Banksa, wytrzymał
wszystkie wojny, pożary i powodzie, jakie miały miejsce od
tamtych czasów, za nic nie chciałbym, żeby taki Anderson
zawlókł go do czyjegoś laboratorium tylko po to, by kolejny
maniak rozparcelował go na czynniki pierwsze w nadziei, że
kiedyś stworzy podrasowanego genetycznie kurczaka.

Roześmiała się na moją perorę, a ja jej zawtórowałem.
Z tego co nastąpiło potem, pamiętam niewiele; musieliśmy
jakoś dotrzeć do naszego hoteliku, lecz bardziej niż ta wędrów-

ka utkwił mi w pamięci moment, kiedy na szczycie schodów mówiliśmy sobie dobranoc. Tak łatwo byłoby wtedy zapomnieć o fotografii stojącej na nocnej szafce i o tym nieumeblowanym pokoju, niezasłanym łóżku i elektrycznym wentylatorze sprzed tylu już lat... Prawdę powiedziawszy, łatwo byłoby się wtedy w ogóle zapomnieć. Mglisty moment, który minął szybciej, niż mogłem go sobie uświadomić.

Parę godzin później — o wiele za mało jak na mój gust — obudziło mnie miarowe, rezonujące mi w głowie stukanie do drzwi, zza których dobiegał charakterystyczny niski głos Pottsa zapraszającego mnie na śniadanie. Pokonując suchość w ustach chrapliwie coś wymamrotałem, po czym zwlókłszy się z łóżka, udałem się na dół. Tryskający energią Potts czekał na mnie w saloniku, gdzie podawano posiłki. Mimo że patrzyłem przez zmrużone powieki, nie uszło mojej uwagi, że salonik w świetle dnia wiele traci: rzucające się w oczy zacieki na ścianach, od dawna nie odkurzana podłoga, no i ten wszechobecny zapach starego dymu papierosowego.

— Tutaj, panie Fitzgerald! — Potts machał do mnie ręką. Kiedy podszedłem, dodał: — Wymeldowałem się z hotelu „Królewskiego" i pomyślałem, że tu mogę coś przekąsić. Powinniśmy porozmawiać przy śniadaniu. — Był tak samo nieskazitelny jak wcześniej, kiedy go widziałem, tyle że tym razem ubrany w zielony tweedowy garnitur ze szkarłatnymi wypustkami. Święty Mikołaj wystrojony na otwarcie sezonu łowieckiego, pomyślałem. Nalewając sobie kawę poinformował mnie, że Smith, detektyw Andersona, opuścił Stamford minionego wieczoru, co jego zdaniem oznacza, że i on nie ma tu czego szukać. — Wygląda na to, że ten list to ślepa uliczka. Jadę do Londynu odnaleźć Andersona i sprawdzić to i owo... — Grzebałem bez przekonania w wystygłym dawno toście i mimo że nie oszczędzałem szarych komórek, nie przychodziło mi do głowy nic, co mógłbym powiedzieć. Nie cierpiący na kaca Potts pochłaniał monstrualne angielskie śniadanie. — Wie pan, ile mam lat? — spytał znienacka. — W tym roku skończę siedemdziesiąt. A wie pan, czego się przez te wszystkie lata nauczyłem? Że śniadanie to jedyny posiłek, którego nawet

Anglicy nie potrafią zepsuć. Ale jak sobie przypomnę obiady podawane w najlepszych hotelach tego kraju, to... — machnął ręką i sięgnął po serwetkę, by wytrzeć kącik ust. — I wie pan, czego jeszcze się nauczyłem? Że trzeba wiedzieć, kiedy można, ba! trzeba dać sobie spokój. Z całym szacunkiem dla pana, ale żaden z nas nie ma tu już nic do roboty, jeśli nie liczyć myszkowania po parafiach i podziwiania rzadkich ras owiec. Odpowiedź znajduje się gdzie indziej. — Zabrał się do tego, co jeszcze zostało z jego śniadania, bombardując mnie przy tym pytaniami, gdzie i jak spędziliśmy z Katią wczorajszy dzień. Wyłowiwszy z talerza ostatnie fasolki, sięgnął do portfela i umieścił dziesięciofuntowy banknot pod solniczką. — Powinno wystarczyć — uznał. Zawiesił na chwilę na mnie wzrok i wyciągnął z portfela coś jeszcze. — Wie pan, kto to jest?

Rozpoznałem ją natychmiast. Potts trzymał w ręku nie fotografię, ale fotokopię starej ryciny, czy raczej taniego drukowanego portretu, jakie były popularne pod koniec osiemnastego wieku — gruboziarnistą, zamazaną i z pewnością niewiele gorszą od oryginału. Widniała na nim zgrabna, niebrzydka twarz o delikatnych rysach, choć nie zapadająca w pamięć. Mimo że rzemieślnik wykonujący odbitkę pracował najwyraźniej w pośpiechu, artysta zdołał uchwycić w kobiecie coś, co czyniło portret uderzającym: z jej oczu wyzierała inteligencja i zdecydowanie.

Spojrzałem na Pottsa z uznaniem.

— Gdzie pan to znalazł? — zapytałem wyjmując mu fotokopię z ręki.

— Leżało w pokoju hotelowym Andersona — odrzekł.

— Nie wiedziałem, że pan go widział — zdziwiłem się niemile, że jednak nie powiedział mi wszystkiego.

— J e g o nie widziałem. Nie mam pojęcia, gdzie się podziewa. Udało mi się tylko dowiedzieć, że zatrzymał pokój w hotelu „Mecklenburg", no i skorzystałem z okazji... — posłał mi rozbrajający uśmiech. — Och, proszę nie mieć takiej zszokowanej miny, panie Fitzgerald. Po prostu szedłem sobie korytarzem wyglądając na zagubionego i pokojówka mnie wpuściła... — Uśmiech dobrego wujaszka nieco posmutniał.

— Niestety, niewiele tam było. Fotokopia listu, który już mamy. Olbrzymia sterta skserowanych książek i artykułów na temat Josepha Banksa. Nic ciekawego. Ten portret leżał na samym spodzie i jakoś przyciągnął moją uwagę. Więc go sobie wziąłem...

Oddałem mu fotokopię z obojętną i znudzoną miną.

— Przykro mi — rzekłem — ale nie mam pojęcia, kto to może być. — Ujawszy filiżankę w miarę pewną ręką, pociągnąłem solidny łyk. Kimkolwiek była, Hans Michaels na nią natrafił. A skoro zadał sobie trud narysowania jej portretu, musiała być tropem prowadzącym do Ptaka z Uliety.

Potts, wzruszając niedbale ramionami, wetknął rycinę na powrót do przegródki portfela, po czym wstał i uścisnął mi dłoń. Kiedy już odchodził w stronę wyjścia, uginając się pod ciężarem bagażu, zawołałem za nim.

— Panie Potts?! — Odwrócił się do mnie. — Jeśli chodzi o tę rycinę... czy miałby pan coś przeciwko temu, bym ją skopiował, na wypadek jeśli natrafię na nią w przyszłości?

Odstawił bagaż na ziemię i wyjąwszy portret raz jeszcze, przyjrzał mu się z rosnącą uwagą.

— Proszę, proszę — mruknął. — Czyli jednak j e s t ważna...

— Nie wiem ani trochę więcej niż pan — powiedziałem mu nieomal szczerze. — Chodzi o to, że... — Rozłożyłem ręce. — Cóż, prawdę mówiąc, nie ma wielu tropów.

Zerknął na mnie spod oka, a potem położył fotokopię na najbliższym stoliku.

— Jest pańska — rzekł. — Może ją pan zatrzymać. — Podniósł bagaż i odwracając się do drzwi, oznajmił: — Ja zawsze robię kopie dla siebie.

Po jego wyjściu zostałem w saloniku, paląc papierosa i popijając herbatę, dopóki nie pojawiła się Katya. Wybrawszy w bufecie sok i płatki z mlekiem, przysiadła się do mnie i jedząc, z zaciekawieniem słuchała raportu ze spotkania z Pottsem. Zadziwiające, jak rzeźko wyglądała w porównaniu ze mną. Ze zgrozą przyglądałem się, jak nic sobie nie robiąc z ostatniej nocy, z apetytem pałaszuje śniadanie. Czasem człowiek zapomina, jak wspaniała jest młodość.

Tamtego słonecznego popołudnia w Louth nawet w cieniu strzelistego gmachu kościoła czuło się upalne lato. Dziedziniec przykościelny był opustoszały, a wysoki żywopłot tłumił leniwe odgłosy miasteczka. Tam gdzie usiadły tuż przy sobie dwie postacie, z opodal rosnącej wysokiej trawy dochodziło jedynie brzęczenie owadów i krzątanina żerujących ptaków.

Słuchając tego, co mówi, patrzył prosto przed siebie, przenosząc wzrok z porośniętych mchem płyt nagrobnych na kapryfolium pnące się po kościelnych murach. Przemawiając doń cicho, od czasu do czasu robiła krótką przerwę, by zerknąć na jego profil i upewnić się, że to nie pomyłka; że choć zda się to nie do wiary, siedzi przy nim ramię przy ramieniu.

— Kiedyśmy się widzieli ostatnio — zaczęła — mój ojciec był umierający. Miał wypadek na drodze, kiedy był pijany i przepełniony złością. W Revesby wszyscy wiedzieli, że ubliżył Johnowi Ponsonby'emu w jego własnym domu, przy żonie i córkach, niepodobna, byś i ty o tym nie słyszał, panie. Zdaje się, że uderzył Ponsonby'ego pięścią, kiedy tamten wstał, by go wyprosić. Mieszkańcy Revesby znają szczegóły lepiej ode mnie... Przecież tego się właśnie po moim ojcu spodziewali, nie oczekując stosownego zachowania od bezbożnika, który pozwala swej córce biegać samotnie po lasach. Wszakże nawet oni nie wiedzą wszystkiego... nie wiedzą na przykład, dlaczego mój ojciec udał się wtedy do domu Ponsonbych. Trafił tam, ponieważ wszystko co posiadał, przeszło na własność pana Ponsonby'ego, w tym jego rodzona córka, z czego zdał sobie sprawę dopiero tamtego wieczoru. — Zrobiła przerwę, by spojrzeć na siedzącego koło niej mężczyznę. Był pochylony do przodu, łokcie opierał na kolanach. Nie mogła dojrzeć jego oczu, ale widziała, jak stężały mu mięśnie szczęki i jak pociera kłykcie jednej dłoni opuszkami palców drugiej. Wyczuwszy jej wahanie, obrócił się ku niej, lecz nawet wtedy nie potrafiła odczytać wyrazu jego oczu. Spuściwszy wzrok, kontynuowała więc: — John Ponsonby nie jest złym człowiekiem, choć nawet ja nie zawsze tak uważałam. Jeśli ośmielę się teraz o nim opowiedzieć, nie wolno ci, panie, pod żadnym pozorem poczynić przeciw niemu kroków ani rozgłaszać mego sekretu.

Banks, znów wpatrzony przed siebie, teraz nerwowo pocierał dłonią kark.

— Naturalnie — odparł słabym głosem. — Mów dalej, pani...

Miała zaledwie czternaście lat, kiedy Ponsonby zwrócił na nią uwagę po raz pierwszy. Dostrzegł ją z oddali, kiedy pewnego letniego wieczoru zbliżał się konno do Revesby. Ubrana na biało odcinała się od zieleni rosnących za nią krzewów nawet w gasnącym słońcu dnia. Bez udziału woli poczuł się zaintrygowany tą wiotką postacią stojącą samotnie na jego drodze. Wnioskując z jej postawy, wziął ją za damę, chociaż zaraz sobie uświadomił, że dama nie stałaby w takim miejscu bez odpowiedniego towarzystwa; nie mógł jednak uwierzyć, by była to zwykła wiejska dziewczyna — żadna nie trzymałaby głowy tak wysoko. Widok samotnie stojącej pięknej kobiety nie tylko go zaintrygował, ale i rozpalił w nim zmysły, toteż spiął konia ostrogami, zmuszając zwierzę do truchtu.

Ponsonby z pewnością nie był libertynem, wszelako jego rozległe interesy wyniosły go ponad zaściankową moralność Revesby. Nawet kiedy się ożenił, nie zaprzestał używania uciech, jakim na ogół oddają się tylko zamożni kawalerowie. Prawdę powiedziawszy, nie było to takie rzadkie, toteż Ponsonby nie miał sobie nic do zarzucenia i nie uważał się ani za lepszego, ani za gorszego od swych sąsiadów. Trzeba mu też przyznać, że romansów dopuszczał się w pewnym oddaleniu od domu, dbając zawsze o dyskrecję. Powodem, oprócz tych oczywistych, było prawdopodobnie i to, że zwyczajnie nie przypuszczał, by Revesby mogło wydać kwiat, który był w stanie zaspokoić jego rozbuchane popędy. Jakże go zdumiało, kiedy zbliżywszy się do stojącej samotnie postaci, rozpoznał w niej córkę jednego ze swych dłużników, dziewczę niespełna czternastoletnie. Przejeżdżając obok niej zatrzymał się pod pretekstem nakazanego dobrym obyczajem powitania i starannie jej się przyjrzał. Uznał, że pomimo wszystko nie ma w niej nic wyjątkowego — wciąż nierozkwitła jeszcze kobieta, w żaden sposób się nie wyróżniająca ani nie obiecująca przyszłej piękności. Lecz gdy spojrzał w jej oczy, bezdennie głębokie i głęboko zielone, przestał być pewien swej wcześniejszej oceny.

Od tego dnia widywał ją raz po raz. To mignęła mu na skraju lasu, to znów zbierając kwiaty przy drodze, zawsze sama, gibka i pełna wdzięku, odpowiadająca na jego spojrzenia podniesionym czołem i nieustraszonym wzrokiem. Ponsonby zaczął odwiedzać jej ojca, a było to coś, na co niewielu w okolicy by się zdobyło. Starszy mężczyzna w zależności od nastroju był albo rozmowny, albo zamknięty w sobie, dziewczyna zaś zawsze oschła, co zakrawało na grubiaństwo. Takie traktowanie ubodło miłość własną Ponsonby'ego, a zarazem rozbudziło w nim ciekawość, toteż tym częściej odwiedzał dom na skraju wioski.

Instynktownie poczuwszy jego zainteresowanie już przy pierwszym spotkaniu, starała się go za wszelką cenę unikać. Ilekroć się spotykali na osobności, czuła na sobie jego pytające spojrzenie, w towarzystwie zaś obdarzał ją uśmiechem tylko dla niej zarezerwowanym i sugerującym współudział, jak gdyby już dzielili jakiś mroczny sekret. Najgorsze wszakże było to, że każda wizyta Ponsonby'ego wiązała się z podpisywaniem jakichś dokumentów. Później ojciec przez pewien czas był w świetnym humorze i zupełnie nie krył się z nałogiem. Jego długi rosły, ona zaś czuła zaciskającą się powoli wokół niej sieć, choć nie darzyła go uczuciem ani odrobinę mniejszym widząc, jak otwarcie zmierza do ruiny. Im bardziej okazywał się omylny i bezbronny, tym bardziej go kochała. Toteż nawet wtedy, gdy irytacją napełniały ją awanse Ponsonby'ego, odczuwała wobec niego pewien rodzaj wdzięczności za to, że dzięki niemu ojciec odzyskał spokój ducha. Kto wie, może uśmiech Ponsonby'ego, sugerujący ich mroczny sekret, nie był taki bezpodstawny, jak jej się z początku wydawało. Oboje obserwowali jej ojca i czekali...

Skończyła piętnasty rok życia, kiedy doszło do rozmowy, której od dawna się obawiała. Było to późną wiosną, na ganku wciąż kwitły żółte krokusy. Tej zimy Ponsonby dostrzegł, że dziewczyna wyrosła z niezgrabności znamiennej dla młodego wieku, i nie dowierzając zapewnieniom jej ojca, nie chciał dłużej kusić losu narażając się, że inny mężczyzna go uprzedzi. Nie czuł się dobrze z powodu propozycji, jaką miał złożyć, lecz desperacja, jaka go przepełniała, była w całości jej winą, on zaś nie potrafił ani ogarnąć jej rozumem, ani się od niej uwolnić. Wyczekał więc, aż będzie w domu sama, i ją odwiedził.

Gdy tylko zobaczyła Ponsonby'ego zsiadającego z konia, wiedziała, że ta wizyta nie przyniesie jej nic dobrego. Był wszakże jedynym przyjacielem jej ojca, ona zaś miała dopiero piętnaście lat; nie widziała innego wyjścia, jak wpuścić go do domu. W drzwiach do małego salonu ujął ją za łokieć i przyciągnął do siebie, tak że zaledwie cale dzieliły ją od jego piersi. W odpowiedzi na jego dotyk zamarła, jakby bezruch mógł ją ocalić. Czuła zapach tytoniu dolatujący z jego marynarki i delikatną woń drzewa sandałowego. Odtąd zawsze kojarzyła te zapachy z jego osobą.

Mając ją tak blisko przy sobie, Ponsonby poczuł nagłe podniecenie, co nawet jego zdumiało, lecz równocześnie uczyniło bardziej zdecydowanym. Jeszcze przekraczając próg domu wahał się, ale wezbrała w nim zazdrość na myśl, że ta delikatna drżąca istota mogłaby należeć do kogoś innego. Uświadomił sobie, jak bardzo przez cały czas jej pragnął.

— Muszę z tobą porozmawiać, pani — odezwał się, z trudem panując nad własnym głosem. Nie ruszyła się z miejsca, spuściła jedynie głowę, nie dając po sobie poznać, czy w ogóle słyszy jego słowa. — Obserwowałem cię, jak z dziewczynki zamieniasz się w kobietę, przez nikogo nie zauważona — ciągnął. — Klnę się, że jesteś, pani, warta więcej, aniżeli ktokolwiek w Revesby potrafi sobie wyobrazić. Posiadasz urodę, której nie umieją tutaj dostrzec, umysł, którego nigdy nie zrozumieją. Jesteś... inna. Marnujesz się u boku ojca, który o ciebie nie dba, w domu, którego nigdy nie odwiedzi nikt godny szacunku. Nie ma tu dla ciebie, pani, przyszłości, nie ma szans na godne zamążpójście, gdyż twój ojciec za punkt honoru postawił sobie, by uczynić cię niegodną małżeństwa. Przechwala się dokoła, że wychował cię na pogankę, która nie zna zasad ni religii, mogących okiełznać przyrodzone namiętności. Okoliczne kobiety mają cię za rozpustnicę, mężczyźni zaś za żebraczkę. Wszyscy zabraniają swym córkom zamienić z tobą choć słowo, byś ich nie zwiodła na złą drogę.

— Ależ ja wcale nie pragnę z nimi rozmawiać — przemówiła cicho, z głową wciąż zwieszoną.

— Jakaż więc przyszłość czeka cię tutaj, pani? — ciągnął, jak gdyby jej nie usłyszał. Zniżył głos, przybrał niemal błagalny ton. — Doprawdy serce mi się kraje, kiedy widzę cię wciąż tutaj. Prędzej czy później nadejdzie czas, kiedy twój ojciec nie będzie w stanie cię ochronić. Co wtedy? — Nie odpowiedziała, a jemu głos stwardniał. — Kto wie: może to, co mówią, jest prawdą? Może już zdajesz sobie sprawę, w jaki sposób powabne kobiety takie jak ty zarabiają na utrzymanie? Może gdybym zadrasnął tę maskę, za którą się skrywasz, ukazałyby się naszym oczom owe przyrodzone namiętności? — Pochwycił ją mocniej i przysunął jeszcze bliżej, lecz ona nadal nie reagowała; w milczeniu odwracała odeń wzrok. — No więc? Ukazałyby się czy nie? Jaka jest o tobie prawda, pani? — Nie doczekawszy się odpowiedzi, uwolnił ją z uścisku i cofnął się o krok. Kiedy znów przemówił, lepiej panował nad głosem: — Zaklinam cię, nie trać swej cnoty dla jakiegoś wiejskiego młokosa, nierozgarniętego gospodarskiego syna! Musisz mi uwierzyć, pani, że jesteś ponad to!

Przerwał i podszedł do okna, wyglądając na ścieżkę. Dziewczyna nie ruszyła się ani o cal, oczy wciąż trzymając wlepione w deski podłogi, na której śledziła tylko dla niej widoczne wzory. Sekundy upływały w ciszy.

— Kiedy czas nadejdzie — podjął, nadając głosowi czulsze brzmienie — kiedy nie będziesz miała do kogo się zwrócić, przyjdź do mnie. Zabiorę cię stąd, dam ci stroje i książki, jakich tutaj nigdy mieć nie będziesz. Świat dla ciebie, pani, leży poza Revesby. — Wciąż żadnej odpowiedzi z jej strony, żadnego znaku, że słyszy i rozumie, co do niej mówi.

Kiedy skończył i skierował się do wyjścia, nie odprowadziła go. Nie drgnęła nawet, nie zmieniła miejsca ani pozycji

— stała jak skamieniała, bez jednej myśli, aż zaszło słońce, aż łoskotem jej ojciec dał znać, że powrócił do domu, zmuszając ją, by się ocknęła.

Przerwała opowieść i na dziedzińcu zapanowała niczym nie zmącona cisza. Banks, nie odezwawszy się ani słowem, wstał i odszedł parę kroków, prawie za węgieł kościoła. Stał do niej tyłem, tak że mogła przypatrywać się niknącym w świetle nadchodzącego wieczoru konturom jego sylwetki. Czekała. Kiedy się do niej w końcu odwrócił, nie umknęła wzrokiem, nie spuściła oczu; spojrzenie miała czyste i nieustraszone. Banks wiedział, że prędzej czy później musi wreszcie przemówić, lecz słowa więzły mu w gardle, tak wielki czuł gniew i żal.

— Przez wszystkie te dni spędzone w Revesby — zaczął zduszonym głosem — byłem ślepy. Powinienem był dostrzec, zrobić coś...

Potrząsnęła głową nie dając mu skończyć.

— Nie mów tak, panie. Podczas dni wspólnie spędzonych w lasach Revesby nic innego się nie liczyło oprócz moich szkiców i roślin, które nas otaczały. Te kilka dni dało mi więcej, niż jesteś sobie w stanie wyobrazić... Pozwoliło mi zrozumieć, że tej cząstki mego życia nikt nigdy mi nie odbierze. — Zamilkła oczekując jego reakcji, lecz kiedy milczenie się przedłużało, uświadomiła sobie, że opacznie zrozumiała jego słowa. Żal, który z nich przebijał, dotyczył jego, nie jej. Ten, który żeglował wokół kuli ziemskiej, poczuł się zagubiony w jej świecie, nie pojmował go i szukał pocieszenia. Chociaż nigdy nie była dalej niż w Louth, lepiej od niego znała życie. Poczuwszy, że coraz bardziej daje się jej we znaki chłód kamiennej ławy, wstała i podszedłszy do niego, wyciągnęła zapraszająco dłoń. — Robi się chłodno — rzekła. — Jeśli nie musisz jeszcze jechać, panie, pójdźmy na małą przechadzkę.

Widząc, jak się doń zbliża, ponownie zaniemówił i pozwolił jej ująć się za ramię i poprowadzić ścieżką wijącą się wokół kościoła.

Podczas przechadzki dokończyła swą opowieść.

Ponsonby dotrzymał słowa. Po pamiętnej wizycie nie narzucał się jej więcej. Przychodził rzadko i tylko na wyraźne zaproszenie jej ojca. Rozmowy obu mężczyzn dotyczyły zawsze pieniędzy i sprawiały, że jej ojciec ożywiał się i zarazem stawał smutny. Pił już codziennie, na ogół wieczorami w gabinecie, co ją niezmiernie martwiło ze względu na stan jego zdrowia. Nie raz znalazła go nieprzytomnego, z głową złożoną na biurku wśród poplamionych alkoholem dokumentów, z trudem łapiącego oddech. Nawet za dnia nigdy nie był zupełnie trzeźwy: chodził chwiejnym krokiem, paliła go gorączka i coraz częściej zawodziła pamięć. Z czasem nasiliły się także problemy z koncentracją. Na jej oczach przeistaczał się z mężczyzny, jakiego znała i kochała, we wrak człowieka, do którego czuła jeszcze dotkliwszą miłość. Wiedziała, że zrobiłaby dlań wszystko, zgodziłaby się cierpieć, byleby go uratować, jednakże on w przebłyskach jaśniejszego myślenia zabraniał jej interweniować i pogrążał się coraz bardziej. Zaciskając zęby była mu posłuszna do czasu, kiedy nie mogąc dłużej zdzierżyć, wybrała niewłaściwy moment i niewłaściwe słowa.

Od paru dni był niespokojny i zapalczywy. Któregoś popołudnia napisał parę zdań na papierze i zabrawszy go ze sobą, opuścił dom w pośpiechu, a ona choć wiedziała, dokąd się udał, zmilczała. Wrócił tego samego wieczoru w towarzystwie Ponsonby'ego i spędził z nim przeszło godzinę w gabinecie. Kiedy stamtąd wreszcie wyszli, ojciec wydał się jej odmieniony, w świetnym humorze, jeśli nie euforii.

— Z tego Ponsonby'ego dusza człowiek, ale łatwo go wystrychnąć na dudka — oznajmił potem dumnie. — Lekką ręką wypłacił mi zaliczkę na poczet przyszłego kupna książek z mojej biblioteki. — I kiedy napotkał jej pytający wzrok, wyjaśnił: — Och, wiem, że niektóre z woluminów są wiele warte... jeśli o to chodzi, zrobił dobry interes. Tyle że zażyczył sobie bardzo niewygórowanego procentu od pożyczki, twierdząc, że nie chce się bogacić na nieszczęściu sąsiada. No i kto tu się zna na interesach, co?

Słuchając, jak ojciec się przechwala, poczuła mdłości, gdyż nigdy nie mogła znieść jego zaślepienia. Zanim zdążyła pomyśleć, wyrzuciła z siebie:

— Och, pan Ponsonby z pewnością dostanie swój procent, tylko w innej monecie...

Rozpętało się piekło. Robiła co mogła, by zmienić sens wypowiedzianych w złości słów, nie potrafiła wszakże cofnąć czasu, a ojciec, nawet z przyćmionym brandy umysłem, nie był głupcem. Kawałek po kawałku wyciągał z niej prawdę, chociaż zaklinała go, by nie wierzył ani jednemu jej słowu. Kiedy z nią skończył, swą wściekłość obrócił przeciwko podstępnemu sąsiadowi; przypominając sobie wszystkie rozmowy, fałszywe uśmiechy i zapewnienia, obrzucał go najwymyślniejszymi inwektywami. Chcąc, by zapanował między nimi pokój, musiała użyć kobiecych sztuczek: popłakiwała z powodu niezasłużonego gniewu ojca, wychwalała Ponsonby'ego — co nigdy wcześniej nawet nie postało jej w głowie, przysięgała, że kryształowy z niego człowiek, ona zaś jest niewdzięczną dziewuchą, a do tego kłamczuchą. Godzinę później ojciec przestał miotać gromy.

— Zostaw mnie samego — powiedział. — Tak czy inaczej, dzięki tobie mam o czym rozmyślać.

Uradowana, że się uspokoił i udał do gabinetu, a nie szukać rewanżu, pomyślała, że być może z tego wybuchu wyniknie jeszcze coś dobrego. Może zastanowi się dwa razy, zanim znowu coś pożyczy...

Nie usłyszała, jak wychodził. Uświadomiła sobie jego nieobecność, szykując się do snu, kiedy zapukawszy do drzwi gabinetu, by życzyć ojcu dobrej nocy, nie dostała żadnej odpowiedzi. W obawie, że kolejny raz upił się do nieprzytomności, weszła do środka i zastała tam silny odór alkoholu, list, którego całą treść stanowiło jej imię, lecz ani śladu ojca. Trzy godziny później paru mężczyzn przyniosło go do domu i ułożyło w jego sypialni na górze.

— Zatem — powiedziała, silniej wspierając się na ramieniu Banksa — mnie należy za wszystko winić. A kiedy człowiek pogodzi się z takim brzemieniem, mało co jest go jeszcze w stanie zranić.

W milczeniu okrążali kościół. Słońce wciąż lekko grzało, ale cienie kładły się daleko przed nimi. Mimowolnie się wzdrygnęła. Właściwie nie miała mu tego wszystkiego mówić, podobnie jak nigdy nie miała spacerować z nim ramię w ramię, lecz teraz gdy już zaczęła, nie mogła przerwać w połowie opowieści. Pozostała jeszcze najmniej miła część. Chwila ta, chociaż w istocie smutna, napełniła ją spokojem, a nawet pewnego rodzaju radością. Na razie czekała, aż Banks się odezwie, zachęci ją, by kontynuowała. Trzymając ramiona sztywno wyprostowane pilnowała się, by nie zadrżeć ponownie.

— A kiedy twój ojciec zmarł... — podpowiedział niezręcznie.

— Tak — odrzekła z prostotą i dała mu chwilę, by zrozumiał w pełni znaczenie następnych słów: — Była tylko jedna osoba na świecie, do której mogłam się zwrócić.

Przystanął, gdyż nagle zakręciło mu się w głowie. Z jednej strony chciał dowiedzieć się więcej, z drugiej — wiedział aż nadto. Nie potrafił zdecydować, czy ma się odezwać czy milczeć.

— Zatem... — patrzył w bok, kiedy wbrew sobie ją ponaglił.

— Nie miałam pieniędzy na pogrzeb, on je zapewnił. Tak naprawdę wszystko, co niegdyś należało do mnie, było od dawna jego.

— I uczynił cię swoją... — Banks przełknął głośno ślinę.

Przechodzili właśnie koło wrót kościoła, kiedy pociągnąwszy go raptownie za ramię, zmusiła, by się zatrzymał i na nią spojrzał.

— Nie! — powiedziała z mocą. — Gdyby istniało inne rozwiązanie, z pewnością mogłabym z niego skorzystać, pozwoliłby mi na to, lecz innego rozwiązania nie było. Młoda kobieta bez majątku i reputacji, wychowana nie na służącą, ale i nie na guwernantkę dzieci przyzwoitych ludzi, bez religii i zasad. Kobieta, która spotykała się w lesie z mężczyzną, co dzień wracająca z tych spotkań z uśmiechem na twarzy. Czy tego nie widzisz? Nie rozumiesz? — głos jej się niezauważalnie załamał. — On mnie niczym nie uczynił. Nie musiał... To ja posłałam po niego. Jedyne, o co poprosiłam, to bym mogła przybrać inne nazwisko, gdyż nie chciałam, żeby ci, co potępiali ojca, kiedyś się dowiedzieli i zatryumfowali.

Wciąż mocno trzymała jego ramię, nie mógł się więc ruszyć i nie miał innego wyjścia, jak patrzeć w jej płonące oczy.

Nigdy wcześniej nie przeszło mu przez myśl, jak wysoka będzie cena, którą przyjdzie jej zapłacić za ich spotkania w lesie. Pomyślał o tym dopiero teraz i dostrzegła zgnębienie na jego twarzy, lecz mimo to nieubłaganie ciągnęła swą opowieść do końca.

— Był dla mnie dobry. Czy to pojmujesz, panie? Zrobił wszystko co w jego mocy, by było mi łatwiej. Nigdy nie żądał zbyt wiele. Nigdy nie poczynił najlżejszej aluzji do mego położenia, nigdy nie przypominał mi, ile mu zawdzięczam. Nie upokorzył mnie. Stara się, bym była szczęśliwa, a ja mu na to pozwalam, gdyż tylko w ten sposób mogę się mu odwdzięczyć.

Nie spuszczała z niego wzroku, przewiercając go pałającymi oczyma niemal na wylot. Nigdy nie było mu dane oglądać oczu tak zielonych, tak świetlistych, tak pełnych mocy.

Wokół gęstniały cienie, lecz miejsce, w którym stali, znajdowało się na otwartej przestrzeni. Z łatwością dojrzała na jego twarzy walkę, którą toczył sam ze sobą, widziała, jak słowa formują się na jego wargach. Wyprostowała się, przygotowując na to, co usłyszy.

— Proszę... — przemówił bezbarwnym głosem, któremu towarzyszył krzyk kosa ulatującego z poszycia ku koronom drzew. — Wyjedź ze mną, pani — powiedział już pewniej, bardziej nalegająco. — Teraz istnieje inne rozwiązanie — uśmiechnął się nieznacznie. — Przysięgam, że niczego nie będę od ciebie oczekiwał, z wyjątkiem rozmów o porostach i tego, byś każdego dnia robiła szkice, które z czasem zadziwią cały świat.

Słysząc te słowa poczuła, jak ogarnia ją ciepło. Przeszedł ją wewnętrzny dreszcz. Przemożne pragnienie, które przez trzy długie lata starała się w sobie zdusić, powróciło z nową siłą i zabuzowało w niej niczym pożar lasu. Zdawała sobie sprawę, że nie wszystko, co jej powiedział, było prawdą; wiedziała, że nie ma człowieka, który chce dawać, nic w zamian nie biorąc. Wszakże bez względu na cenę, jaką jej przyjdzie zapłacić, będzie mogła żyć! Swoim życiem, cudownym życiem, życiem pełną piersią!

10

Słowa i portrety

Na banał zakrawa stwierdzenie, że udając się w podróż nie zawsze wiemy, dokąd trafimy. Wyprawiliśmy się szukać ptaka, a znaleźliśmy portret kobiety o niesamowitych oczach, lecz bez imienia. W drodze powrotnej ze Stamfordu do Londynu Katię i mnie przepełniała obsesja na punkcie tajemniczej kochanki Banksa. Najbliższy ranek rozpoczęliśmy od wizyty w Galerii Narodowej, gdzie oglądaliśmy wyśmienite płótna z epoki, czując się trochę jak podczas policyjnej konfrontacji z podejrzanymi. Dosyć szybko jednak musieliśmy się poddać, gdyż w osiemnastym wieku znacznie częściej uwieczniano na portretach mężczyzn niż kobiety; nie minęła godzina, a nam już zabrakło kandydatek. Nie chcąc rezygnować, postanowiliśmy przyjrzeć się wszystkim portretom raz jeszcze, w nadziei że w którymś z mężczyzn dostrzeżemy podobieństwo rodzinne łączące go z naszą nieznajomą. Jak uczniaki podczas wycieczki szkolnej dowcipkowaliśmy sobie i stroili żarty, dopóki przypadkiem nie wylądowaliśmy przed podobizną Josepha Banksa. Stanęliśmy jak urzeczeni, pozwalając innym zwiedzającym mijać nas w pośpiechu, i przyjrzeliśmy mu się, nagle poważniejąc.

Na wyjątkowego piękna portrecie widnieje młody Banks, który dopiero co wrócił z wyprawy dookoła świata. Portrecista uchwycił go w gabinecie przy pracy, lecz model lekko się odwraca od pełnego książek i dokumentów sekretarzyka i twarzą skierowany jest ku oglądającemu. W pierwszej chwili wy-

daje się poważny i uroczysty, jednakże po dokładniejszym przyj-
rzeniu się można dostrzec igrający w kącikach wydatnych warg
uśmiech. Oczy także z początku oszukują: za otwartym, obojętnym spojrzeniem kryje się lekkość, która przeczy jego po-
wadze. Zza surowej fasady wygląda roześmiany młodzieniec.
Nikt na sąsiadujących portretach nie wydawał się tak pełen
życia jak Banks.

— Mmm... — zamruczała Katya nieco lubieżnie. — Przy-
stojniak. Nie urodziwy, ale zdecydowanie przystojny. Dobro-
duszna twarz, zmysłowe usta, przenikliwe oczy... Od razu widać,
że był ciekawy świata. Taki mężczyzna może się podobać...

— Kiedy tak patrzyliśmy na niego, a on odpowiadał nam niemal żywym spojrzeniem, uzmysłowiłem sobie, że Katya ma
rację. Autor obrazu, Reynolds, zdołał pochwycić i uwięzić na
płótnie aurę młodości i pewności siebie, jak również żywotność, których nie stłumił upływ lat ani blednięcie farby.
Patrząc na młodego Banksa człowiek miał pewność, że
w jego towarzystwie nigdy by się nie nudził, z łatwością wy-
obrażał go sobie żyjącego i używającego życia. Zakochany
Banks? Czemu nie, pomyślałem. Dłuższą chwilę nie potrafili-
śmy oderwać odeń oczu, stojąc tak blisko siebie, że nasze
ramiona się stykały, aż w końcu delikatnie skinąwszy głowami,
ruszyliśmy dalej.

Kiedy opuszczaliśmy Galerię, sięgnąłem do kieszeni
i wyjąłem fotokopię, którą otrzymałem od Pottsa. Widniejący
na niej zamazany portret nie miał w sobie nic z przepychu
dzieła Reynoldsa. Po prostu zwykła kobieca twarz, niczym się
nie wyróżniająca, a do tego anonimowa. Jednakże i ten uśmiech
zwracał uwagę, uświadamiał, że kryje się za nim nieprzeciętna
osobowość.

Po południu udaliśmy się do Biblioteki Narodowej, gdzie
mozolnie przeglądaliśmy każdą dostępną księgę portretów, prześlizgując się po setkach twarzy, zatrzymując uważniej tylko na
tych z drugiej połowy osiemnastego wieku, w nadziei że któraś
uśmiechnie się do nas charakterystycznym nieśmiałym uśmiechem. Zajęcie to przyćmiło mi zmysły, a potęgująca się wokół
cisza zaczęła mi się zaciskać na głowie nieprzyjemną obręczą.
Nie mam pojęcia, ile kobiecych portretów wtedy obejrzeliśmy,

dość powiedzieć, że jeden tom zawierający miniatury liczył setki twarzy. Kilka godzin później podnieśliśmy na siebie wzrok zdruzgotani. Udało nam się wyłonić parę podejrzanych, których bardzo nikłe podobieństwo do oryginału nie uprawniało jednak do nadmiernego optymizmu. Oderwawszy się od syzyfowej pracy, poczuliśmy głód, toteż zarzuciliśmy poszukiwania i poszli do domu.

W przytulnym cieple własnej kuchni upichciłem skromny posiłek dla siebie i dla Katii. Później, popijając zimne piwo wprost z butelek, siedzieliśmy przy migotliwym blasku świecy rozprawiając o seksie i polityce pod koniec osiemnastego wieku. W pewnym momencie Katya odchyliła się na krześle i uśmiechnęła szeroko.

— O co chodzi? — zapytałem skonfundowany. — Co cię tak rozbawiło?

— My — odrzekła. — Napijmy się jeszcze...

Nazajutrz wróciliśmy do biblioteki, by kontynuować poszukiwania. Około południa odłożyliśmy ostatnią księgę portretów i zabraliśmy się do biografii. Jeszcze raz przejrzeliśmy wszystkie dotyczące Banksa, a potem zajęliśmy się biografiami jego przyjaciół i współpracowników; każda książka, w której zamieszczono portrety, na nowo rozbudzała w nas nadzieję. Katya pracowała szybciej ode mnie i to ona pierwsza sięgnęła po kuszące mnie od samego początku tomiszcze oprawne w popękaną skórę.

— „The Town and Country Magazine", roczniki 1774 i 1775 — wyjaśniłem szeptem. — Gdzieś w środku jest plotka na temat Banksa i jego kochanki. Pomyślałem sobie, że warto by to sprawdzić...

Katya spojrzała na mnie przelotnie, nie okazując specjalnego zainteresowania. Bez słowa wróciliśmy do swej dłubaniny. Po jakimś czasie uświadomiłem sobie, że ucichł szelest przewracanych przez Katię stronic. Podniosłem na nią wzrok i zobaczyłem, że siedzi bez ruchu, nachylając się nad księgą i pozwalając, by włosy opadały jej na twarz. Pomiędzy kosmykami przezierały jej oczy, w których malowało się zdumienie.

— Znalazłam ją — powiedziała tak cicho, że ledwie ją usłyszałem.

Wstałem, z szurnięciem odsuwając krzesło, i przeszedłem na jej stronę stołu, by zobaczyć to, w co od dłuższego czasu się wpatrywała. Wystarczył jeden rzut oka na niewielką gruboziarnistą odbitkę, bym przyznał jej rację. Wprawdzie nie było żadnej pewności, że stara ilustracja sprokurowana dla podrzędnej gazety sprzed dwustu lat w ogóle oddaje podobieństwo, ale nie dało się nie zauważyć, że jest to oryginał, z którego zrobiono fotokopię, jaka była w naszym posiadaniu, i na podstawie którego Hans Michaels naszkicował twarz kobiety.

— Kochanka Banksa — szepnęła Katya. — „Panna B.", której imię zapomniano.

Przez ostatnie dwa dni nie robiłem nic innego, tylko przyglądałem się kobiecym twarzom — tym przeciętnym i tym ładnym, rumianym i bladym, z których większość rzucała się w oczy, i jestem pewien, że gdybym spotkał ich właścicielki na tłocznym przyjęciu, zwróciłbym na nie uwagę. Jednakże ta kobieta była inna. W drobnej, niemal pospolitej twarzy wyróżniały się oczy. Takich oczu szukałoby się na hucznym przyjęciu, kiedy człowieka już by znużył hałas i frazesy...

— Znaleźliśmy ją wreszcie — powiedziałem, kładąc dłoń na ramieniu Katii. — Tajemniczą kobietę Hansa Michaelsa, trop wiodący do Ptaka z Uliety. Ciekaw jestem, u diabła, co mamy zrobić teraz?

Pytanie było po części retoryczne, ale Katya udzieliła mi na nie odpowiedzi, kiedy staliśmy na dziedzińcu biblioteki.

— Oto co zrobimy — odezwała się, wyrywając z zamyślenia. — Wytropimy ją. Dowiemy się, kim była, gdzie mieszkała i co się z nią stało, kiedy tak nieoczekiwanie zniknęła.

Na zewnątrz dął silny wiatr, który w tym momencie omal nie porwał apaszki Katii. Schwytała ją w ostatniej chwili i mocniej zawiązała na szyi.

— A wiesz może, j a k to zrobimy? — zapytałem sarkastycznie, ponieważ mimo najszczerszych chęci nie podzielałem optymizmu dziewczyny.

— Jeszcze nie... — odparła i zadzierając brodę, dodała: — Ale coś wymyślę — entuzjazm wprost ją rozpierał. — Wiesz co? Spotkajmy się później w domu, do tego czasu opracuję plan.

Nie byłem tego taki pewien. Zgoda, odnaleźliśmy oryginał szkicu Hansa Michaelsa, ale nadal nie mieliśmy pojęcia, co łączyło tę kobietę z Ptakiem z Uliety. Ba, nie znaliśmy nawet jej imienia. Jeszcze gorzej, sprostowałem w myślach, n i k t nie znał jej imienia. W 1773 roku pojawiła się znikąd jako kochanka Banksa. W 1774 roku rozpłynęła się w sinej mgle historii. I to właśnie było najgorsze, ponieważ Ptak z Uliety przypłynął do Anglii dopiero w 1775 roku. Nie chciałem tego mówić na głos, ale nasze szanse prezentowały się doprawdy marnie.

Pożegnałem się z Katią na Euston Road, po czym obserwowałem, jak zmierza w stronę stacji metra, dopóki nie straciłem z oczu jej sylwetki, wchłoniętej przez wir przechodniów. Broniąc się przed przenikliwym wiatrem, wcisnąłem ręce głębiej w kieszenie i starałem się zająć myśli czym innym. Prawdę powiedziawszy, powinienem być w domu albo na uczelni i uczciwie pracować, ale nawet mi to nie przyszło wówczas do głowy. Znalazłem nieduży pub i zamówiwszy piwo, zasiadłem nad notatkami.

Kolumna plotek w „The Town & Country Magazine" okazała się zadziwiająco współczesna, sądząc po pozorach świętoszkowatości i pospolitych oszczerstwach, jakie zamieszczała. Przywoławszy na pamięć kroniki towarzyskie z końca dwudziestego wieku, postanowiłem nie dać się zwieść. Jednakże ten akurat przypadek wydawał się dość prosty. Panna B. była sierotą, Banks znał ją jeszcze jako młodą dziewczynę, zanim udał się na wyprawę, i po powrocie ją odszukał. Nigdzie nie było najmniejszej wzmianki na temat jej pochodzenia ani gdzie przebywała, kiedy on żeglował po świecie; nic, co pomogłoby ustalić miejsce jej pobytu po tym, jak zniknęła ze sceny i szpalt „The Town & Country Magazine".

I to było wszystko. Gdyby nie ta krótka byle jaka notatka w ówczesnym szmatławcu, w ogóle nie pozostałby po niej ślad. Ściskałem w palcach piórko, które mogło oznaczać (ale nie musiało!) nowy gatunek ptaka. Myśl bynajmniej nie krzepiąca.

Tajemnicze piórko wyniesione z puszczy przez Jamesa Chapina upewniło Dziadka w jego podejrzeniach: nie odkryty jeszcze przez człowieka gatunek pawia rzeczywiście żył w Afryce. Z determinacją, ba! zawziętością nawet, wbrew wszelkiej logice, postanowił to udowodnić. Rozpoczął przygotowania do wyprawy na kontynent afrykański, która miała zaowocować odnalezieniem okazów. Potrzebne mu były zapasy i transport, no i pieniądze rzecz jasna, by opłacić jedno i drugie. Wtedy nastąpiło niemiłe zderzenie z rzeczywistością. Bo choć do tamtego czasu podróże i fanaberie Dziadka finansowała rodzina, tym razem jej bogactwo okazało się niewystarczające. Od czegóż jednak są znajomości, zamożni przyjaciele i niesłabnący optymizm! Dziadek ogłosił wszem wobec, że w dorzeczu Konga zamierza odkryć nie znany nauce gatunek ptaka, licząc na to, że szerokim strumieniem popłyną fundusze i poparcie. Przeliczył się jednak — ku własnemu zdziwieniu został wyśmiany: kilka linijek niejasnego łacińskiego tekstu i piórko nie przekonało świata. Prosto w oczy i raz po raz powtarzano mu, że musi zgromadzić znacznie solidniejsze dowody, jeśli chce, by ktoś zainwestował w jego projekt. Przeklinając niedowiarków nadaremno czekał na poparcie.

Kto inny na jego miejscu przełknąłby porażkę i się wycofał, jednakże Dziadkowi nie pozwoliła na to urażona duma. Z im większym sceptycyzmem się spotykał, tym bardziej zacinał się w sobie, co doprowadziło do tego, że z biegiem lat stał się pośmiewiskiem w kręgach naukowych; unikano go na rautach, wytykano palcami jako tego, co dostał bzika na punkcie jakiegoś pawia.

Siedząc w pubie przy Euston Road i spoglądając na notatki na temat Panny B. ze smutkiem zauważyłem, że historia się powtarza. Byłem w posiadaniu portretu, którego znaczenia nie mogłem być nawet pewien. W porównaniu ze mną Dziadek miał niezbite dowody... Niezbyt tym podniesiony na duchu skierowałem się do domu, by tak jak było umówione, spotkać się z Katią, lecz kiedy dotarłem na miejsce, walcząc po drodze z podmuchami lodowatego wiatru, nie zastałem jej. Zostawiła

mi w holu lakoniczną informację: „Archiwum westmin-
sterskie".

Kultura zachodnia przywiązuje wielką wagę do słowa
pisanego. Za nic mamy niszczenie lasów deszczowych i wiążą-
ce się z tym unicestwianie nie poznanych jeszcze istot; papier
i dokumenty są dla nas wszystkim. Bardzo niewielu udaje się
wyzwolić z ich pęt. Ja sam wciąż trzymam notatki o wymarłych ptakach do książki, której już nigdy nie napiszę. Inni
ludzie zostawiają sobie stare rachunki albo wyciągi bankowe.
Są tacy, którzy zbierają reklamy restauracji na wynos,
i w każdej chwili można się u nich zapoznać z menu dawno
zamkniętej knajpy. Archiwa narodowe przepełnione są nie-
istotnymi informacjami, które jednak kiedyś staną się historią.
Budowniczowie kolei żelaznej w czasach królowej Wiktorii,
burząc niepowtarzalne rezydencje sprzed pięciu stuleci, z wielką
starannością notowali dla potomnych ilości metalu i drewna,
wykorzystywane podczas prac. Jeszcze wcześniej, kiedy obraz
angielskiej wsi nieodwracalnie się zmieniał na skutek rabunko-
wych przywłaszczeń ziemi, wikariusze z wielką dbałością
o precyzję odnotowywali narodziny i zgony ludzi, którzy prze-
trwali tylko w rozsypujących się obecnie księgach parafialnych.

Odnalazłem Katię w rogu archiwum, schowaną za
wielkim czytnikiem mikrofilmów, nie bez trudu. Zmienione
uczesanie i zmarszczone w skupieniu czoło uczyniły z niej
niemal obcą osobę, toteż zawahałem się, nim do niej podszedłem. Przez chwilę rozglądałem się po pomieszczeniu: wzdłuż
jednej ściany stały metalowe regały zawierające akta, pośrodku urządzono kilka stanowisk komputerowych, które
obecnie okupowała gromadka podeszłych wiekiem gospo-
dyń domowych. W powietrzu unosił się zapach mokrych
płaszczy.

Katya ledwie na mnie spojrzała, gdy w końcu do niej
podszedłem; nic nie mówiąc, przywitała mnie uśmiechem, oczyma wskazała krzesło obok siebie i dalej przewijała mikrofilm.
Zwinne ruchy obu dłoni przesuwały celuloid to w przód, to
w tył.

— Bardzo przeszkadzam? — zapytałem, chcąc zwrócić jej uwagę, lecz zignorowała mnie, kręcąc rolkami, jakby od tego zależało jej życie. Na ekranie pojawiały się i znikały strony zapisane kaligraficznym charakterem pisma, udało mi się wyłapać jedno czy dwa nazwiska, jakieś daty, nazwy miejscowości.

— Cholera! — odezwała się nagle, odrywając ręce od rolek, a jej donośny głos sprawił, że zaabsorbowane swoimi poszukiwaniami gospodynie domowe spojrzały na nas potępiająco. — Przez ciebie to zgubiłam!

— Przepraszam — powiedziałem potulnie.

Popatrzyła na mnie i przez chwilę mierzyliśmy się wzrokiem. Gwałtownie okręciła się na krześle i uśmiechnęła do siebie.

— I masz za co — oznajmiła. — Zostawiasz mi całą robotę, a sam co? — Położywszy ręce z powrotem na rolkach, kręciła nimi powoli, aż odnalazła to, czego szukała. — No, mam wreszcie — powiedziała. — Księgi podatkowe parafii Marylebone za rok 1774.

Spojrzałem na ekran, gdzie widniała elektroniczna wersja pożółkłych i postrzępionych stronic. Po lewej stronie znajdowała się lista adresów, przy każdym zapisano nazwisko, datę i kwotę. Mniej więcej w połowie kolumny odczytałem słowa: „Orchard Street", a dalej „30 kwietnia 1774". Przy każdym kolejnym numerze ulicy było nazwisko, z wyjątkiem jednego: numer 24. pozostał bezimienny.

— Jeśli w tych plotkach było ziarno prawdy, Panna B. mieszkała na Orchard Street — przypomniała mi Katya, zdziwiona brakiem reakcji z mojej strony.

— I co nam to daje? — zapytałem niepewien, jak połączyć te fakty.

— Skoro przy domu na Orchard Street 24 nie zapisano nazwiska — tłumaczyła cierpliwie — oznacza to, że kiedy poborca podatkowy go odwiedził, stał nie zamieszkany. I jest jeszcze to... — Przewinęła film do końca, wyjęła go z czytnika i zastąpiła innym. Zaledwie parę ruchów zabrało jej znalezienie właściwego miejsca. — Popatrz... Adresy te same, tyle że rok wcześniej. — Ósmy czerwca 1773 roku — postukała paznokciem w monitor tam, gdzie jak wół stało: „Orchard Street 24 — JWP Joseph Banks". Katya odwróciła się do mnie z wyrazem tryumfu w oku. — Zaczęłam od roku 1772, na wszelki wypadek. Dom wynajmował wtedy niejaki Metcalfe. Rok później latem najemcą był już Banks, dokładnie tak, jak napisali to w kolumnie towarzyskiej tego brukowca. A na wiosnę 1774 roku miejsce było na powrót puste.

— I twoim zdaniem to oznacza, że...

— Że romans się do tego czasu skończył — wpadła mi w słowo Katya.

— Albo że wynajął dla niej inne mieszkanie — zaoponowałem.

Katya zdecydowanie potrząsnęła głową.

— Po 1774 roku nie ma już o niej ani słowa. Przypomnij sobie te wszystkie książki, które przeglądaliśmy. Bardzo możliwe, że związała się z innym mężczyzną. Być może Banks się nią znudził i ją odprawił.

— Mogło stać się coś innego...

— Wiem, wiem... — Katya przewróciła oczyma. — Najbardziej prawdopodobne, że zmarła w połogu albo wkrótce potem.

— Ale co z dzieckiem... — zastanowiłem się głośno. — Nigdzie się nie wspomina, by Banks miał dzieci, nawet nieślubne.

Spojrzeliśmy na siebie z rezygnacją. Nagle Katya odzyskała werwę, odwróciła się do monitora i zaczęła wyjmować film.

— Możemy to sprawdzić — powiedziała.

— Jak? — w zdziwieniu uniosłem brew.

— Nic łatwiejszego — zapewniła mnie wstając. — Wystarczy prześledzić rejestr narodzin i zgonów parafii Marylebone w latach 1773—1774. Zrobię to jutro. Na pewno znajdę kobietę, której nazwisko zaczynało się na literę „b", a kończyło na „n".

— Mogło ich być całe mnóstwo — powiedziałem powątpiewająco.

— Trudno... Ale tylko w ten sposób możemy poznać prawdziwe nazwiska, żeby je potem sprawdzić...

— No dobrze — zgodziłem się z Katią po chwili zastanowienia. — A co będzie, jeśli nie znajdziesz ani jednego? Zbyła moje obawy wzruszeniem ramion i pewnie spojrzała mi w oczy.

— Poszukamy gdzie indziej. Skoro twój przyjaciel Hans Michaels odkrył związek pomiędzy Panną B. a Ptakiem z Uliety, nam też się uda.

Następne dni nadwątliły jednak optymizm Katii. Udawszy się do północnego Londynu wiele godzin spędziliśmy w tamtejszych archiwach, wczytując się w księgi parafialne, lecz ku naszemu zdziwieniu nie natknęliśmy się na kobietę o nazwisku „B---n". Katya oczywiście uznała, że to oznacza, iż nasza podejrzana zmarła gdzie indziej. Z czasem mieliśmy coraz mniej pomysłów, gdzie jeszcze moglibyśmy szukać, lecz żadne z nas nie zamierzało dać za wygraną. Mimo wszystko Anderson miał rację: Ptak z Uliety kusił mnie wielkością odkrycia, którego nie dane mi było poczynić i którego pragnąłem jak prawie niczego innego na świecie; nie miało sensu udawać, że mi nie zależy. Następne dni spędziłem w rozmaitych londyńskich archiwach, z uporem maniaka przeglądając rejestry zgonów. Katya pomagała mi, kiedy tylko mogła, i wtedy stykaliśmy się głowami wypatrując na ekranie wiadomego nazwiska bądź też pracowaliśmy w zgodnej ciszy. Zapamiętawszy się w poszukiwaniach, ignorowaliśmy fakt, że wciąż nie wiemy, jak połączyć osobę Panny B. z Ptakiem z Uliety, ani nawet jak się tego dowiedzieć. Jeśli chodzi o samego ptaka, na razie nie zaprzątaliśmy sobie nim bezpośrednio głowy.

Niedzielny wieczór był deszczowy, w końcu rozpętała się burza i kiedy zabrałem się do gotowania obiadu, wiatr i strugi wody waliły o okna. Antyczny bojler pomrukiwał do wtóru grzmotom, a jego ciepło czyniło kuchnię przytulną i bezpieczną. Katya wróciła do domu, właśnie jak zdejmowałem garnki z ognia, toteż zjedliśmy razem. Sprzątnąwszy ze stołu przygasiłem światło i przez chwilę słuchaliśmy, jak deszcz bezradnie stuka o szyby. Żadne z nas niczego nowego tego dnia nie odkryło, więc zamiast wymieniać informacje, otworzyliśmy butelkę wina, pozwalając, by ciepło i alkohol nas rozluźniły. Humor nam się poprawił i zanim się zorientowaliśmy, gadaliśmy bez skrępowania o tym i owym. W butelce pokazało się dno, toteż podniosłem się, by odkorkować drugą. Ożywiona Katya także wstała i stanęła tuż przy mnie.

— Wiesz... — zaczęła. — Będziesz musiał radzić sobie beze mnie przez dzień czy dwa — oznajmiła. — Muszę pojechać do Szwecji, tylko na parę dni, załatwić kilka spraw... — wyjęła mi otwartą butelkę z rąk i zaniosła do stolika, by rozlać wino do kieliszków.

— To dość nieoczekiwany wyjazd — zauważyłem, przypatrując się jej bacznie.

Rzuciła mi szybkie spojrzenie.

— Taak... — przytaknęła. — I pewnie nadaremny, ale cóż, skoro muszę... Opowiem ci wszystko, jak wrócę, dobrze?

— Wciąż stałem, więc wzięła oba kieliszki i podeszła do mnie.

— No, napij się ze mną strzemiennego.

Sączyliśmy wino, powiedziałem nawet coś śmiesznego, co ubawiło Katię do łez, ale choć wieczór nadal upływał przyjemnie, mnie zrobiło się smutno. Samotne poszukiwania były mi nie w smak. Niestety, kiedy się nazajutrz obudziłem, Katii już nie było.

Richmond. Modna i dyskretna dzielnica, w której osierocona młoda dama mogła zamieszkać pod opieką poczciwej starszej kobiety i wieść tam ciche, nie wzbudzające plotek życie. Miejsce, w którym jeśli sama nie szukałaby towarzystwa, nikt by jej nie niepokoił. Okolica, po której pod okiem przyzwoitki mogła chadzać do woli i oddawać się szkicowaniu na szczycie wzgórza bądź w pobliskich lasach. A stary znajomy z Londynu mógł ją od czasu do czasu odwiedzać i jeść w jej towarzystwie podwieczorek, podczas gdy jej opiekunka zajmowała się swoimi sprawami. Kiedy więc latem 1771 roku do Richmondu przyjechała spokojna i nie rzucająca się w oczy panna Brown i zamieszkała u starszej, przygłuchej już pani

Jenkins, wdowy po wieloletnim rządcy w Revesby, jej przybycie przeszło bez większego echa. Zaproponowała Marcie, by pojechała z nią jako służąca i towarzyszka. Musiały się wiele nauczyć: jakich norm należy przestrzegać, jakich zasad pod żadnym pozorem nie wolno łamać i jak korzystać z nie znanej im wcześniej swobody i wolności. Nic i nikt nie przeszkadzał im w nauce. Banks, za punkt honoru postawiwszy sobie, by grać rolę bezinteresownego dobroczyńcy, przyjeżdżał z rzadka, często za to pisał, upewniając się, że niczego im nie brakuje. Któregoś ranka, trzy tygodnie po ich przyjeździe z hrabstwa Lincoln, odebrały przesyłkę składającą się z pięciu pokaźnych paczek, zaadresowaną na nazwisko panny Brown, a zawierającą wszystko, co potrzebne do szkicowania i malowania. Parę godzin zajęło jej rozpakowanie paczek, gdyż każdy wyjęty z nich przedmiot pieściła dłońmi, dziwiąc się, że takie szczęście przypadło jej w udziale. Wiele lat później, gdy wracała wspomnieniami do tych pierwszych tygodni, zawsze odnosiła wrażenie, jakby ich wydarzenia dotyczyły kogoś innego, dalece tylko ją przypominającego. Sławny Joseph Banks zachowujący się, jakby rzuciła nań czar na dziedzińcu kościelnym w Louth — to nie mogło być prawdą.

Od ich niespodzianego spotkania w Louth wypadki potoczyły się błyskawicznie; Banks działał zdecydowanie, jak gdyby spokoju nie dawała mu myśl o wizytach, jakie składa jej Ponsonby. Szukając osoby, u której mogłaby zamieszkać nie narażając swego honoru na szwank, od razu pomyślał o pani Jenkins, która po śmierci męża, służącego wiernie jeszcze u ojca Josepha, otrzymała na stare lata niewielki dom na obrzeżach Richmondu, opłacany z kasy dworu w Revesby. Z tego co wiedział, nie lubowała się ani w plotkach, ani w intrygach, a jako samotna wdowa z radością by powitała czyjeś towarzystwo. Ustaliwszy adres, zajął się zorganizowaniem podróży. Nie trwonił czasu ni pieniędzy, tak że Solander, będący jedynym świadkiem tego aktu filantropii, odbywającego się z precyzją i energią bitwy morskiej, nie mógł nie zastanowić się nad faktyczną naturą relacji pomiędzy darczyńcą i obdarowaną.

Zaledwie parę dni od spotkania na kościelnym dziedzińcu otrzymała wiadomość, że przygotowania dobiegły końca.

Jej pozostawił kwestię pożegnania z Ponsonbym. Niepewna, jak powinna się zachować, obawiając się konsekwencji, postanowiła załatwić sprawę listownie. W paru oschłych słowach poinformowała go, że wyjeżdża do Londynu. Na nic wszakże zdała się jej oschłość; parę godzin po wysłaniu listu przez posłańca naszedł ją niczym burza, krzycząc, wypytując, czyniąc gwałtowne ruchy, wreszcie błagając ją, by mu powiedziała, co w istocie zamierza. Tego jednego powiedzieć mu akurat nie mogła... Obserwując go w złości i pomieszaniu, czuła narastający smutek na myśl o łączących ich niegdyś zażyłych stosunkach — teraz wydawał się jej obcym człowiekiem. Tak, przytwierdziła w duchu, wciąż jest dla mnie obcy, ponieważ nie pozwoliłam mu stać się nikim innym. Z obawą czekała, aż zacznie jej grozić, może nawet zabroni jej wyjeżdżać, powołując się na dług, jaki u niego zaciągnęła. Jednakże z czasem jego złość się wypaliła. Odwróciwszy się od niej, łapał powietrze uspokajając się, a ona czekała, żeby przemówił — tak jak kiedyś, gdy miała lat piętnaście. Tyle że, uświadomiła sobie, od tamtego czasu wszystko się zmieniło.

— Zawsze powtarzałem, że będziesz mogła w każdej chwili odejść — odezwał się w końcu, wyrównawszy oddech.

— Nie zamierzam łamać danego słowa. Wyświadcz mi jednak tę przysługę i powiedz, co mogę zrobić, by uczynić twą podróż znośniejszą. — Po tych słowach głos mu się załamał, tak że z trudem go rozpoznawała. — Nie mogę pojąć, że z dnia na dzień cię stracę, choć przecież od zawsze się tego spodziewałem. Przez cały ten czas udawałem, że to nigdy nie nastąpi, zarówno dla twojego, jak i własnego dobra, lecz w głębi ducha wiedziałem, że nie jesteś stworzona dla mnie. Powiedziałem ci kiedyś w Revesby, że się tam marnujesz; nigdy nie miałem odwagi przyznać, że jeszcze bardziej marnujesz się ze mną. Nie powinienem się dziwić, że ktoś to dostrzegł, tak jak ja dostrzegłem to wówczas. Mam tylko nadzieję, że on zdaje sobie sprawę z twojej wartości. I rozumie, że pewnego dnia w twoim życiu pojawi się ktoś, kto będzie na ciebie zasługiwał bardziej niż on... — Spojrzał na nią i próbował się uśmiechnąć, lecz zamiast uśmiechu na wargach w oczach pojawiły mu się łzy. — Nie jesteś mi nic winna, ja natomiast zawdzięczam tobie bardzo wiele. Dwa lata twojego towarzystwa to więcej, niż mogłem marzyć; nie zasłużyłem na nie i nigdy ich nie zapomnę.

Słuchając tego, co miał jej do powiedzenia, patrzyła na niego i ze zdumieniem obserwowała, jak ten rosły, silny mężczyzna przygarbia się i staje coraz smutniejszy. Z jeszcze większym zdumieniem oczyma duszy obserwowała, jak niechęć, którą do niego czuła, rozpływa się i gdzieś znika. Odzyskała na powrót swe ciało i choć pewnych rzeczy temu mężczyźnie nigdy nie wybaczy, poczuła radość, że wciąż zdolna jest przebaczać.

Następnego dnia opuściła hrabstwo Lincoln.

Banksowi jej przeprowadzka z Louth do Richmondu, dokonana za jego sprawą, jawiła się jako czyn szlachetny. Unosząc się na fali popularności i zaszczytów, ignorował złośliwostki przyjaciół i podłe języki, będąc przekonanym, że postąpił słusznie i bezinteresownie — naprawił wyrządzone przez się zło. Przebywając w Londynie postrzegał ją nie jak podmiot, lecz przedmiot swej wspaniałomyślności, myślał o niej jak o ciekawym okazie, który udało mu się odkryć i oswoić. Jednakże kiedy znajdował się blisko niej, to co wydawało mu się dotychczas proste, nabierało znamion komplikacji.

Za każdym razem udając się do Richmondu planował odegranie roli bezinteresownego dobroczyńcy, który z gracją uprzedzać będzie rodzące się na ustach jego beneficjentki słowa wdzięczności. Wszelako nie dane mu było odegrać swej roli. Kiedy złożył jej drugą wizytę, a było to po niecałych dwóch miesiącach od jej przyjazdu, w drzwiach powitała go młoda służąca, której nie rozpoznał. Wprowadzony do niewielkiego saloniku pani Jenkins, czekał przez — jak mu się zdawało — niewybaczalnie długi czas, w ciągu którego zdążył zapomnieć starannie przygotowaną mowę godną troskliwego opiekuna. Wreszcie usłyszał kobiecy perlisty śmiech w korytarzu i nim się zorientował, z czyich ust się dobył, drzwi się lekko uchyliły, na tyle tylko, by zmieściła się zgrabna główka.

— Tak mi przykro, ale zaszło drobne nieporozumienie... — ponownie się zaśmiała. — Czy czekasz b a r d z o długo, panie?

Przybrał pozę zranionego w uczuciach dobroczyńcy.

— Całe dziesięć minut, jak sądzę — odparł z powagą.

Roześmiała się znowu, niewzruszona jego srogą miną.

— Wina jest całkowicie po mojej stronie — oznajmiła. — Jenny zaanonsowała cię, a ja odrzekłam, że jestem zajęta i zejdę za chwilę, a potem się zatraciłam w tym, co robiłam. Zamierzałam jej powiedzieć, by przekazała ci, że pracuję, ale...

— A gdyby nawet mi to przekazała? — przerwał jej bezceremonialnie. — Dziesięć minut nie trwałoby ani trochę krócej... — Przy tej wymianie zdań patrzyli już sobie prosto w oczy, gdyż kobieta weszła po wstępnych ceregielach do salonu, i Banks pojął, że jego sroga powaga zaczyna być nie na miejscu. Kobieta, która przed nim stała, ubrana była tak elegancko, że wprost się zachłysnął. Uczesana na obowiązującą modłę pozornie wyglądała jak każda inna dama, jaką znał, a jednak była zupełnie inna.

— Doprawdy, panie — pokręciła głową. — Przecież gdyby przekazano ci, że pracuję, znudziwszy się czekaniem, znalazłbyś niechybnie drogę na górę, czyż nie? O ile sobie przypominam, zdarzało ci się już widzieć mnie zajętą rysowaniem... Udzielam ci zatem oficjalnego pozwolenia, byś i w przyszłości przerywał mi bez dodatkowego zaproszenia.

— Ależ nigdy by mi nie przyszło do głowy...!

— Z pewnością nie — przerwała mu z uśmiechem, choć w jej oczach czaiła się powaga. — To byłoby nadużycie twej pozycji, panie. Powinnam była zdawać sobie sprawę, że nigdy byś tego nie uczynił... Ale — dokończyła beztroskim tonem — od teraz uwalniam cię od skrupułów. Jeśli mam coś narysować, nie mogę biegać z góry na dół po to tylko, by zamienić parę słów.

Na jego twarzy odbiło się wahanie, by nie powiedzieć walka pomiędzy młodzieńcem a dobroczyńcą. Wreszcie usta rozszerzył mu uśmiech i cała twarz się rozjaśniła.

— Z radością obejrzę twe ostatnie prace, pani — rzekł.

Wydawało mu się, że wcale nie zna tej kobiety, jak gdyby w wyniku dramatycznego wydarzenia zrzuciła skorupę, pod którą się niegdyś skrywała i którą tylko poznał. Teraz dostrzegał w niej radość życia i swego rodzaju dzikość serca, których wcześniej nawet nie podejrzewał. Zaprowadziła go do pracowni na górze. Po drodze wyjaśniła mu, że pani Jenkins korzysta tylko z jednego pokoju na tyłach domu, na parterze, gdzie głównie przebywa w łóżku.

— W moim towarzystwie może oddawać się swej ułomności — zażartowała. — Ranki oczywiście spędzam razem z nią, zajmując się robótkami, lecz po południu, kiedy śpi, mam czas dla siebie i swej pracy. Nawiasem mówiąc, pozwoliła mi z tego pokoju zrobić pracownię, gdy zauważyłam, że tutaj właśnie jest najlepsze światło.

Tego dnia omawiali rysunki liści dębu i żołędzi, nad którymi akurat pracowała. Bardzo dobrze się o nich wyrażał, podkreślając ich plastyczność, a zarazem dokładność. Lecz jej wciąż było mało; nakłaniała go do dalszych uwag, wreszcie zapytała wprost:

— Ale jak sądzisz, panie, dlaczego właśnie taki temat sobie wybrałam? — przechyliła głowę, w napięciu oczekując odpowiedzi.

Nie wiedział, co powiedzieć, przejęty jej bliskością, a równocześnie za wszelką cenę nie chcąc tego po sobie pokazać.

— Dąb to w ogóle bardzo wdzięczny temat dla rysownika — zaczął. — No i rośnie tu na każdym kroku... — urwał, dostrzegłszy niecierpliwe drgnięcie jej brwi.

Nieznacznym ruchem odsunęła się od niego, stając za rysunkiem rozpostartym na sztalugach.

— Jestem wdzięczna za komentarz — rzekła — lecz jeśli rysunek od razu nie zwraca uwagi, nie wywołuje skojarzeń, nie jest wiele wart...

Ponownie przyjrzał się szkicowi.

— Hmm... — odezwał się, pozwalając wzrokowi przeskakiwać z rysunku na kobietę i z powrotem. — Mamy tutaj zbiór liści dębu i żołędzi... Jedne i drugie są brązowe, ponieważ dawno już opadły. Czyżby chodziło o to, że rzadkością o tej porze roku jest znaleźć gałązkę z wciąż przytwierdzonymi liśćmi i owocami dębu?

Potrząsnęła głową, wyraźnie nie usatysfakcjonowana.

— Przeciwnie... Leży ich na ziemi całkiem sporo.

— W takim razie... — wpatrywał się w rysunek z rosnącą ciekawością. — Liście są typowo powycinane w klapy i każdy z nich ma... — Po krótkiej przerwie rozluźnił się i dokończył: — Już rozumiem, skąd twa niecierpliwość dla mnie! Żołędzie nie mają szypułek, są osadzone bezpośrednio na gałązce. A liście z kolei mają długie ogonki... To dąb bezszypułkowy, nie zaś zwykły, szypułkowy. I twierdzisz, pani, że rośnie w pobliskim parku? Z tego co wiem, występuje w Walii, lecz nigdy jeszcze nie słyszałem, by można go spotkać tak daleko na południu kraju...

Skinęła głową ukontentowana.

— Prawda, że to ciekawe? Na wypadek gdybyś sądził, panie, że zawiniła moja nieuwaga, na parapecie leży prawdziwa gałązka. Możesz sprawdzić na własne oczy.

Od rozmowy o dębach przeszli do innych rodzimych drzew, a Banks wtrącał uwagi na temat podobieństw i różnic zaobserwowanych podczas wyprawy. Zagłębiwszy się w interesującą dyskusję, zapomniał o roli dobroczyńcy, jaką miał odgrywać. Rozprawiali właśnie o szkicu liści buku, który mu pokazała, kiedy sama poruszyła niemiłą strunę.

— Proszę nie myśleć, że nie jestem wdzięczna — rzekła. Jej bezpośredniość wstrząsnęła nim, spowodowała, że zaniemówił. — Za to wszystko — sprecyzowała, zataczając wokół ręką i pokazując pokój, dom, materiały malarskie i okolicę za oknem. — Dziękuję ci za to każdego dnia, częściej nawet. I za każdym razem uzmysławiam sobie, jak słabo mnie znasz, panie. Zresztą pewnie jestem tylko przypadkową beneficjentką pańskiej dobroci...

W tym momencie zdołał skinąć głową.

— Tak właśnie chcę to widzieć — przytaknął. — Jako okazję do nadrobienia zła, jakie stało się twym udziałem w Revesby. I nie ukrywam, że siebie samego chętnie widzę w roli dobroczyńcy. — Przyjrzawszy się jej, kontynuował: — A jednak czas, jaki spędziliśmy niegdyś razem, sprawia, że jest zupełnie inaczej. Nie ukrywam, że przyjechałem tu dziś jako twój opiekun, pani. Przyznaję, że miałem zamiar dać ci do zrozumienia, kto z nas dwojga bierze, a kto daje... Lecz kiedy tylko cię zobaczyłem, zrozumiałem, że to niemożliwe... Pomimo wszystko jesteś...

Uśmiechnęła się ze smutkiem.

— To miejsce, moja w nim pozycja. Jestem wzorcową damą, opiekuję się starszą ułomną kobietą. Przechadzam się po okolicy w towarzystwie przyzwoitki. Ktoś, kto mnie nie zna, mógłby mnie wziąć za świętą. A jednak i ty, i ja wiemy, że nią nie jestem. Nigdy o tym ze sobą nie rozmawialiśmy, ale...

— spuściła wzrok, nie mogąc znaleźć słów. — Ale osoba, której tak wydatnie pomogłeś, panie, nie jest już... dziewicą...

Radość i uniesienie go opuściły.

— Nie mówmy o tym — powiedział, wstając gwałtownie. — Proszę... Nie ma takiej potrzeby, a poza tym sprawia mi ból samo myślenie o tym...

Odsunęła się od niego nieznacznie.

— Mimo to — odezwała się cichym głosem — mimo to sądzę, że większy ból odczuwam ja. — Pozwoliła ostatnim słowom wybrzmieć, nim podjęła: — I nie wyświadczasz mi przysługi, panie, udając, że jestem tym, czym w rzeczywistości nie jestem.

Tego wieczoru, kiedy wracał konno do Londynu, był lepszym człowiekiem, niż gdy z niego w południe wyjeżdżał.

Od powrotu „Endeavoura" minęły zaledwie trzy miesiące, a myśli Banksa już zaprzątała kolejna wyprawa, Cook bowiem dostawszy z Admiralicji wiadomość, że ma jak najrychlej rozpocząć przygotowania, zaproponował mu bez zwłoki udział. Choć wszyscy byli pewni, że po spektakularnym sukcesie pierwszej wyprawy nastąpi druga, wielu się zdziwiło, że doszło do niej tak szybko — w niecały rok po zawinięciu „Endeavoura" do brzegów Anglii po trzyletniej żegludze.

Banks przyjął ofertę bez zastanowienia, w głowie mu nawet nie postało, że mógłby odmówić. Zanim wciągnięto go na listę członków pierwszej wyprawy, musiał się nieomal poniżać i błagać; tym razem wybór jego osoby był oczywisty. Oczeki-wała tego opinia publiczna, Cook był po jego stronie i całe Królewskie Towarzystwo Naukowe go wspierało. Ogólne prze-konanie, że nikt inny się w tej roli nie sprawdzi, mile połechta-ło jego dumę osobistą i z całą pewnością nie zamierzał podawać tego przekonania w wątpliwość.

A jednak oferta nadeszła zbyt szybko. Wciąż jeszcze nie uporał się z opisaniem kolekcji przywiezionej przez „Endea-voura"; nadal pławił się w sukcesie po pierwszej wyprawie; nie znudziło mu się jeszcze udzielać towarzysko wśród lon-dyńskiej śmietanki. Zaproszenia spływały z całego Londynu, poznawał coraz to nowych ludzi i nawet zaczęła się wokół niego formować grupa młodych mężczyzn, którzy w jego od-czuciu mogli zmienić wygląd świata, w jakim przyszło im żyć. W głębi duszy czuł, że gdyby dano mu trzy lata, nadałby bota-nice zupełnie nowy wymiar, wytyczył nowy kierunek, obowią-zujący przez pokolenia. Na lądzie, w stolicy, jego wiedza się krzewiła, a pomysły padały na podatny grunt, podczas gdy na morzu będzie jednym z wielu członków wyprawy, niewiele ważniejszym od prostego cieśli i tyleż samo co on będzie miał do powiedzenia, jeśli chodzi o kierunek żeglugi.

Była także Harriet. Ich stosunki nigdy nie odzyskały pier-wotnego wigoru sprzed czasów wyprawy. Powróciwszy z ro-dzinnej posiadłości odwiedzał ją częściej, później jednak, poinformowawszy ją o planowanej drugiej wyprawie, musiał przyznać przed sobą samym oraz przed nią, że nie stanowi dobrego materiału na męża. Gdy Harriet dowiedziała się, że jej narzeczony wkrótce znów się uda w wieloletnią być może podróż, uciekała się do łez i wymówek. Pewnego razu podczas przechadzki po rosarium jej opiekuna odważyli się powiedzieć sobie prawdę. Ona oskarżyła go, że chce zerwać dane słowo, wystawiając ją tym samym na pośmiewisko, i jadowicie oznaj-miła, że nie mniej śmieszna się okaże, jeśli pozostanie w na-rzeczeństwie z mężczyzną, który nie ma zamiaru zabawić w Londynie na tyle długo, by udać się na własny ślub. On bronił się mówiąc, że jego ambicje i plany nigdy nie stanowiły tajemnicy, lecz cóż z tego, skoro wróciwszy z pełnej niebezpie-czeństw ekspedycji z zamiarem wyprawienia wesela, zastał ją tak odmienioną, że wahał się, czy powinni w ogóle się pobierać. Po tej rozmowie nastąpiła jeszcze jedna, równie niemiła, z opiekunem Harriet. Banks z ubolewaniem poinformował, że niestety nie jest w stanie dopełnić obietnicy narzeczeńskiej z powodu mającej się wkrótce rozpocząć drugiej wyprawy. Nie spodziewając się, że narzeczona będzie chciała nań czekać, poprosił o zwolnienie go z danego słowa. Doszło niemal do rękoczynów, lecz w końcu osiągnięto porozumienie. Banks wychodząc czuł się winny i nieszczęśliwy, lecz zarazem — ku własnemu wstydowi — przepełniała go ulga.

Jednym z nielicznych miejsc, gdzie nigdy nie tracił dobrego humoru, był niewielki dom w Richmondzie. Kiedy tam przyjeżdżał, zdawał się pozostawiać Londyn na innym kontynencie, daleko za sobą, a wszystkie strachy i niepokoje, jakie ze sobą przywoził, malały i stawały się nieważne. Jeśli chciał o nich rozmawiać, zawsze go wysłuchała, lecz znacznie częściej wolał oderwać się od trosk i rozprawiać o pasjonującej go nauce, czując wtedy, że żyje i że napełnia go na powrót optymizm. Czasem myślał, że dom w Richmondzie to jedyne miejsce na ziemi, gdzie do głosu dochodziła tylko ta jego część, która była czysta i prawa, i prawdziwa. Z czasem zaczął dzielić z nią swe przemyślenia na temat rozwoju nauk botanicznych i za każdym razem odczuwał zdziwienie zdawszy sobie sprawę, że nie w pełni uformowane pomysły przy niej nabierały kształtu, tak że wkrótce mógł je bez obaw przedstawiać swym współpracownikom i kolegom naukowcom. Wszakże pomimo ucieczki, jaką znajdował u jej boku w Richmondzie, nie opuściły go myśli o zbliżającej się wyprawie, do której musiał rozpocząć przygotowania.

Prawie trzy miesiące od jej przybycia do Richmondu zaaranżował wyprawę do Hampton Court, zamku królewskiego jeszcze z czasów Henryka VIII, otoczonego rozległym ogrodem, podczas której miał towarzyszyć jej i pani Jenkins. Kiedy zajechał powozem, przywitała go wiadomością, że pani Jenkins niestety nie czuje się na siłach, by udać się w podróż. Przez chwilę panowało zamieszanie, lecz rychło ustalono, że zamiast starszej pani pojedzie Martha. Parę minut później koła powozu miarowym stukotem uśpiły Marthę, a Banks nie zważając na rysujące się za oknem widoki brzegów Tamizy zaczął opowiadać o czekającej go wyprawie. Zrazu obawiał się, że zarzuci go pytaniami o własną przyszłość i położenie podczas jego nieobecności, lecz jak zwykle nie docenił jej. Zamiast domagać się dokładnej daty powrotu, jak by to uczyniła Harriet, całą wycieczkę wypytywała go o wyprawę. Była ciekawa wszystkiego: jakie rozkazy otrzymał Cook z Admiralicji, jaką trasą będą żeglować, jakie nadzieje i oczekiwania wiąże z wyprawą sam Banks. Zanim się spostrzegł, dzielił się z nią spekulacjami na temat istnienia nowych kontynentów daleko na południu, warunków tam panujących i życia, jakie by w nich powstało. Nieoczekiwanie skierowała rozmowę na tematy nawigacji — jakich będą używać instrumentów, które z nich uważa za najbardziej miarodajne przy obliczaniu długości geograficznej; a jeśli chodzi o statek — czy będzie nim jak poprzednio węglowiec? Jaka będzie załoga? Ilu starych wyjadaczy, a ilu nowicjuszy? Śmiertelność wśród marynarzy — czy można ją w jakiś sposób ograniczyć?...

Zdążyli obejść cały rozległy pałac z przyległościami, wrócić do Richmondu nie nadwerężając koni, a ich rozmowa daleka była od ukończenia. Wyjrzawszy za okno, kiedy powóz stanął, z niesmakiem zapytała:

— Już jesteśmy z powrotem? A ja mam jeszcze tyle pytań! — Po krótkiej naradzie ustalono, że Martha, która znów przysypiała, pójdzie do domu zawiadomić panią Jenkins o ich spóźnieniu, stangretowi zaś kazano zawrócić konie i wolno objechać pobliski park. Rozsiadłszy się na powrót wygodnie, zwróciła się do Banksa: — Jedno mnie niepokoi... Brak twego entuzjazmu, panie... Gdybym była mężczyzną, nic innego by mnie nie zajmowało!

— Doprawdy? A czy pamiętasz, pani, że kiedy spotkaliśmy się w lesie w Revesby, choć dzieliło mnie zaledwie parę tygodni od wyruszenia w drogę, prawie wcale na ten temat nie rozmawialiśmy? Bardziej zajmowały nas porosty i leśne kwiaty...

— Och, ale nigdy nie uwierzę, że nie byłeś podekscytowany! Zresztą, przepełniało cię światło, które mówiło samo za siebie, cokolwiek robiłeś, na cokolwiek patrzyłeś i bez względu na to, o czym mówiłeś, panie!

— A teraz? Czy również przepełnia mnie to światło?

Przyjrzała mu się uważnie, a jej spojrzenie złagodniało.

— Teraz jesteś inny... Wiesz, co cię czeka, znajdujesz posłuch u ludzi. Wtedy wszystko było dla ciebie nowe... — zamyśliła się na chwilę, nie spuszczając z niego oczu. — Ale przygniata cię ciężar, widzę, że coś cię trapi, panie...

Mógł wykorzystać ten moment, by zmienić temat, lecz z jej głosu przebijał taki smutek, że postanowił zamiast tego zapytać:

— Więc teraz mam w sobie mniej światła, twoim zdaniem, pani?

Na zewnątrz wciąż jeszcze było jasno, lecz w powozie panował półmrok. Gdyby posłuchała instynktu, ujęłaby dłoń Banksa i przycisnąwszy ją do serca wyznała, że w jej życiu nie ma jaśniejszego punktu niż on. Jednakże mogła zrobić i powiedzieć tylko to, co jej wypadało. Długo szukała odpowiednich słów.

— Teraz bije od ciebie inny blask — odezwała się wreszcie cichym głosem. — Masz mniej czasu na to, co naprawdę ważne.

— Tak — zastanowił się nad jej słowami i ze zdziwieniem przyznał: — Tak, to prawda. — I nagle coś go zmusiło, by patrząc na nią, patrząc w jej zielone oczy, powiedzieć:

— Lecz mimo to odkryłem, że t y, pani, jesteś dla mnie najważniejsza.

Siedzieli na tyle blisko siebie, że dostrzegłszy w jej oczach zdziwienie, chciał wyciągnąć dłoń, dotknąć jej policzka i zapewnić, że naprawdę tak myśli, choć przed chwilą sam jeszcze nie zdawał sobie z tego sprawy. Nie odezwał się jednak. Ona zaś patrzyła mu prosto w oczy i kiedy dojrzała w nich zakłopotanie i niepewność, poczuła przemożną chęć, by zagłębić palce w jego włosach i szeptem uspokoić, że rozumie, że i ona to wie, że wiedziała nawet wtedy, kiedy on jeszcze sobie niczego nie uświadamiał. Nic wszakże nie powiedziała. Siedząc w milczeniu, żałował, że nie znajdują się w lasach Revesby, gdzie o tyle łatwiej byłoby pochylić się i przybliżyć twarz do jej twarzy. Zebrawszy się w końcu na odwagę, nachylił się lekko ku niej, a choć jej oczy rozszerzyły się z niedowierzania, samym ruchem warg wyszeptała: „Tak". Nie wahając się więcej, wyciągnął dłoń i dotknął jej policzka, słysząc przy tym, jak jakiś głos, którego nigdy wcześniej nie słyszał, mówi w jego głowie: „Tym właśnie jest miłość". W jego oczach widniała prośba, toteż gdy nachyliwszy się głębiej, dotknął wargami jej ust, pozwoliła, by otuliła ją ich miękkość. Z oddali doszedł ją szept: „Kocham cię".

11

W Lincolnie

Katya poleciała beztrosko do Szwecji, zostawiając mnie
samemu sobie. W ponurym nastroju rozmyślałem o ostatnich
dwóch dniach poszukiwań, które pomimo naszych wysiłków
nie przyniosły nic nowego; w Londynie praktycznie nie osta-
ło się archiwum, którego byśmy nie odwiedzili, a mimo to
wciąż nie mieliśmy pewności, czy Panna B. zmarła w 1774
roku czy też nie. Pytanie, co się z nią stało, nadal pozostawało
otwarte, możliwych odpowiedzi zaś było bez liku: jeśli nie
umarła w połogu, jak pierwotnie z Katią założyliśmy, mogła
się przeprowadzić pod inny adres w Londynie albo opuścić
stolicę na dobre, mogła wyjść za mąż i zmienić nazwisko... Nie
wiedząc nawet, co oznacza skrót B---n, byliśmy na z góry
straconej pozycji. Mając dosyć jałowych rozważań, popuściłem wodze fantazji. A gdyby tak zamiast dociekać, co się z nią
stało, odkryć, skąd się w ogóle wzięła? Przed rokiem 1774
istniała n a   p e w n o, toteż powinniśmy ją umieć wytropić.
W „The Town & Country Magazine" napisano, że Banks znał
ją jeszcze sprzed czasów wyprawy, kiedy była młodą dziewczyną, i choć trudno wierzyć brukowcom, każda plotka zawie-
ra przecież ziarno prawdy. Wiadomo też, że kiedy Banks
z wyprawy powrócił, była już w odpowiednim wieku, by zostać jego kochanką. Dodałem dwa do dwóch i wyszło mi, że
kiedy się poznali, miała jakieś trzynaście, góra szesnaście lat.
Idąc dalej tym tokiem myślenia obliczyłem, że musiała się
urodzić pomiędzy 1752 a 1755 rokiem.

Podochocony otwierającymi się możliwościami, zatarłem ręce i kombinowałem dalej. Banks po powrocie z wyprawy czuł się w obowiązku pomóc jej finansowo i zapewnić jaką taką pozycję społeczną, z czego by wynikało, że znajdowała się wtedy w naprawdę kiepskim położeniu. Ciekawe, gdzie mężczyzna taki jak Joseph Banks poznał zubożałą podfruwajkę? Z pewnością miał przyjaciół, którzy z kolei mieli młodsze siostry, mało prawdopodobne jednak, by któryś z zamożnych fircyków zmarł pozostawiając rodzinę w nędzy. Zresztą gdyby tak właśnie było, kolumna towarzyska aż by na ten temat furczała. Nie, Banksa i Pannę B. musiało łączyć coś bardziej tajemniczego...

W tym momencie odezwała się we mnie rzetelność naukowca, zmuszając mnie, bym przyznał, że Panna B. mogła być córką zwykłego kupca czy innego człowieka wykonującego wolny zawód, z jakimi Banks niewątpliwie miał na co dzień do czynienia. Chociaż z drugiej strony — czy w tamtych czasach młodzi arystokraci często nawiązywali znajomości z córkami rzemieślników? Miałem nadzieję, że nie... Coś w środku mówiło mi, że ta znajomość rozpoczęła się w hrabstwie Lincoln.

Banks odziedziczył dwór w Revesby w dość młodym wieku i z tego co można o nim wyczytać, bardzo poważnie podchodził do swych obowiązków dziedzica. Jako posiadacz ziemski z dziada pradziada bez wątpienia orientował się w sytuacji materialnej sąsiadów, toteż gdyby któraś rodzina popadła w tarapaty finansowe, byłoby całkiem na miejscu z jego strony zainteresować się ich położeniem i otoczyć opieką osierocone dziewczę. Hm, Revesby nie może być dużą miejscowością, pomyślałem. Z pewnością nie tak dużą, by nie dało się przejrzeć ksiąg parafialnych z kilku lat. Wprawdzie brak pełnego nazwiska sprawy mi nie ułatwi, ale i tak warto spróbować, zadecydowałem.

Na informacji telefonicznej wywiedziałem się o numer do archiwów hrabstwa Lincoln, po czym od razu go wykręciwszy, uciąłem sobie pogawędkę z bardzo miłą urzędniczką. „Tak, myślę, że mamy w zbiorach księgi parafialne Revesby... Jedną chwileczkę... Zgadza się, tak jak myślałam, są na mikrofilmie...

Ależ oczywiście, może pan przyjechać i je przejrzeć... od poniedziałku do piątku między dziewiątą a piątą."

Teraz myślę, że gdyby urzędniczka nie była tak miła, nie zdecydowałbym się pojechać do Lincolnu, lecz kiedy z nią rozmawiałem, wszystko nagle wydało mi się proste i możliwe. Wciąż jeszcze miałem kilka dni wolnego i — co ważniejsze — kluczyki do zardzewiałego samochodziku koloru wyschłej cytryny... Następnego ranka ruszyłem w drogę.

Lincoln to dziwne miasto: położone na wzgórzu, które niczym rzymski nos wyrasta z szerokiej twarzy otaczającej je równiny; zwieńczone katedrą, przysadzistą bryłą kamienia, strzelistymi liniami sięgającą nieba. Współczesne centrum niczym krosta na brodzie rozrosło się niżej butikami i jednokierunkowymi uliczkami, którymi krążyłem niczym koszmarnym labiryntem, zanim wreszcie dotarłem na parking. Kiedy wysiadałem z samochodu, było już po czwartej — za późno, by udać się prosto do archiwum — toteż zarzuciwszy torbę na ramię, ruszyłem pod górę z zamiarem znalezienia przyzwoitego noclegu. Poczułem się prawie jak na wakacjach, co po ostatnich dniach było miłą odmianą. Po męczącej wędrówce, która jednak nie zdołała nadwerężyć mojego dobrego nastroju, prawie na samym szczycie Starego Miasta (wyżej była już tylko katedra) odkryłem mały hotelik, jeden z tych wyłożonych od podłogi do sufitu pluszem, gdzie każdy pokój ma inny wystrój, a ściany nie zawsze trzymają się pionu. Od drzwi do recepcji wiódł puszysty czerwony chodnik, a na ladzie stał dzwonek i leżała staromodna księga meldunkowa zamiast bezdusznego komputera. Ledwie zamknęły się za mną drzwi, poczułem przyjemne ciepło i charakterystyczny zapach prawdziwego kominka; w którejś z sal przylegających do holu cichutko brzęczało szkło butelek, jakby ktoś uzupełniał zapasy w barze. Hotel okazał się nieprzyzwoicie drogi, ale machnąłem na to ręką. Być może to wszystko było szaleństwem, ale dzięki własnemu gestowi miałem okazję przeżyć owo szaleństwo na naprawdę wysokim poziomie.

Wieczorem wyszedłem do pobliskiej restauracji na późny obiad, a potem przeniosłem się do hotelowego baru, gdzie popijając brandy podczytywałem znaleziony w pokoju kryminał bez okładki. Siedząc przy trzaskającym ogniu kominka i wychylając szklaneczki brandy jedna za drugą, czułem się w zgodzie z całym światem. Poszedłem spać pogodzony ze światem i takiż się obudziłem. A potem... potem zostawiłem torbę w przechowalni bagażu przy recepcji i udałem się do archiwum. Okazało się skomputeryzowane, lecz przytulne, a pracownicy byli nie mniej pomocni niż kobieta, z którą rozmawiałem przez telefon. Sympatyczna okularnica wypisała dla mnie kartę wstępu i podała mi ją razem z formularzem, na którym miałem sprecyzować, o jakie dokładnie informacje mi chodzi.

— Parafia Revesby, lata pięćdziesiąte osiemnastego wieku — odczytała, kiedy oddałem jej wypełniony formularz. — Z tym nie powinno być problemu — urwała i postukała czubkiem długopisu w puste miejsce na formularzu. — A o jakie konkretnie nazwisko panu chodzi? — zapytała i zaraz wyjaśniła: — To tylko dla naszej wewnętrznej dokumentacji... — zawiesiła długopis nad kartką, by uzupełnić dane. Kiedy się nie odzywałem, podniosła na mnie wzrok.

— Tego właśnie nie wiem — przyznałem się uczciwie.

— Prawdopodobnie zaczyna się na „b" i kończy na „n" i składa w sumie z pięciu liter, ale niczego nie jestem pewien...

Uniosła brew, dając mi do zrozumienia, że przeklasyfikowała mnie z poważnego badacza na chimerycznego ekscentryka, ale nic nie powiedziała. Bez słowa pokazała mi, gdzie znaleźć właściwe mikrofilmy, i zostawiła sam na sam z moim dziwactwem. Wkrótce przekonałem się, że nie pomyliłem się co do Revesby; miejscowość była niewielka, a lista dziewczynek urodzonych pomiędzy 1750 i 1760 rokiem niezbyt długa. Jeszcze tego samego ranka sporządziłem wykaz potencjalnych podejrzanych:

1 stycznia 1750   *Mary, nieślubna córka [...]*
29 września 1753 *Mary, córka Richarda Burnetta i jego*
                                  żony Elizabeth
18 kwietnia 1756 *Mary, córka Jamesa Browne'a i jego*
                                  żony Susanne

20 lutego 1757 Mary, córka Williama Burtona i jego
żony Anne
18 stycznia 1761 Elizabeth, córka Jamesa Browne'a
i jego żony Susanne.

Odchyliwszy się na oparcie krzesła, spoglądałem na sporządzoną listę niepewny, co właściwie odkryłem, jeśli rzecz jasna nie liczyć upodobania parafian Revesby do imienia Mary. Najpierw rzuciło mi się w oczy nazwisko „Burton", ale zaraz potem zauważyłem drugie, równie prawdopodobne — „Browne" (literka „e" na końcu mnie nie martwiła; w tamtych czasach ortografia była płynna). Zarówno Mary Burton, jak Mary Browne były dosyć młode, kiedy Banks udawał się na wyprawę, wkraczały dopiero w dwunastą czy trzynastą wiosnę życia, jednakże dwieście lat wstecz dziewczynki dojrzewały szybciej i każda z nich mogła w ciągu zaledwie paru lat przedzierzgnąć się w Pannę B. Przewijając mikrofilm zauważyłem, że ręce drżą mi nieznacznie; czułem, że ocieram się o rozwiązanie zagadki.

Teraz musiałem coś sprawdzić. Według „The Town and Country Magazine" Panna B. została sierotą podczas trzyletniej nieobecności Banksa... sięgnąłem zatem po rejestr zgonów z tamtych lat. Oczywiście nie dawało mi to stuprocentowej pewności — ojciec Panny B. mógł umrzeć gdzie indziej. Mimo to rezultat zdumiał nawet mnie: w latach 1768—1771 zmarło czterech dorosłych mężczyzn i William Burton był jednym z nich!

12 stycznia 1768 James Turner
7 listopada 1768 William Burton
25 marca 1769 Dr Taylor
12 kwietnia 1769 Richard Burnett

Spisując nazwiska czułem, jak ogarnia mnie podniecenie. James Browne zdyskwalifikował się, przeżywszy jeszcze osiemnaście lat, lecz William Burton zszedł z tego świata trzy miesiące po wypłynięciu „Endeavoura", co czyniło jego córkę Mary główną podejrzaną... Naraz opadły mnie wątpliwości. Co z tego wynika? zastanawiałem się. Toż to żaden dowód, nie przesłanka nawet. Mimo to ręce mi spotniały, kiedy dopisywałem obok nazwisk daty. Jeśli pomimo wszystko mam rację, jeśli kobieta ze szkicu nazywała się Mary Burton, wreszcie miałem się o co zaczepić. Mogłem wróciwszy do Londynu przejrzeć lokalne archiwa raz jeszcze, tym razem szukając jej po imieniu. I jeśli tylko Hans Michaels się nie mylił, odnalezienie Mary Burton będzie się równać odnalezieniu Ptaka z Uliety!...

W uniesieniu przewijałem mikrofilm ciekaw, co jeszcze znajdę. Mówią, że ciekawość to pierwszy stopień do piekła; w moim wypadku nierozważny impuls spowodował, że w ułamkach sekundy cała moja teoria — i euforia — roztrzaskała się w pył. Dookoła mnie te same co przed chwilą poważne twarze wpatrywały się w ekrany monitorów, ale ja patrzyłem teraz w monitor bezmyślnie; całe moje wcześniejsze podniecenie uleciało, gdyż Mary Burton została pochowana obok ojca na cmentarzu w Revesby pół roku po tym, jak Joseph Banks wrócił do Anglii.

Było wczesne popołudnie, mogłem jeszcze zostać i obmyślić nową teorię, starając się ją podeprzeć faktami, ale czekała mnie długa podróż do domu, toteż z godnością przyjąłem porażkę. Uznałem, że skoro Mary Burton jednak nie okazała się Panną B., Revesby to prawdopodobnie kolejna ślepa uliczka i lepiej bym zrobił koncentrując się na próbach odnalezienia rodziny Ainsbych. Pozbierałem więc swoje notatki, wcisnąłem je do kieszeni marynarki i podziękowawszy archiwistce, która mi pomagała, wyszedłem na zewnątrz. Kierując się na azymut w stronę majaczącej na wzgórzu katedry, pośród szarej mokrej mgły dotarłem do hoteliku, kiedy zegar wybijał kwadrans po trzeciej. Każdy, kto był w hotelu o piętnastej piętnaście, wie, że to hotelowy odpowiednik godziny duchów. Lunch jest zazwyczaj podawany do czternastej trzydzieści, co daje wystarczająco dużo czasu, by nawet największe niejadki zabrały się i sobie poszły najpóźniej o trzeciej. Wszyscy ci, którzy mieli wyjść, zdążyli już wyjść, natomiast ci, którym nie przeszkadza, że spędzą dzień w hotelu, pochrapują w swoich pokojach. Dookoła panuje złowieszcza cisza, którą wykorzystują zegary, by tykać nieco głośniej.

Właśnie ten rodzaj ciszy zadźwięczał mi w uszach, kiedy podszedłem do recepcji, żeby odebrać swój bagaż, i nic, nawet kilkakrotne trącenie stojącego na ladzie dzwonka, nie było w stanie jej zakłócić. Moja torba leżała tam, gdzie położył ją rano usłużny recepcjonista, jednakże nie potrafiłem się jakoś przełamać, by wejść za ladę i samemu ją wziąć. Czekałem więc, opierając się o pociemniały dębowy kontuar i błądząc wzrokiem po wyłożonych na nim ulotkach. Przeczytawszy wszystkie tytuły i nie znalazłszy nic interesującego, rzuciłem okiem na księgę meldunkową, wciąż otwartą na stronie, na której się wpisałem minionego wieczoru jako ostatni jak dotychczas gość. Już miałem odwrócić wzrok, gdy moją uwagę przykuło znajome słowo: „Mecklenburg". Czując, jak krew zaczyna mi żywiej krążyć w żyłach, przeczytałem uważniej — nie mogło być wątpliwości, chodziło o hotel „Mecklenburg", umieszczony w rubryce „Adres". Przesunąłem wzrok w lewo — wpisane eleganckim charakterem pisma widniało „Karl Anderson". Szybko sprawdziłem daty: przyjechał tydzień temu i jeszcze się nie wymeldował. Przekartkowawszy mentalny kalendarz doszedłem do wniosku, że pojawił się w Lincolnie zaledwie dzień czy dwa po tym, jak go poznałem. Podczas rozmowy ze mną był bardzo pewien swoich tropów i proszę: prosto z Londynu przyjechał do Lincolnu. Przyjechał, żeby znaleźć tutaj ptaka...

Do domu dotarłem dosyć późno, a mimo to otwierając drzwi usłyszałem dzwoniący w głębi telefon. Niestety zanim uporałem się z zamkiem, dzwonienie umilkło, pozostawiając po sobie pełną napięcia ciszę przesyconą niepokojem. Gdy tylko zamknąłem drzwi frontowe, zorientowałem się, że coś jest nie tak.

Żadnego bałaganu, wybitej szybki ani chrzęszczącego pod nogami szkła. Tym razem jedynym śladem po nieproszonym gościu była zniszczona klamka u kuchennego okna, którego wypaczoną ze starości ramę ktoś podważył. Ani jednego brzydkiego odcisku dłoni na ścianie ani nawet stłuczonego talerza, jakich można by się spodziewać wziąwszy pod uwagę, że intruz chcąc zeskoczyć z parapetu na podłogę musiał przesadzić albo przeleźć okrakiem przez wypełniony po brzegi zlew. Z uczuciem tępego niedowierzania przyglądałem się skrzydłu okna, kołyszącemu się na wietrze, i wyłamanemu okuciu, rejestrując przy tym, że ciepło kuchni, które tak lubiłem, zdążyło umknąć na zewnątrz, wprost w zimową noc. Ogarnęła mnie złość. Nie szok, nie strach, lecz właśnie złość: jak można być tak bezczelnym?! Wróciłem zmarznięty, samotny i zmęczony — do swego sanktuarium. Jakim prawem ktoś obcy wtargnął tutaj siłą? Jak często bywa w takich sytuacjach, najmocniej rozsierdziło mnie najbardziej absurdalne: otwarte okno. Jeszcze w samochodzie snułem plany, jak to się będę rozkoszował ciepłem domu, a tu masz babo placek — po cieple pozostało tylko wspomnienie; było to więcej, niż w tamtym momencie mogłem zdzierżyć.

Kiedy gwałtownym ruchem przymykałem okno, mój mózg pracował na pełnych obrotach: bez względu na to, kto to zrobił, znajdę go, zadzwonię na policję, podam im nazwisko Andersona, zmuszę ich, by się dowiedzieli, co jest grane... A potem sam mu powiem, że nic u mnie nigdy nie znajdzie, ponieważ nie ma tu nic do znalezienia. Świadomość tego faktu rozwścieczyła mnie jeszcze bardziej; co za marnotrawstwo sił i środków! Prawda była taka, że w moich notatkach nie kryła się żadna tajemnica, a ja sam nie wiedziałem o niczym, co komukolwiek mogłoby się na coś przydać. To dopiero było wkurzające!

Z kuchni, w której nie znalazłem żadnego więcej dowodu na włamanie, przeszedłem do holu. Także nic, nawet przy dokładniejszych oględzinach. W pracowni narzędzia i chemikalia stały, tak jak je zostawiłem, na swoich miejscach w szafce. Pozostała jeszcze sypialnia... Przeskakiwałem stopnie, żeby znaleźć się na górze szybciej i czym prędzej poznać prawdę, spodziewałem się bowiem najgorszego. I rzeczywiście: to co zastałem, w niczym nie przypominało tajemniczej schludności, jaką pozostawił poprzedni włamywacz — pokój został najzwyczajniej w świecie splądrowany.

Oczywiście najbardziej ucierpiały na tym moje papiery. Starą drewnianą skrzynię przeciągnięto na sam środek pokoju, po czym wydobyto z niej całą zawartość, która zaścielała teraz każdy dostępny skrawek powierzchni. Moje notatki, tak dawno temu robione i odkładane do skrzyni, nie ruszane od prawie piętnastu lat, walały się wokół w wielkim pomieszaniu. Prawdę powiedziawszy, nigdy ich porządnie nie poukładałem, ale przynajmniej leżały na kupkach, które stworzyłem kiedyś w przypływie zapału. Niestety, wszystko na marne, gdyż i tak skończyły jako przypadkowy zbiór utraconych ptasich gatunków: czyjaś ręka sprawiła, że pofrunęły w swym ostatnim, szalonym locie. Z bólem serca prawie usłyszałem nerwowy trzepot ich skrzydeł. Rychło się zorientowałem, że ani jedna para kartek nie pozostała spięta; ktoś metodycznie przejrzał każdą z osobna, po czym odrzucił je każda w inną stronę. I oczywiście nic nie znalazł. Tego akurat byłem pewien, ponieważ wiedziałem, że na temat Ptaka z Uliety nie napisałem nic, czego by nie było w ogólnie dostępnych źródłach.

Patrząc na pobojowisko, uspokajałem się z najwyższym trudem. Czułem, jak w piersi wali mi serce, a przepełniająca mnie złość niczym ciasny kłębek utrudnia oddychanie. Chciałem natychmiast dzwonić na policję, wysłać ich trop w trop za włamywaczem, a samemu wrócić do Lincolnu, odnaleźć Andersona, powiedzieć mu, co o nim myślę. Skoro tak działali jego „researcherzy", zobaczymy, co uda się zdziałać policji...

Jednakże nie zrobiłem kroku w stronę telefonu. Zamiast tego usiadłem na brzegu łóżka i kilkakrotnie wziąłem głęboki oddech. Wprawdzie nie mogłem być pewien, ale podejrzewałem, że mimo panującego wokół rozgardiaszu tak naprawdę nic nie zginęło. Przecież nie posiadałem nic, co byłoby warte przywłaszczenia. Cóż zatem miałem zgłosić policji? Jeszcze jedno włamanie bez kradzieży? Okno, które każdy przechodzień mógł z łatwością otworzyć? Jakiś policjant z mlekiem pod nosem pocieszyłby mnie, że znów miałem szczęście, i pouczył, żebym zainstalował sobie wreszcie porządne zamki i wymienił okna... Po chwili namysłu zdecydowałem, że i tak zgłoszę włamanie, lecz najpierw musiałem się w spokoju nad czymś zastanowić.

Anderson ze swoją obsesją na punkcie odnalezienia Ptaka z Uliety rozbudził we mnie emocje, których istnienia od lat sobie nie uświadamiałem i które jak przypuszczałem, lepiej by było pozostawić uśpione. Tego wieczoru wszakże, wciąż siedząc w zbezczeszczonej sypialni, kiedy już osłabła złość, z przeraźliwą, choć niechcianą jasnością zdałem sobie sprawę, że odkrycie to jest ważne i dla mnie. Nie ze względu na potomność, nie dla nauki ani nawet dla chwały odkrywcy, lecz dla samego siebie. Po to, by wypełnić pustkę i unicestwić uczucie niezadowolenia, które tkwiły we mnie zbyt długo, starannie ignorowane przez piętnaście lat, i które teraz znalazły ujście wskutek powodzi nieoczekiwanych wypadków. Tę samą pustkę i niezadowolenie, jakie odczuwałem spoglądając na stojącą obok łóżka fotografię czy wspominając życie w Brazylii. Odnaleźć Ptaka z Uliety, trzymać go w dłoniach na przekór faktom, logice i nadziei, dla mnie znaczyło tyle samo, co udowodnić, że nawet najkruchsze może uniknąć zapomnienia.

Dla pewności jeszcze raz obszedłem cały dom, sprawdzając go jednak dość pobieżnie, gdyż głowę miałem wciąż zaprzątniętą czym innym. Emocje opadały, powoli odzyskiwałem zdolność trzeźwego myślenia, a to niestety równało się spojrzeniu prawdzie prosto w oczy: pomysły na to, jak odnaleźć Ptaka z Uliety, okazały się chybione, dotychczasowe tropy zawiodły mnie donikąd, a innych nie miałem.

Zakończywszy obchód domu, przysiadłem w kuchni wciąż ubrany w płaszcz, kiedy ciszę przerwał dzwonek telefonu. W pierwszej chwili poczułem się nieswojo i najchętniej bym nie odebrał, pogrążony w użalaniu się nad swą bezsilnością, lecz jak zwykle zdrowy rozsądek zwyciężył. I dobrze, gdyż w słuchawce odezwała się Katya, co paradoksalnie mnie pocieszyło.

— Fitz — zaczęła, a ja dosłyszałem w jej głosie podniecenie. — Chyba coś znalazłam... — I zanim zdążyłem cokolwiek powiedzieć albo zadać któreś z cisnących mi się na usta pytań, ona już wyrzucała z siebie: — Szperałam tu i ówdzie... Głównie w dokumentach dotyczących Fabriciusa, no wiesz, tego przyrodnika, który znał Banksa. W Danii, rzut beretem stąd, gdzie mieszka moja rodzina, jest archiwum... Nie mówiłam ci nic wcześniej, na wypadek gdyby to był jeszcze jeden fałszywy trop... — Nagle zmieniła temat i głosem, w którym bardziej niż zazwyczaj dało się słyszeć jej obcy akcent, zaczęła opowiadać o wizycie u ojca w Szwecji: — Potraktował mnie strasznie protekcjonalnie, no i oczywiście był zachwycony, że zwróciłam się do niego o pomoc. Ale trzeba mu to przyznać, pomógł mi. Załatwił mi dostęp do archiwum Fabriciusa. Spędziłam w nim cały dzisiejszy dzień, a i tak mnóstwo zostało do przejrzenia. Ale już coś znalazłam, wiesz, w odniesieniu do ptaka. Właściwie był to jeden z pierwszych listów, na jakie się natknęłam, i o mały włos, a byłabym go przegapiła...

— No? — zachęciłem ją, zapominając o włamaniu. — Co takiego odkryłaś?

— List do Fabriciusa od jakiegoś Francuza, z roku 1778. Zdaje się, że Fabricius chciał od niego kupić parę rysunków i właśnie dostał odpowiedź odmowną. Na samym dole jest postscriptum... Czekaj, przeczytam ci... „Z Pańskiego ostatniego listu wnioskuję, że obraz *Turdus ulietensis*, jaki otrzymał Pan z hrabstwa Lincoln, wyszedł spod ręki tego samego artysty. Jestem pewien, że przyniesie Panu wiele radości; musi to być wyjątkowe dzieło." Rozumiesz, Fitz? *Turdus ulietensis* to nasz ptak, prawda?

Katya na darmo czekała na moją reakcję, z wrażenia bowiem zaniemówiłem. Moja sublokatorka odkryła coś wyjątkowego, coś, co dla większości ludzi nie miałoby żadnego znaczenia, dla nas zaś było wszystkim — dowód, że okaz Ptaka z Uliety przetrwał w kolekcji Josepha Banksa. Pewien czas po tym, jak go tam ostatnio widziano, posłużył za model do czyjegoś obrazu. Gdzieś w hrabstwie Lincoln.

Karta telefoniczna Katii wyczerpała się, nim zdążyłem jej opowiedzieć o mojej wycieczce do Lincolnu, toteż kiedy później tej samej nocy obudził mnie znów dzwonek, szukając po omacku aparatu cieszyłem się, że udało jej się ze mną ponownie skontaktować. Lecz ku mojemu zdziwieniu w słuchawce rozległ się głos Gabrielli. Jej wykłady się skończyły i wracała do Londynu.

Pozostali w łóżku długo w noc, nadzy, blisko siebie. Kiedy ustąpiła pasja ich pierwszego zbliżenia, rozpoczęli leniwe odkrywanie się nawzajem; przytuleni i milczący obdarzali się pieszczotami, od czasu do czasu przebiegając opuszkami palców po ciele partnera, jakby obrysowywali kontur sylwetki, aby ją lepiej zapamiętać albo upewnić się, że to, o czym informują ich zmysły, jest prawdziwe. Promienie jesiennego słońca kreśliły linie na suficie, a Banks obserwował, jak się wydłużają i w końcu nikną bez śladu, trzymając głowę w zgięciu jej ramienia, z policzkiem przylegającym do wzgórka jej piersi.

— Kiedy cię ujrzałem w lesie tamtego dnia — odezwał się szeptem, pozwalając palcom błądzić po gładkiej nagości jej łona — nie spodziewałem się t e g o.

— Ani ja — odrzekła z prostotą.

Uśmiechnął się łagodnie.

— To dobrze. Obawiałem się, że pomyślisz...

— Nie — przerwała mu w pół słowa. — Nigdy tak nie myślałam. Ale choć się tego nie spodziewałam, miałam nadzieję...

Roześmiał się dźwięcznie i uniósłszy głowę, złożył pocałunek na jej szyi.

Sypialnia była mała, z nisko zawieszonym sufitem, pomalowana w zielenie i rdze. Przez niewielkie okno wpadało przytłumione światło, które nawet powoli gasnąc muskało jej skórę i delikatnie ją ozłacało. Jeszcze zanim się zupełnie ściemniło, zapadli w płytki sen, z którego wyrwał go dotyk jej ust na klatce piersiowej. Całowała go miejsce koło miejsca, pozwalając wargom obejmować skórę i lekko ją podszczypywać. Tuż przed oczyma miał jej głowę, tak że dolatywał go zapach jej włosów, niżej czuł ciepło przykrywającego go miękkiego ciała. Przez ułamek sekundy nie potrafił uwierzyć, że szczęście, którego doświadcza, jest naprawdę jego, zaraz jednak poczuł, jak jej drobne ząbki chwytają skórę, drażniąc się z nim, i zanim się zorientował, już ją miał w ramionach, już przygniatał ją ciężarem swego ciała w udawanej walce.

Kiedy dzień przeszedł w noc, oswobodziła się z jego objęć, by zapalić lampę oliwną. Spod przymrużonych powiek obserwował, jak jednym ruchem przyjmuje pozycję siedzącą, ukazując mu plecy — długie, proste, piękne. Niemal od razu wstała i nie okrywszy się niczym oprócz jedwabistych włosów,

które w tym momencie opadły jej na plecy, przeszła bezszelestnie wskroś pokoju, jasno rysująca się mimo ciemności
smukła sylwetka. Zaświeciwszy lampę zauważyła, że Banks
cały czas się jej przypatrywał, błądząc oczyma po jej nagim
ciele.

— Nigdy nie byłam przesadnie skromna — rzekła nie
spuszczając oczu.

— Za nic nie chciałbym, byś była inna — odparł, po
czym objąwszy ją w pasie, wciągnął z powrotem do łóżka.

— A pani Jenkins? — zapytała filuternie. — Czyż nie
nadużywamy jej gościnności?

— Znam ją od wielu lat — powiedział, uśmiechając się
i wzruszając ramionami równocześnie. — Bez wątpienia zgani
mnie za pozostawanie z tobą sam na sam, lecz nie sądzę, by
podejrzewała mnie, że...

— Próżne obawy i nadzieje — wpadła mu w słowo
i dodała: — Pani Jenkins jest w swym pokoju, śpi snem sprawiedliwego i pokaże się najwcześniej rano. Martha poinformowała ją, że jemy podwieczorek w salonie.

— A Martha? — spytał z lekkim niepokojem. — Czy
zachowa dyskrecję?

— Ależ tak! — zapewniła go bez wahania. — Od dawna
się tego spodziewała, a twoja opieszałość doprowadzała ją do
szału.

— To nieprzystojne! — oburzył się na niby, wybuchając
śmiechem. Ona zaś potrząsnęła potępiająco głową, czekając,
aż ucichnie.

— Musisz zrozumieć biedną Marthę... Wysłuchiwała
z uwagą wszelkich plotek o słynnym Josephie Banksie, żegla-
rzu i odkrywcy mórz południowych, a wystarczy, by choć po-
łowa z nich była prawdą, żeby spodziewać się po tobie większej
niecierpliwości, za to mniejszej ilości skrupułów.

Twarz mu poczerwieniała, ona zaś na ten widok uśmiechnęła się z czułością.

— Najchętniej poobcinałbym im języki — odezwał się
nieco zażenowany. — Ale przyznaję, że zdarzały się okazje...
Jeśli będę musiał, wyznam uczciwie, że nie przez całe trzy lata
wyprawy żyłem w czystości.

— Och, to dobrze, że jesteś skłonny to wyznać — powiedziała przesuwając dłonią po jego torsie. Czekał, że zacznie się z nim przekomarzać, lecz po przedłużającym się milczeniu poznał, że jej nastrój uległ zmianie. — Przecież — dosłyszał jej szept — sama wyznałam to samo...

Poczuła, jak tężeją mu mięśnie pod jej dłonią, jak oddala się od niej i zacina w milczeniu. Przewrócił się na bok, sprawiając, że zsunęła się z niego, tak że leżeli teraz na jednej poduszce, twarzami zwróceni do siebie.

— Wracając do tego, co wtedy powiedziałem... — zaczął po dłuższej chwili.

— Zareagowałam zbyt ostro — wtrąciła.

— Zareagowałaś dokładnie tak jak trzeba — sprostował.

— Nie potrafię sobie nawet wyobrazić, jak to jest nie mieć żadnej alternatywy, jak tylko oddać się w ten sposób...

— To prawda — przyznała cicho. — Lecz przecież ludzie cierpią o wiele bardziej. Można powiedzieć, że ja miałam szczęście.

— Mężczyźni przywiązują tak wielkie znaczenie do cnoty niewieściej — ciągnął, jakby jej nie usłyszawszy. — Kiedy mi powiedziałaś, do czego doszło...

— Tak? — szepnęła. Byli tak blisko siebie, że jej oddech go owionął; nogi mieli wciąż splecione.

— Poczułem się zraniony.

— Dostrzegłam to w twojej twarzy i nie ukrywam, że mnie to zdziwiło. Nie tego oczekiwałam...

— Sądzę, że po części byłem zszokowany. Nie zwykłem rozmawiać z kobietą otwarcie o tych sprawach.

— A dlaczego zraniony?

— Ciężko mi wyrazić w słowach...

— Mimo to spróbuj.

Potrząsnął głową.

— Jakie to ma teraz znaczenie? — spytał. — Odnalazłem cię, oto co się liczy.

Prawie nie wyciągając ręki, przejechała czubkiem palca po grzbiecie jego nosa, a potem pocałowała go w usta.

— T e r a z tak to widzisz, kiedy jesteś ze mną. Nie zawsze będziesz tak myślał.

— Gdy opowiedziałaś mi o Ponsonbym, zdałem sobie sprawę, że jestem zazdrosny.

— Zazdrosny o n i e g o?

— Tak — potwierdził. — Uważałem cię za swoje odkrycie, on nie miał do ciebie żadnych praw...

Uśmiechnęła się smutno, na co on odpowiedział uśmiechem.

— Ale czy zawsze muszę być czyjaś? — spytała.

— Naturalnie, że nie.

Uśmiechnęła się ponownie i sięgnąwszy po jego dłoń, umieściła ją w zagłębieniu pomiędzy piersiami.

— Chcę jednak, byś wiedział, że dzisiejszej nocy jestem twoja. Tylko twoja.

— A jutro?

Znów ten smutny uśmiech.

— Nie potrafię powiedzieć, co będzie jutro. Ani co nas czeka poza ścianami tego pokoju.

Jego dłoń zaczęła się poruszać w niemalże niewyczuwalnej pieszczocie.

— Wolałbym zatem, żeby cały świat o nas zapomniał i pozwolił nam trwać tu i teraz.

Objęła go mocniej i przejechała mu dłonią po plecach.

— Świat na zewnątrz nie istnieje tak długo, jak długo nań nie wyjrzysz — zapewniła go, przylegając doń całym ciałem.

— Zatem nie wyjrzę nigdy.

— Owszem, wyjrzysz — szepnęła. — Ale wcześniej mnie pocałuj.

Tuląc się do siebie, w ciszy bez jednego skrzypnięcia powozu, bez jednego stukotu kopyta na zewnątrz, chcieli wierzyć, że świat dla nich zamarł.

Kiedy zegar wybił dziewiątą, zgodnie odrzucili rozgrzane okrycia i się odziali. Banks raz jeszcze przyjrzał się zielonkawo-rdzawej sypialni, tlącej się lampie, wzburzonej pościeli, poduszce, na której wciąż odciśnięty był zarys ich głów. Wstrzymał się przed wyjściem, by mogła starannie upiąć włosy, lecz mimo jej wysiłków jeden kosmyk wymykał się i raz po raz opadał na policzek, gdyż zamiast w lustro patrzyła mu prosto w oczy.

— W domu oprócz Marthy są przecież i inni służący — odezwał się, z trudem tając niepokój. — Nie obawiasz się o swą reputację?

— Już ją utraciłam — rzekła bez cienia wstydu. — A czy ty nie martwisz się o swoją?

— Z mojej też niewiele pozostało. Ogół uważa mnie za niestrudzonego kobieciarza, a poza tym...

— ...mężczyznom więcej uchodzi? — wpadła mu w słowo.

— Tak — przytaknął z westchnieniem.

Kończąc upinać kok sprawnymi ruchami dłoni, zaprzeczyła:

— Moim zdaniem nie.

Przyglądał się, jak przez chwilę walczy z niesfornym kosmykiem, by w końcu dać za wygraną.

— Jeżeli ma nas połączyć to, czego pragnę, nie możesz tutaj zostać. Richmond jest zbyt daleko. Mógłbym ci wynająć mieszkanie w Londynie, w jakiejś dyskretnej okolicy. W stolicy nasza znajomość nie rzucałaby się w oczy. Śmiem twierdzić, że byłabyś tam szczęśliwa...

— Jako twoja kochanka?

Zastanowił się, nim odpowiedział.

— Jako kobieta, z którą pragnę być.

Podszedłszy do niego, położyła mu obie ręce na piersi.

— Nie trudź się, rozumiem dobrze, czym mogę być i kim nigdy nie będę. Lecz jeśli mamy być razem po twojej myśli, i ja postawię kilka warunków.

Wyprężył się jak struna, przybierając uroczystą minę.

— Jeszcze za wcześnie, bym się stąd przeprowadzała. Nawet tutaj, w Richmondzie, czuję się obca, co dopiero w Londynie! Poza tym ty wkrótce wyjeżdżasz. Wolę na ciebie czekać w miejscu, które choć trochę znam i które polami i drzewami przypomina mi dom... — Skinął głową i zachęcił ją, by mówiła dalej. — Nie będę używać swego nazwiska. Kiedy zaczną o mnie plotkować jako o twojej kochance, nie chcę, by łączono mnie z dziewczyną, która spotykała się z tobą w lasach Revesby... Nie dam im tej satysfakcji.

— Naturalnie, panno Brown. Będzie, jak sobie życzysz.
— Odgarnął kosmyk z jej policzka. — Podoba mi się twoje
nowe imię.

Delikatnie, acz stanowczo ujęła jego dłoń i odsunęła od
swej twarzy.

— Jest jeszcze coś... Pewnego dnia się ożenisz...
— Też coś! — prychnął. — Niby czemu?
— Ożenisz się — powtórzyła. — Będziesz musiał. Nie
chcę być ci wówczas zawadą. Mam swoją dumę... Kiedy więc
nadejdzie czas, że nie będziesz już trzymał mnie tak blisko
siebie jak dzisiejszej nocy, wtedy odejdę.

— To nigdy nie nastąpi, ale oczywiście masz moje słowo,
że w każdej chwili jesteś wolna. Za nic nie chciałbym, byś
czuła się jak ptak w klatce. Dołożę starań, byś i wtedy miała
środki do godnego życia.

— I pozwolisz mi odejść? — upewniła się. — Nie będziesz mnie szukał, choćbyś wciąż coś do mnie czuł?

— Coś mi się zdaje, że już przemyśliwujesz, jak by mnie
tu porzucić...

— Być może — odparła niemal bezgłośnie. — Skoro
czas rozstania prędzej czy później nadejdzie, chcę być nań
przygotowana. Nie chcę cierpieć bardziej, niźli to będzie konieczne... Dopiero co skrzywdziłam jednego mężczyznę rzucając go za twoim poduszczeniem, stawiając swoje szczęście
wyżej niż jego. Być może któregoś dnia jedno z nas będzie
musiało zrobić to samo.

— Ciii... — powiedział, kładąc jej na wargach czubek
palca, a kiedy mimo to starała się jeszcze coś powiedzieć,
zamknął jej usta pocałunkiem.

Odprowadzała go wzrokiem, gdy jak młody chłopak
zbiegał po schodkach na podjazd. Kiedy jego sylwetkę
pochłonęła ciemność, odwróciła się od okna i zauważyła
Marthę, która tylko czekała, by się dowiedzieć czegoś
więcej.

— Wszystko w porządku, panienko?
— Tak, Martho — odparła, płoniąc się lekko. — W najlepszym porządku.

— Co za czarujący młodzieniec z tego pana Banksa — nie dawała za wygraną Martha.

— Och, nie tylko. Kiedy rozprawia o tym, co mógłby uczynić dla świata, w dziesięć minut ma więcej pomysłów niż wszystkie książki mego ojca razem wzięte...

— Tak jest, panienko, to jego pomysły najbardziej panienkę interesują. Coś mi się zdaje, że długo nie opuścimy Richmondu...

— Masz rację, Martho, zostaniemy tu na dłużej.

— Mnie to za jedno.

— Czyżby? — zawahała się, niepewna, co powinna powiedzieć. — Pewnego dnia wrócimy do domu, do hrabstwa Lincoln, wiesz o tym, prawda?

Martha wciąż tęsknym wzrokiem spoglądała przez okno, za którym rozpłynął się w mroku Joseph Banks.

— Tak, panienko. Ale wszystko będzie dobrze nawet wtedy.

Tej nocy zasiedziała się w salonie, dopóki Martha nie udała się na spoczynek. Kiedy wreszcie została sama, poszła na górę, gdzie zastała wszystko tak, jak było, kiedy razem z Josephem opuścili sypialnię: powietrze wciąż nagrzane od ich oddechów i przesycone ich zapachem, dopalającą się lampę, pościel wyrzeźbioną w głębokie parowy i wypiętrzoną w wyżyny. Rozbierając się, wspominała każdy moment i każdy ruch, jaki tu wcześniej wykonali i przeżyli, a gdy wślizgnęła się pod kołdrę i otulił ją jego zapach, zasnęła z uśmiechem na ustach.

Podczas podróży powrotnej do Londynu Banksa przepełniała energia. Podnieceniem napawała go myśl, że oto poznał kogoś, kto zadawał te same co on pytania i potrafił docenić udzielane przezeń odpowiedzi. Już to wydawało się wystarczająco niewiarygodne. Tymczasem okazało się, że ten ktoś... Zaczerwienił się na samo wspomnienie bliskości, jaką dzielił z nią tej nocy, tak pełnej życia, miłości i wyzwań.

Wysiadł z powozu na New Burlington Street i wolnym krokiem ruszył za róg w stronę domu Solandera. Stanąwszy u drzwi tak długo pukał, walił kołatką i krzyczał ile sił w płucach, aż mu wreszcie otworzono; wtedy przeskakując po trzy stopnie naraz wbiegł na górę. Z rozmachem otwierając drzwi do gabinetu, miał już przygotowaną mowę, jaką uraczy przyjaciela. Daniel uniósł głowę znad papierów, nad którymi pracował, i rozpoznawszy gościa, powitał go uśmiechem, jakim w ostatnich miesiącach nie raz już go obdarzał.

— Co tym razem, Josephie? — zapytał odkładając pióro.

— Nowy pomysł czy raczej nowa kobieta? Zresztą nieważne. Już po twym wyglądzie poznaję, że opowieść będzie zajmująca.

Usłyszawszy te słowa od swego najbardziej zaufanego przyjaciela, Banks poczuł, jak zachodzi w nim raptowna zmiana, jakby biegnąc po dobrze sobie znanych schodach nieoczekiwanie napotkał pustą przestrzeń w miejscu, gdzie niegdyś pewnie tkwił stopień.

— Danielu, ależ ze mnie niezguła — powiedział, potrząsając głową dla większego wrażenia. — Zupełnie zapomniałem, dlaczego postanowiłem cię odwiedzić o tak późnej porze. Nie, nie, proszę, nie wstawaj... Wypiłem o parę szklanic za dużo, toteż najlepiej będzie, jak sobie pójdę...

I ku nieukrywanemu zdziwieniu Solandera drzwi się zamknęły, a na schodach rozległ się tupot.

12

Obrazy

Gabby zaproponowała, byśmy się spotkali nazajutrz po południu w kafejce nieopodal Queenswayu. Wybór miejsca nie był przypadkowy; tam właśnie przesiadywaliśmy w naszych lepszych czasach, opracowując projekt, który w końcu okazał się j e j projektem. Niezaprzeczalnie byliśmy wówczas nieprzytomnie w sobie zakochani. Bez względu na to, co razem robiliśmy, sprawiało to zawsze naturalne, niewymuszone wrażenie, każde słowo czy gest postronnemu obserwatorowi wydawały się idealnie zsynchronizowane i pełne piękna — począwszy od pierwszego spotkania nad ciałem ary modrej, poprzez czasy londyńskie, kiedy zbieraliśmy fundusze i prowadziliśmy lobbing na rzecz przyszłości lasów deszczowych i poniekąd naszej własnej, aż po dziś dzień, piętnaście lat później. Cóż z tego, że minęło tyle czasu, skoro w dalszym ciągu byliśmy ze sobą jakoś związani.

Idąc w górę Bayswater Road na umówione spotkanie, uzmysłowiłem sobie, że z trudem przychodzi mi choćby wyobrazić sobie nasze wspólne życie. Kiedy zaczęło się między nami psuć, dzielące nas różnice, jakie wtedy dopiero odkryliśmy, okazały się znacznie ważniejsze od tego, co nas z początku połączyło. To ja odszedłem, lecz bardziej oszukana poczuła się Gabby, sądziła bowiem, że wiąże się z kimś podobnym do niej. Zrozumiała, że tak nie jest, gdy na własnej skórze przekonała się, że nie jestem równie bezkompromisowy jak ona. Prawdę powiedziawszy, odszedłem między innymi dlatego, że nie mogłem znieść jej bezkompromisowości, czarno-białego postrzegania świata. W sytuacjach, na które ja reagowałem emocjonalnie, ona zachowywała zimną krew naukowca; ja byłem narwańcem, ją przepełniała zasadniczość. Na długo zanim zacząłem wysuwać wątpliwości co do naszych działań w lesie równikowym, przepaść, jaka się pomiędzy nami rozwarła, była nie do zasypania. A jednak nigdy nam się nie udało zerwać więzów całkowicie. Gabby pisywała listy, ja o niej myślałem.

Myślałem o niej także wtedy, kiedy nieco spóźniony dotarłem do naszej ulubionej kafejki. Całe rano spędziłem na porządkowaniu notatek i upychaniu ich na powrót w starej skrzyni, a także na bezowocnych próbach naprawy zepsutej klamki w oknie kuchennym. Teraz nadszedł czas, bym się dowiedział dlaczego.

Kafejka była mała — ot, kontuar z ekspresem do kawy i parę stolików ustawionych w głębi. Gabby siedziała w najodleglejszym kącie, przy stoliku, przy którym siadywaliśmy niegdyś. Gdy zobaczyła, że wchodzę, podniosła się z krzesła.

— Witaj, John — powiedziała tylko, lecz kiedy przecisnąłem się między stolikami i stanąłem przed nią, wspięła się na palce i dotknęła policzkiem mojej twarzy. Doleciał mnie zapach jej włosów, znajomy i z lekka mnie dezorientujący. Zamówiwszy po kawie, wróciliśmy do okrągłego stoliczka, ponad którym na siebie spoglądaliśmy. Gabby wyglądała oszałamiająco jak zawsze, lecz tym razem fryzura uwydatniała jeszcze jej wielkie oczy. Kiedy cisza się przedłużała, nachyliła głowę w charakterystyczny dla siebie sposób i obdarzyła mnie uśmiechem. — Dziwnie się czuję widząc cię znów tak szybko. To znaczy po tylu latach niewidzenia się w ogóle. — Ja wcale nie czułem się dziwnie. Siedzieć tutaj z Gabby i pić kawę było tak normalne, że aż ciarki przeszły mi po plecach, kiedy to sobie uświadomiłem. Niby wszystko się zmieniło od czasów, kiedy stanowiliśmy parę, a mimo to pozostała zażyłość, instynktowna i nieproszona. Gabriella wyglądała świetnie, toteż skomplementowałem ją, chociaż tak naprawdę chciałem powiedzieć, że nic a nic się nie zmieniła. Zbadała oczyma moją twarz. — Ty też nieźle wyglądasz. Wydajesz się mniej spięty.

— Taa... Piętnaście lat to szmat czasu; znalazłem swoje miejsce na ziemi.

Skinęła głową, a ja bezgłośnie wypuściłem powietrze, ciesząc się, że nie zapytała, gdzie ono jest. Przez moment nie odzywała się zajęta mieszaniem kawy, a gdy wreszcie podniosła wzrok, zauważyłem, że wyraz jej twarzy drastycznie się zmienił.

— Wiesz, zastanawiam się... — zaczęła niepewnie, rozpaczliwie szukając właściwych słów. — Czy ty też wciąż myślisz o...?

Nawet jeśli przestaliśmy mieć ze sobą wiele wspólnego, ten temat zawsze pozostanie nasz. Elektryczny wentylator, niezasłane łóżko i dochodzący z dołu głos Gabby...

— Tak — odpowiedziałem, z wysiłkiem przełykając ślinę. — Myślę o niej cały czas.

Spojrzała mi w oczy, by zaraz uciec wzrokiem. Ponad jej głową, przez witrynę kawiarni, widziałem samochody i autobusy przedzierające się przez listopadowy gęstniejący o tej porze mrok.

— Wiem, ile dla ciebie znaczyła — rzekła Gabby cicho, po czym znów zapadła niezręczna cisza. — Ale upłynęło tyle czasu... Już dawno powinniśmy ułożyć sobie życie. Naprawdę nikogo od wtedy nie spotkałeś?...

— Raczej nie chciałem spotkać — sprostowałem. — A ty?

Opuściła wzrok na wciąż wirującą w filiżance kawę.

— Mam wiele pracy — wzruszyła ramionami.

— A Karl Anderson? Odniosłem wrażenie, że mu się podobasz...

— Tak — odpowiedziała ostrym tonem, jakby się broniąc. Zaraz jednak się zreflektowała i rozluźniła. — On nie jest złym człowiekiem, Fitz. Wiem, że z naukowca zamienił się w handlarza i że są tacy, co mu tego nigdy nie wybaczą. Ale stało się tak przez nich, przez tych wszystkich jajogłowych, którzy nie dali mu cienia szansy... A jemu w głębi ducha wciąż zależy, wiesz? Tyle że nie może tego po sobie pokazać.

— Zamierza się z tobą ożenić?

— To nie ma znaczenia — ponownie wzruszyła ramionami.

— Dla niego czy dla ciebie?

— Dla nas obojga — odrzekła patrząc mi w oczy.

Odstawiłem filiżankę i odchrząknąłem.

— Gabby, musisz mi powiedzieć, o co w tym wszystkim chodzi.

— Co masz na myśli? Mnie i Karla?

— Mam na myśli Ptaka z Uliety. Ukrywasz coś przede mną.

Dmuchnęła na swoją kawę.

— Nie wiem, o czym mówisz. Karl chce go po prostu odnaleźć.

Nie dałem się zbyć i twardo na nią spojrzałem.

— Włamano się do mojego domu podczas naszego pierwszego spotkania. Powtórzyło się to wczoraj, z tym dodatkiem, że tym razem przetrząśnięto moje notatki. Ktoś najwyraźniej zadaje sobie wiele trudu, żeby odnaleźć tego ptaka. Dlaczego? Ile on jest naprawdę wart? Nie potrafię tego dociec, ale nie jestem idiotą: wiem, że jego wartość znacznie przekracza kwoty, jakimi karmi mnie twój przyjaciel!

Gabby wytrzymała mój wzrok.

— Nie, Fitz — pokręciła ze znużeniem głową. — Okaz jest wart niemało, nie zaprzeczam, ale Karl powiedział ci prawdę. Kwota, jaką ci zaproponował, była uczciwa.

— No dobrze — zmieniłem taktykę. — Dlaczego jednak wszyscy go szukają? — Czułem, że powoli ogarnia mnie złość.

— Słuchaj, naprawdę chciałbym wiedzieć, o co tutaj chodzi. Nie zamierzam tylko siedzieć i się przyglądać jak jakiś pajac. Wiem, że jest w tym ptaku coś wyjątkowego, co czyni go aż tak cennym, i chcę wiedzieć, co to jest. Inaczej... — zawiesiłem głos. Gabby nie dała się sprowokować, uniosła tylko brwi i zmusiła mnie, bym dokończył. — Inaczej pójdę z tym do prasy. Naukowej — podkreśliłem. — Uwierz mi, że jestem w stanie sprawić, iż najbardziej kiepski ornitolog amator dowie się, że Anderson poluje na jedyny okaz Ptaka z Uliety. A wtedy, zakładając, że to cholerne ptaszysko w ogóle istnieje, twój przyjaciel nikomu go nie sprzeda. Przez długi, długi czas.

Zanim się połapiecie, zostanie wydany zakaz wywozu eksponatu za granicę. Zostanie tu na całe lata, podczas gdy wszyscy
będą się o niego wykłócać. Coś mi mówi, że to nie będzie
Andersonowi na rękę...

Sam nie wiem, czego się po reakcji Gabby spodziewałem,
z pewnością jednak bardziej na miejscu byłby niepokój albo
podjęcie wyzwania aniżeli to, co uczyniła w istocie. Nachyliwszy się ku mnie, ujęła moją dłoń i z niedowierzaniem potrząsając głową, cicho przemówiła:

— Oj, Fitz, ty naprawdę nic nie rozumiesz, co? Nie
widzisz, że tutaj chodzi o coś więcej niż twój bezcenny ptak?
W rzeczywistości nikomu na nim nie zależy, oprócz ciebie
rzecz jasna, no i jest jeszcze Ted Staest, który wybuli za niego
parę tysięcy, może więcej, kto go tam wie... Ptak z Uliety
zrobiłby mu świetną reklamę. Ale chyba nie sądzisz, że Karl
utknął w Anglii o tej porze roku po to tylko, by wytropić
jakiegoś tam p t a k a?... Na serio się nie zorientowałeś? Karl
szuka czegoś zupełnie innego!

— Czego? — czułem się jak głupiec, mrugając z konsternacji oczyma i wpatrując się w nią błagalnym wzrokiem.
— Zatem czego szuka?

Gabby sięgnęła po moją drugą rękę, metodycznie odgięła
zaciśnięte na filiżance z wystygłą kawą palce i zamknęła obie
moje dłonie w swoich. Przelotnie pomyślałem, że powinienem
się jej wyrwać, ale ostatecznie pozwoliłem sobie na tę odrobinę fizycznego kontaktu.

— Nie powinnam ci nic mówić — krygowała się. — Obiecałam Karlowi. To tajemnica... Wie Karl, ja i jeszcze ze dwie
osoby, które przypadkiem coś zwietrzyły... — Uwolniłem jedną dłoń i zacisnąłem palce na przegubie Gabby. — No dobrze
— westchnęła. — Ale przygotuj się na kawał opowieści. Czy
mówi ci coś nazwisko Roitelet? — spytała pozornie bez związku. Wytężyłem umysł, coś mi jakby zaświtało. — Nie przejmuj
się, prawie nikt o nim nie słyszał. Zajmował się malarstwem
botanicznym pod koniec osiemnastego wieku. Nie występuje
jako członek załogi żadnej z wielkich wypraw, ale musiał podróżować, bo stworzył kolekcję rewelacyjnych obrazów.
Dokładnie dwadzieścia cztery sztuki. Malował głównie owoce

i kwiaty, z wielką precyzją i wyczuciem, takie połączenie naukowca z artystą. Istnieją przekazy, że ta kolekcja to było coś! A pamiętaj, że w tamtych czasach malarstwo botaniczne przeżywało swój okres świetności, toteż Roitelet musiał być naprawdę wybitny.

— Jak to: istnieją przekazy? Co się stało z kolekcją?

— Właściciel przechowywał ją w paryskim domu, który splądrowano podczas któregoś z rewolucyjnych przewrotów. Ocalały zaledwie trzy obrazy Roiteleta i od tego czasu stanowią rarytas. W zeszłym roku jeden z nich wystawiono na aukcji w Nowym Jorku i zgadnij, jaką cenę osiągnął? Ponad sto tysięcy dolarów! — zakończyła Gabby z błyskiem w oku.

Sto tysięcy dolarów to suma niebagatelna, ale z drugiej strony nie aż tyle, żeby się o nią zabijać, pomyślałem.

— Aha... Ale co to ma wspólnego z Ptakiem z Uliety?

Gabby się rozpromieniła.

— W tym miejscu opowieść nieco się komplikuje... Otóż przez cały dziewiętnasty wiek krążyły po Europie plotki, że istnieje jeszcze jedna kolekcja Roiteleta, która jakimś cudem bezpiecznie przetrwała zawieruchy historii na Wyspach Brytyjskich. Plotka jak to plotka, miała wielu ojców, ale tym najpewniejszym był niejaki Finchley, zamożny posiadacz ziemski, właściciel majątków w środkowej Anglii, hobbystycznie zajmujący się nauką, który w latach pięćdziesiątych dziewiętnastego stulecia napisał list do przyjaciela zbierającego obrazy...

— przerwała, odczepiła palce od moich i upiła łyk kawy.

— No i...? — ponagliłem Gabby niecierpliwie, wciąż niepewien, dokąd prowadzi jej opowieść.

— W liście opowiada o pewnym wydarzeniu, które stało się jego udziałem w czasie, gdy objeżdżał hrabstwo Lincoln. Dowiedziawszy się od kogoś, że w sąsiedztwie mieszka człowiek znany z posiadania niezwykle rzadkiego okazu ptaka, postanowił zadać sobie trud odwiedzenia go i zobaczenia okazu na własne oczy. Zarówno z opisu Finchleya, jak i informacji, które uzyskał z pierwszej ręki na temat okazu, można przyjąć z niemal stuprocentową pewnością, że chodziło o Ptaka z Uliety... — Gabby popatrzyła na mnie znacząco — ...wciąż w jednym kawałku! Lecz główny temat listu był zupełnie inny.

Wydarzenie, o którym zapragnął donieść przyjacielowi, miało miejsce pod sam koniec oględzin ptaka. Dumny właściciel nalegał, że otworzy szklaną gablotę, w której okaz był przechowywany, i pokaże Finchleyowi dokumenty spoczywające pod zielonym suknem, na którym ustawiony był ptak. Jakież było zdumienie Finchleya, kiedy w rozwiniętych papierach rozpoznał prace Roiteleta: dwanaście idealnie zachowanych obrazów, na których widniały typowo angielskie kwiaty polne. Poinformował szczęściarza, w posiadaniu czego się znajduje, lecz na tamtym nie zrobiło to wrażenia. Utrzymywał, że zarówno ptak, jak i obrazy przechodziły w jego rodzinie z pokolenia na pokolenie i jeśli o niego chodzi, może tak pozostać do końca świata. Sądząc z tonu listu, Finchley uznał całą sprawę za dość zabawną i nawet żartobliwie zapewniał przyjaciela, że nie znajdzie się bogactwo, które by skłoniło właściciela do zmiany zdania... Przynajmniej jego własne oferty nie wzbudziły żadnego zainteresowania, a to źle rokowało przyszłym potencjalnym kupcom.

— Rozumiem — powiedziałem, żeby coś powiedzieć, gdyż chociaż Gabby odpowiadała na moje pytanie szerzej, niż się spodziewałem, odpowiedź mnie nie zadowoliła. — Ale co n a m to daje? Nawet jeśli przyjąć, że kolekcja francuskich obrazów faktycznie pojawiła się w jakiejś zapadłej dziurze w hrabstwie Lincoln, praktycznie nie ma szans, by przetrwały tam do tej pory... A już na pewno nie razem z ptakiem. Przez półtora wieku przewinęło się mnóstwo pokoleń ludzi, którzy z pewnością radzi byli pozbyć się truchła i papierzysk za godziwą cenę... Kto wie, co się z nimi stało? Przecież Finchley podzielił się tą informacją nie tylko z korespondencyjnym przyjacielem... Ktoś na pewno położył na nich łapę!

— Tak by się mogło zdawać... — Gabby pokiwała w zamyśleniu głową. — Ale jak w takim razie wytłumaczysz, że od wtedy ani jeden obraz Roiteleta nie wypłynął na światło dzienne? Owszem, zdarzały się plotki... Nikt jednak nie wątpi, że gdyby kolekcja trafiła w ręce poważnego zbieracza, w środowisku by zawrzało. No i zwróć uwagę, że Finchley starannie unikał podania adresu i nazwiska ówczesnego właściciela. Czyżby tylko drażnił się z przyjacielem?... Moim zdaniem jest spora szansa, że obrazy wciąż leżą gdzieś zapomniane, a najlepszym sposobem na ich znalezienie jest odnaleźć wpierw ptaka.

— Czyli chciano mnie wykorzystać, aby dotrzeć po nitce do kłębka i trafić na obrazy... — układałem to sobie w myślach i powoli nabierałem przekonania, że Gabby mnie nie oszukuje. Mimo to świadomość, że ktoś chciał mnie jednak wykorzystać, wcale mi się nie spodobała.

— Ależ, Fitz — zaprotestowała Gabriella — zaraz w y k o r z y s t a ć! Karl wiedział, że sprawa cię zainteresuje, no i zaproponował ci pieniądze. Nawiasem mówiąc, wpadł już na trop ptaka...

— Tak, wiem — spojrzałem na nią uważnie. — Ma list. Ale ta cała historia z obrazami wydaje mi się dosyć niepewna, plotki, aluzje, praktycznie nic więcej. Anderson zaś jest biznesmenem; trudno mi go sobie wyobrazić, jak ponosi koszty na szukanie igły w stogu siana. Bo przecież jego szanse na znalezienie czegokolwiek są znikome...?

— Pamiętaj, Fitz, że stawką jest tuzin obrazów Roiteleta. Nawet gdyby były tylko w połowie tak dobre jak te, które znamy, i tak stanowiłyby sensację. A gdyby każdy poszedł za sto tysięcy dolarów... sam sobie policz. Do tego, jako całość, na pewno byłyby warte znacznie więcej. Jest jednak pewien szkopuł...

— Jaki mianowicie?

— Karl ma kłopoty z odnalezieniem ptaka...

Zatarłem ręce w duchu, na głos zaś nieszczerze się zatroskałem:

— Jakiego rodzaju kłopoty?

— No cóż, właściwie kłopot to za mocne słowo, raczej drobne niepowodzenie... — mówiąc to, nachyliła się ku mnie, przejęta i poważna, piękna na modłę nieczęsto spotykaną w kawiarniach Queenswayu. — Zaczęło się od jakiejś aukcji czy wyprzedaży. Karlowi udało się wyśledzić losy ptaka aż do pewnego majątku, który zbankrutował zaraz po wojnie, i już był pewien zwycięstwa, lecz z jakiegoś powodu ptaka nie było tam, gdzie według najlepszej wiedzy powinien się był znajdować. Dlatego teraz ludzie Andersona ponownie przekopują się przez dane z wyprzedaży...

— Hmm... ciekawe — podrapałem się w zamyśleniu po brodzie. — Wiesz może, o jaki majątek chodziło?

— Y-y — pokręciła głową dopijając swoją kawę. — Karl mi nie powiedział. Wiem tylko, że pojechał do hrabstwa Lincoln... — przerwała i w skupieniu zaczęła się przyglądać swoim paznokciom. — Powiedz, wpadłeś na coś, co mogłoby pomóc go odnaleźć?

Nagle postanowiłem, że jej zaufam.

— Nie mam zamiaru udawać przed tobą, że wiem więcej niż w rzeczywistości, ale przyszedł mi do głowy pomysł, któremu chcę dać szansę. Widzisz, Joseph Banks znał w młodości pewną kobietę. Jeszcze nie rozgryzłem, na czym dokładnie polegał związek pomiędzy nią a ptakiem, ale czuję, że jakiś istnieje. Oczywiście, mogę się też kompletnie mylić...

— A jeśli się nie mylisz?... Jeśli go znajdziesz? — jej wielkie oczy przewiercały mnie na wylot. Pod tym spojrzeniem musiałem spuścić wzrok.

— Cóż, wtedy zobaczymy...

Odchyliła się na oparcie krzesła i przyjrzała mi się krytycznie.

— Hmm... może jednak jesteś podobny do swojego dziadka... — wprawiwszy mnie tym stwierdzeniem w osłupienie, sięgnęła rękoma do tyłu i zaczęła poprawiać spinki we włosach. Kiedy skończyła, rzuciła mi pełen ciepła i uczucia uśmiech, który tak dobrze znałem. — A skoro obecnie w twoim życiu nie ma nikogo, kto mógłby urządzić scenę zazdrości, może postawisz mi dziś kolację?...

Nigdy do końca nie zrozumiałem, jakie uczucia Gabby żywiła dla Dziadka. Z jednej strony był on nieprzyzwoicie bogatym, aroganckim Anglosasem, traktującym resztę świata jak park safari, w którym dla zabawy bezkarnie buszował za okazami i którego ochronie nie poświęcił ani krzty swego czasu — takimi ludźmi Gabby gardziła. Z drugiej strony wszakże istniało między nimi podobieństwo: każde z nich było gotowe poświęcić swe życie w pogoni za marzeniem. I choć nie sposób uwierzyć, że podzielali poglądy na temat przyrody, nawet

Gabby skłaniała przed Dziadkiem głowę w niechętnym szacunku.

Hugh Fitzgerald zadziwiająco wcześnie jak na „nieprzyzwoicie bogatego, aroganckiego Anglosasa" wdał się w związek małżeński. Kiedy miał dwadzieścia pięć lat, wybuch pierwszej wojny światowej zmusił go, by na jakiś czas odłożył plany odkrycia afrykańskiego pawia, a zaraz po powrocie z frontu zachodniego, na którym spędził cztery ostatnie lata życia, poznał moją Babcię, o dwanaście lat odeń młodszą nieśmiałą pannicę. Bynajmniej jednak nie został w młodym wieku ojcem, co należy złożyć na karb jego rzadkiej bytności w domu. Oblubienicę zainstalował w domu rodzinnym w Devonie, pod okiem swej matki, sam zaś niemal od razu po ślubie udał się za granicę jako uczestnik wyprawy do Ameryki Środkowej, skąd wrócił dopiero po prawie dwóch latach, a i to nie do żony, lecz do Londynu, gdzie pomieszkiwał w klubie, czyniąc przygotowania do następnego przedsięwzięcia.

Z roku na rok coraz trudniej było mu przekonać innych do swych wypraw. Podczas każdego pobytu w Londynie wszem wobec opowiadał o żywionej przezeń wierze w istnienie afrykańskiego pawia, co okryło go złą sławą. Wyższe sfery wbrew pozorom nie tolerowały ekscentryków, Dziadek zaś na swoje nieszczęście nie zauważył, kiedy stał się jednym z nich. W 1926 roku ugruntował opinię o sobie jako o fanatyku podczas wyprawy do Afryki Zachodniej, gdzie podjął się bezpiecznie doprowadzić i wyprowadzić inżynierów górniczych z głębi kontynentu. Z powierzonego mu zadania wywiązał się znakomicie, jednakże ku zdumieniu wszystkich zamiast wrócić z ekspedycją do Londynu, pozostał w Afryce i — jak mówiono: po własnych śladach — zagłębił się na powrót w puszczę w towarzystwie paru zaledwie tragarzy. Przyjęło się uważać, że choć znajdował się setki kilometrów od miejsca, w którym Chapin znalazł niezidentyfikowane piórko, zamiarem Dziadka była kontynuacja poszukiwań hipotetycznego gatunku pawia.

Przez dziesięć miesięcy nie dawał znaku życia. Wreszcie wyłonił się z puszczy złożony febrą tak silnie, że początkowo nie dawano mu większych szans na przeżycie. Jednakże zawieziony do domu, troskliwie pielęgnowany przez młodą żonę, pokonał chorobę, choć nigdy nie odzyskał sił w pełni. Od chwili kiedy wyruszył na wyprawę z górnikami, do momentu kiedy postawił stopę na lądzie ojczystym, upłynęły prawie trzy lata i w tym czasie wiele się w Anglii zmieniło. Szeroko rozniosła się wieść o jego niesubordynowanym powrocie do zachodnioafrykańskiej puszczy, co dla wielu stanowiło dowód, że nie można już na nim polegać podczas poważnych wypraw; poza tym dziewiętnastowieczny sposób prowadzenia odkryć, któremu Dziadek pozostał do końca wierny, odchodził w przeszłość.

Nawet jeśli powinienem wyciągnąć lekcję z życiorysu Dziadka, perspektywa kolacji z Gabriellą odsunęła to na plan dalszy. Spotkaliśmy się w Soho, we francuskiej restauracji całej wyłożonej okorowaną sosną, gdzie siedzieliśmy za wielkimi kartami dań i rozmawialiśmy o wszystkim, co n i e miało związku z Karlem Andersonem. Gabby zawsze była świetną towarzyszką, a tego wieczoru wprost przechodziła samą siebie. Po którymś z kolei kieliszku białego wina, dość późno w noc, stała się śmielsza i zaczęła mi opowiadać lekko skandalizujące i zapewne nieprawdziwe historyjki o naszych wspólnych znajomych. Czasem rozmowa zahaczała o sprawy ochrony przyrody, ale nawet wtedy nastrój się zbytnio nie zmieniał. Żywo gestykulując Gabby dzieliła się ze mną swymi marzeniami, a ja słuchając jej, oraz pewnie za sprawą wina, odkrywałem na nowo barwy i dźwięki lasu deszczowego. Poczułem nawet, że zaczynam za nim tęsknić.

Tego wieczoru Gabriella emanowała światłem. Wciąż były między nami sprawy trudne, to prawda, lecz tej jednej nocy zapomnieliśmy o nich, pozwalając, by niegdysiejsze ciepło przepływało między nami bez przeszkód. Kiedy ją odprowadziłem pod hotel „Mecklenburg", kiedy staliśmy na chodniku żegnając się cicho, wyczułem moment wahania, trudną do wychwycenia pauzę, podczas której padło niezadane pytanie. Nie odpowiedziałem na nie, a Gabby uśmiechnęła się smutno, wspięła na palce i cmoknęła mnie w policzek.

— Dobranoc, Fitz — powiedziała, odsuwając się ode mnie.

Stałem w ciemności londyńskiej nocy i patrzyłem, jak wchłania ją rozświetlone wnętrze hotelu.

Nazajutrz wróciła Katya. Nie pofatygowała się, by zadzwonić i mnie uprzedzić, toteż dowiedziałem się o jej powrocie, kiedy pod wieczór usłyszałem chrobot klucza w zamku. Kiedy przywitałem ją w holu, wyglądała na zmęczoną, wykończoną nawet — i starszą, choć to ostatnie pewnie za sprawą ubioru, dość dla niej niezwykłego: spódniczka i bluzka, do tego ciasno upięte włosy. Prawdę powiedziawszy, była tak mało podobna do osoby, którą znałem i polubiłem, że aż zamrugałem ze zdziwienia.

— Co? — spytała, zobaczywszy moją minę. — A, pewnie chodzi ci o to — pokazała ręką na siebie. — No cóż, mój papa uważa, że tylko tak ubrana nadaję się do kontaktów towarzyskich z jego znajomymi...

— Przepraszam — wydukałem zażenowany. — Siadaj, zaraz podam ci piwo.

— To brzmi zachęcająco — powiedziała rozpuszczając włosy. Kiedy okoliły jej twarz, złapała pasemko i mu się z bliska przyjrzała. — Co ja się z nim nawalczyłam o te ciuchy... A do tego musiałam jeszcze wysłuchać wykładu na temat włosów, że niby farbuję je na c z a r n o... no sam popatrz, przecież to jest jasny brąz!

Wszedłszy do kuchni, klapnęła na krzesło i przyglądała mi się, jak otwieram butelki z piwem, dopóki nie zauważyła zepsutej klamki u okna. Błyskawicznie poderwała się na nogi.

— Co się stało?

— Trochę tu się działo. Zaraz ci wszystko opowiem...

— Ktoś się włamał, tak? Zginęło coś? — pytała gorączkowo.

Pokręciłem głową i się uśmiechnąłem.

— Nie mam nic, co byłoby warto kraść.

— No a to? — wskazała na okno, nic nie rozumiejąc.

— Widzisz, okazało się, że odnalezienie ptaka może przynieść większe pieniądze, niż sądziliśmy... — Oczy Katii zrobiły się okrągłe ze zdziwienia. — To długa historia — wyjaśniłem i uprzedzając jej pytania, dodałem: — Ale nic się nie martw,

wszystko jest pod kontrolą. Opowiedz mi lepiej, co ty porabia-
łaś. Proszę — podałem jej otwartą butelkę — łyknij sobie,
chyba że jesteś zbyt elegancko ubrana, żeby pić z gwinta.

Roześmiała się nieco chrapliwie, po czym poznałem, że to
stara dobra Katya.

— No, niech ci będzie, ja zacznę — rozluźniła się i przybrała zadowoloną minę. — Chociaż właściwie najlepsze już
słyszałeś przez telefon. Myślałam, że znajdę jeszcze coś, ale
okazało się, że w tych papierzyskach nie ma nic więcej ciekawego. To dlatego nie dzwoniłam: czekałam, aż odkryję coś
super-hiper, ale nic takiego nie znalazłam...

— A ja uważam, że to co odkryłaś, w zupełności wystarczy. Mamy dowód, że Ptak z Ulety przetrwał w kolekcji
Banksa, a na dodatek wiemy, gdzie go szukać...

Katya była w gadatliwym nastroju i z chęcią opowiadała
mi o dokumentach Fabriciusa. Kiedy mówiła, zmęczenie ją
opuszczało i stawała się coraz bardziej ożywiona. Okazało się,
że większość korespondencji, którą przejrzała, dotyczyła za-
gadnień naukowych, zaledwie cząstka — czasu, jaki spędził
w Anglii (wygląda na to, że o tym okresie swego życia napisał
najmniej), a już zupełnie nic — Josepha Banksa. Oprócz listu
ze wzmianką na temat Ptaka z Ulety były jeszcze dwa od tego
samego Francuza nazwiskiem Martin, oba na temat rysunków,
jakie Fabricius chciał nabyć, jednakże żaden z tych późniejszych nie wspominał już o ptaku.

— Gniewasz się na mnie? — spytała, zdawszy wyczerpu-
jący raport ze swej wyprawy do Skandynawii.

— Ależ skąd, wręcz przeciwnie.

— Trochę mi głupio, wiesz... No bo przecież to twoje
poszukiwanie, nie moje... Bałam się, iż pomyślisz, że się wtrą-
cam... — rzuciła mi ciekawe spojrzenie. — A teraz opowiadaj,
co tu się działo?

— Sam nie wiem, od czego zacząć. Myślę, że najważniejszego dowiedziałem się wczoraj od Gabby...

— Och? — żeby ukryć zdziwienie, pociągnęła z butelki,
nie podnosząc jednak na mnie wzroku.

— Ale wcześniej byłem jeszcze w hrabstwie Lincoln.
I zgadnij, kogo tam zastałem? — W milczeniu słuchała, jak

opowiadam, co skłoniło mnie do wyprawy do Lincolnu
i o tym, jak już na miejscu odkryłem obecność Karla Andersona. Mimiką wyrażała uprzejme zainteresowanie, ale widziałem, że moje wiadomości nie robią na niej większego wrażenia,
toteż blado zakończyłem: — No cóż, ostatecznie nie odkryłem
nic ciekawego — przyznałem, sięgając do kieszeni marynarki
— choć przez krótką chwilę wydawało mi się, że jestem bardzo blisko czegoś ważnego... Spójrz na to — pokazałem jej
listę sporządzoną w archiwum. — Nazwiska kobiet urodzonych w Revesby zaczynające się na literę „b" — oznajmiłem
rozkładając kartkę papieru płasko na stole.

1 stycznia 1750	*Mary, nieślubna córka [...]*
29 września 1753	*Mary, córka Richarda Burnetta i jego żony Elizabeth*
18 kwietnia 1756	*Mary, córka Jamesa Browne'a i jego żony Susanne*
20 lutego 1757	*Mary, córka Williama Burtona i jego żony Anne*
18 stycznia 1761	*Elizabeth, córka Jamesa Browne'a i jego żony Susanne*

— Mary Burton rozbudziła moje nadzieje, chociaż urodziła się trochę za późno, potem znalazłem jeszcze informację,
że jej ojciec zmarł, kiedy Banks był na wyprawie, i bingo! już
myślałem, że coś mam...
Podniosłem wzrok na Katię i zauważyłem, że wcale mnie
nie słucha. Jej brak zainteresowania ustąpił nagle, podobnie
jak wcześniej w okamgnieniu wyparowało z niej zmęczenie;
wpatrywała się w listę dat na papierze i poruszała ustami, jak
gdyby coś przeliczała.
— Fitz, spójrz no tutaj — odezwała się w końcu, a w jej
głosie pobrzmiewało zaaferowanie. Palcem wskazywała drugą
pozycję na liście. — Ten rok chyba bardziej by pasował...
Kiedy Banks wyjeżdżał, miałaby prawie szesnaście, po jego
powrocie zaś nieomal dziewiętnaście lat.
— Hmm... — zmarszczyłem brwi nie wiedząc, do czego
zmierza.

— Mary Burnett — odczytała na głos. — Rozumiesz już?

— „Burnett" wcale nie kończy się na „n" — zaprotestowałem.

— Ale list... — rozejrzała się bezradnie. — No wiesz, ten, który znaleźliśmy w książce... jakiż ona miała tytuł? List napisany przez kapitana Cooka w początkach drugiej wyprawy... o kobiecie udającej faceta. Pamiętasz? — Przypomniałem sobie mgliście list, lecz w dalszym ciągu nie widziałem związku. Katya się zniecierpliwiła. — B u r n e t t. Jestem pewna, że tak właśnie mówiła o sobie tamta kobieta: pan Burnett.

Skończyło się na tym, że poszliśmy na górę odszukać książkę, w której zamieszczono fragment listu Cooka.

...Trzy dni przed naszym przybyciem na wyspę niejaki Burnett opuścił ją w pośpiechu. Czekał na p. Banksa około trzech miesięcy, na początku twierdząc, że przyjechał dla podreperowania swego zdrowia, później jednak rozpowiadając, że jego zamiarem było udać się w podróż z p. Banksem, wszelako rozmaicie przedstawiał znajomość z tym Dżentelmenem, jednym powiadał, że go nie zna, innym zaś, że na Maderze znalazł się za jego wskazówką, jako że nie mógł się zaokrętować na wybrzeżu angielskim. Następnie dowiedziawszy się, że p. Banks z nami nie płynie, przy pierwszej sposobności opuścił wyspę. Z wyglądu zdawał się przeciętny, a pobyt umilał sobie zbierając rośliny i tym podobne. Zachowanie pana Burnetta, jak również podejmowane przezeń działania świadczyły, że jest on Kobietą — o czym zapewniała mnie każda ze spotkanych osób...

Zatem Katya miała rację.

— No i co powiesz? — zapytała z tryumfem w głosie.

— Czy ja wiem — pozostałem sceptyczny. — To może być zwykły zbieg okoliczności...

— Jest jeszcze to — sięgnęła po drugą kartkę z moimi notatkami. — Jej ojciec zmarł, kiedy Banks był na morzu. Po jego powrocie mogli trzymać swój związek w tajemnicy, a nawet wymyślić dla niej nowe nazwisko. „Burnett" nie jest takie znów odległe od „Brown"... — Katya zapalała się do

swego pomysłu. — Burnett, *brunette*, brunetka, brąz... „brown"
to przecież tyle co „brązowy"!

Zanim zakończyła swój wywód, byłem już przekonany.
Przyjrzałem się jej i oznajmiłem:

— Cóż, będą musieli się z tym jakoś na uniwersytecie
pogodzić. Jedziemy do Lincolnu. Kiedy możesz być gotowa
do drogi?

Wyruszyliśmy parę dni później, rankiem, choć po panującym na zewnątrz nikłym świetle trudno było ocenić, czy
dzień się już rozpoczął czy też nie. Wjechawszy na rozległą
równinę hrabstwa Lincoln i podążając dalej na północ, mijaliśmy jednostajny krajobraz utrzymany w kolorystyce brązu
i ochry. Przez większą część podróży panowała między nami
cisza, zakłócana tylko gardłowym posapywaniem silnika;
od dawna czuliśmy się w swoim towarzystwie na tyle
swobodnie, że nie musieliśmy wypełniać milczenia na siłę
i każde z nas mogło w spokoju oddawać się swoim rozmyśla-
niom, równocześnie ciesząc się z obecności partnera. Prowadząc samochód zastanawiałem się, jak długo damy radę
ciągnąć nasze szalone poszukiwania, nim proza życia ściągnie
nas z hukiem na ziemię. Powoli zaczynałem się obawiać, że
złamawszy raz rutynę, nie będę zbyt skory do powrotu
do normalności i więzów, jakimi ona krępuje (więzów tak
naprawdę niezbędnych, bo nadających życiu jakieś ramy),
a mimo to zagłębiając się w tę dziwną przygodę wolałem nie
zaprzątać sobie głowy próżnymi obawami. Zdaje się, że Katya
rozmyślała nad czymś podobnym, gdyż w pewnej chwili
zaśmiała się i odwróciwszy do mnie, zadała nieoczekiwane
pytanie:

— Tobie też to wszystko wydaje się jakieś nierealne?

Skinąłem głową.

— Aha, oboje musimy być nieźle walnięci...

Uśmiechnęła się szeroko i wyciągnąwszy rękę, dotknęła
mego przedramienia. Jednakże kiedy oderwałem wzrok od szosy
i na nią spojrzałem, znów siedziała prosto, zatopiona w myślach, i choć zdawała się patrzeć na otaczające nas pola, chyba
ich nie widziała.

Na miejscu byliśmy jeszcze za dnia, lecz aura sprawiła, że godzina wydawała się znacznie późniejsza. Hotel przywitał nas rzęsistymi światłami, a obietnica ciepła i odpoczynku, jaką roztaczał, została dotrzymana natychmiast, jak tylko weszliśmy do środka. Owionął nas zapach palącego się na kominku drewna i nastrojowa cicha brzdąkanina na fortepianie.

— O rany! — jęknęła Katya, rozglądając się wokół. — Ale tu ładnie! Wreszcie czuję się jak w Anglii... Pytanie tylko, czy stać mnie na takie luksusy?

— Ja stawiam — odparłem na to. — Jak znajdziemy ptaka, potrącę sobie z twojej działki.

Rzuciła mi podejrzliwe spojrzenie, lecz nie próbowała oponować. A mnie w tamtym momencie było wszystko jedno; wzruszywszy w duchu ramionami, pogodziłem się, że prędzej czy później trzeba będzie za taką rozrzutność zapłacić.

Zameldowaliśmy się i zostawiwszy bagaż w pokojach, wyszliśmy na miasto, żeby Katya zobaczyła je w szarzejącym świetle dnia. Była niedziela, toteż na ulicach panował mały ruch, ale wraz z zachodem słońca zrobiło się nieprzyjemnie zimno. Z drugiej strony, ciemność pochłaniała brzydki zimowy dzień ku naszej uldze. Staromodne latarnie oświetlały uliczki wokół katedry, a witryny nielicznych otwartych lokali publicznych: kafejki, małej księgarni, restauracji przeglądały się w wilgotnych kocich łbach. Idąc pod górę w stronę katedry widzieliśmy jej majestatyczną sylwetkę rysującą się na tle granatowiejącego nieba, jeszcze wyżej zaś porwane na strzępy chmury, zza których migotały gwiazdy. Będzie przymrozek, pomyślałem.

Tuż przy katedrze usłyszeliśmy dochodzące z wewnątrz dźwięki organów.

— Wejdziemy posłuchać? — zaproponowałem.

— To nie dla mnie. — Katya położyła mi dłoń na ramieniu. — Ty się jednak nie krępuj. Wrócę do hotelu i wezmę gorący prysznic. Jeśli chcesz, możemy się potem spotkać w barze.

Wszedłem zatem do środka sam i usiadłszy w mrocznym wnętrzu świątyni, pozwoliłem spowić się muzyce. Msza się jeszcze nie zaczęła, organista w samotności ćwiczył przed wieczornym nabożeństwem. Kiedy zaczęli schodzić się wierni, dyskretnie się wymknąłem i podążyłem w stronę hotelu; uspokojony i rozluźniony nie miałem nic przeciwko lampce wina przed snem. Jednakże to co zastałem w hotelowym barze, na powrót postawiło mnie w stan czujności: w jednym z rogów, tym bliższym kominka, na przepastnym, pokrytym skórą fotelu rozpierał się Karl Anderson! Naprzeciwko niego zaś, idealna w swej elegancji i obcisłej czerwonej sukience, siedziała Gabby. Pomiędzy nimi z dużego błyszczącego wiaderka wystawała szyjka butelki szampana.

Zima, która nadeszła, była porą marzeń i zapomnienia. W Richmondzie śnieg spadł już w połowie listopada i utrzymał się aż do lutego, białym płaszczem spowijając ich przeszłość i skrywając teraźniejszość. Przyjeżdżał do niej konno, już z daleka odcinając się czarną sylwetką na tle wszechobecnej bieli. Wchodząc do domu, zdejmował zesztywniałą na mrozie pelerynę, która tajała dopiero w cieple trzaskającego wesoło ognia na kominku. Witał go zapach grzanego wina unoszący się w powietrzu i nieodmienne światło lamp oliwnych, nawet wówczas gdy przybywał późną porą. Z oddali widział migoczące płomyki przeświecające przez ciemnoczerwone kotary, na piętrze zaś zawsze zastawał przytulnie ogrzaną sypialnię, w której światło kominka zmieniało barwy, tak że zieleń wydawała się mniej żywa, rdzaworude zasłony natomiast przybierały kolor bursztynu. Miejsce to jawiło mu się jako otulona ze wszech stron puszystym śniegiem ostoja, w której czas stanął i której spokoju nie mogło zakłócić nic, cokolwiek by się zdarzyło na ziemi. Wyłącznie dym z palonych drew przypominał, że jest to jednak miejsce z tego świata. Konna przejażdżka z Londynu zabierała niemało czasu, zwłaszcza o tej porze roku i w takich warunkach: trakty zasypane były grubą warstwą śniegu, dłonie trzymające wodze omdlewały z zimna, a pomimo to z utęsknieniem wyczekiwał każdej następnej podróży tutaj. Dotarłszy na miejsce mimo zmęczenia czuł się świeżo i czysto, godzien powitania, jakie mu sprawi. Kiedy zdarzało mu się wyruszyć w drogę wcześnie, galopując na przełaj oślepiającej bieli, dostrzegał dzieci ślizgające się na zamarzniętych stawach i starsze kobiety zbierające chrust i serce przepełniała mu miłość dla każdej żywej istoty, którą mijał — w takim stanie oczarowania się znajdował.

Choć nigdy nie wyczekiwała jego przyjazdu, z czasem nauczyła się rozpoznawać dźwięki, które go zapowiadały. Najpierw podzwanianie końskiej uprzęży, tupot nóg stajennego, potem kroki i pukanie, wreszcie biegnąca na złamanie karku pokojówka i skrzypnięcie otwieranych na oścież drzwi. Z holu dochodził ją jego głos, stłumiony, lecz wesoły. Słysząc go coraz wyraźniej, powoli odkładała to, czym w danym momencie się zajmowała: czy to robótkę, ołówek, czy pędzel, aby kiedy już wejdzie, mogła swobodnie wstać i go powitać. Wszakże najbardziej lubiła, kiedy przyjeżdżał zimą, gdy cały dom pogrążony był już w nocnej ciszy, wtedy bowiem najmniej się go spodziewała. Podejrzewała, że w Londynie opuszczał towarzystwo nagle, podając pierwszy wymyślony powód, i wróciwszy do domu wprawiał służbę w osłupienie, żądając konia. Bardzo rzadko przyjeżdżał do Richmondu w środku nocy, rozpoznając dom w ciemnościach dzięki wciąż tlącemu się w jej pokoju ogniu na kominku, który pomarańczową poświatą był widoczny przez nie zasłonięte okiennicami okno. Otwierała mu wtedy zawsze czujna Martha, gderając przy tym i popędzając go, by wchodził szybciej, bo ciepło ucieka. W holu kładła palec na ustach i uśmiechała się na jego niezdarne próby tłumaczenia się z wizyty o tak późnej porze. Zamieszanie na dole wybudzało ją na chwilę ze snu, uśmiechała się do siebie poznawszy źródło hałasów, po czym na powrót zasypiała, by już za chwilę obudzić się na dźwięk otwieranych drzwi do sypialni. Wtedy, nadal nie otwierając oczu, odginała jeden róg kołdry i w półśnie czekała na niego, podczas gdy ogrzewał ręce nad ogniem kominka. Później w nocy budziła się raz czy dwa i upewniwszy się, że wciąż leży obok niej, zapadała w sen szczęśliwa na samą myśl o przebudzeniu rano u jego boku.

Podczas jego wizyt za dnia odkładała na bok pracę i spędzała z nim całe popołudnia przy kominku lub na przechadzce wskroś oszronionego parku, rozmawiając o sprawach mniej ważnych od faktu, że mogli ze sobą rozmawiać. Zdarzało się wszakże, że ich rozmowy były błyskotliwe, że wymieniali pomysły poza wszelkim wyobrażeniem. Zdarzało się również, że zaśmiewali się do rozpuku, nie potrafiąc potem wytłumaczyć, co pobudziło ich do śmiechu. Przysłuchujące się ich rozmowom na poły uśpione drzewa i pola wokół nich, a nawet pobrużdżony przez furmanki trakt zdawały się z niecierpliwością wyczekiwać wiosny, kiedy wreszcie wszystko przebudzi się do życia. Na przednówku jednak nie tylko przyroda pozostawała w zawieszeniu; ona także zapominała o przeszłości, która ją tu przywiodła, i obawach co do przyszłości, jakie powinna odczuwać. Co tam przyszłość zresztą, skoro nawet koniec tygodnia zdawał się niewyobrażalnie odległy...

Dla niego nieskalana biel śniegu wymazywała wszelkie plamy na przeszłości, wszystko co mogło skazić jego szczęście bez skazy. Nocami tulili się do siebie przy cieple kominka, marząc o świecie, w którym mogliby decydować, także o sobie.

— Nie ruszałbyś się stąd ani na krok obmyślając, jak wyhodować ananasy w twoim ukochanym hrabstwie Lincoln.

— Tego się nie da zrobić, zbyt niska temperatura.

— No to byś poprowadził w glebie rury z ciepłą wodą, tak że nawet Brazylijczycy chcieliby się do nas przeprowadzić...

Rozważał coś w duchu przez chwilę.

— W takim razie ty musiałabyś podróżować, żeby opisać i narysować wszystkie gatunki porostów, jakie występują w tym kraju. A poza tym nauczyłabyś się uprawiać mchy na wewnętrznych murach budynków ku wygodzie każdego, kto miałby ochotę je badać. No i rzecz jasna, na swoje nieszczęście, zostałabyś jednogłośnie wybrana na członkinię Królewskiego Towarzystwa Naukowego.

— Nie jestem wystarczająco nobliwa, a do tego jestem kobietą...

— Publikowałabyś pod nazwiskiem wielebny Thomas Brown...

— Ha! A dlaczego miałabym się ograniczać tylko do mchów i porostów?!

— No dobrze — zgodził się łaskawie. — Podróżowalibyśmy razem dokoła świata; ja bym zbierał okazy, a ty byś je szkicowała. W dwójkę stworzylibyśmy kolekcję nie mającą sobie równej na całej Ziemi.

— Kobieta na statku? — zdziwiła się, porzucając żarty.

— Przebrałbym cię za chłopaka.

— I wziąłbyś mnie ze sobą tylko ze względu na dobro nauki i sztuki? — wyciągnęła szyję i delikatnym muśnięciem warg złożyła pocałunek na jego karku.

— No... — udawał, że się zastanawia — może jednak nie tylko ze względu na to... — Przyciągnąwszy ją do siebie, zaczął całować jej twarz, podczas gdy ona śmiała się radośnie.

Pod koniec lutego śniegi zaczęły topnieć, a masy uwolnionej wody uczyniły podróżowanie cięższym i mniej przyjemnym. Czas ruszył z miejsca nawet w Richmondzie, o czym przypomniały im zwały błota zalegające pomiędzy Londynem a niewzruszoną dotąd ostoją. Zaledwie cztery miesiące dzieliły Banksa od drugiej wyprawy z kapitanem Cookiem.

Chwile, jakie ze sobą spędzali, nie upływały im już tak radośnie, każde pożegnanie było boleśniejsze od poprzedniego, jakby los pragnął ich przygotować na to, co ich wkrótce czekało. Ani jedno, ani drugie nie chciało przyznać, że ich szczęśliwe dni razem dobiegają końca, mimo to oboje w głębi ducha o tym myśleli. Będąc razem wciąż się śmiali, choć nierzadko był to śmiech przez łzy, i dało się po nich poznać desperację, by każdy taki moment wykorzystać do cna. Zaniechali spacerów, więcej czasu spędzając w domu i garnąc się do siebie, jakby wciąż nie mogli się sobą nasycić.

Pewnej nocy, kiedy leżeli przytuleni w ciemności rozjaśnionej jedynie żarem kominka, Banks rzekł:

— Jedź ze mną.

Być może spała już, gdy się odezwał, z twarzą wtuloną w jego pierś i z jedną nogą przerzuconą przez jego ciało, lecz na te słowa uniosła się lekko na łokciu i spojrzała mu z bliska w oczy. Oczekiwał śmiechu, żartów, lecz otrzymał tylko to przeciągające się spojrzenie. W głębi pokoju posykując lekko dogasał żar, rzucając ostatnie krwistoczerwone błyski.

— Nie mogę — odparła po bardzo długiej chwili.

— Ależ właśnie, że możesz! — Z nagłą energią wyplątał się z jej objęć i położywszy ją na wznak, uklęknął obok. — De Commerson* tak zrobił! Zabrał swoją kochankę ze sobą, przebraną za pazia! Objechała z nim cały świat, widziała Indie, Chiny, cudowne egzotyczne miejsca...

— I wszyscy o tym wiedzą — odpowiedziała chłodno — ponieważ ją złapano. — Lecz pomimo pozorów spokoju jego energia jej się udzieliła. Uklękła naprzeciw niego.

— Mogłabyś się zaokrętować na Maderze — ciągnął zapalony do swojej wizji. — Tam nikt nie zwróciłby na ciebie uwagi. Wcześniej bym poinformował Cooka, że jeden z moich rysowników tam właśnie do nas dołączy...

— Josephie! — powiedziała stanowczo. — Kobieta na pokładzie statku... to po prostu niemożliwe... Pomyśl o tłoku, braku prywatności...

Nie dał jej skończyć.

— Tym razem będę miał dla swojej grupy znacznie większą przestrzeń, już mi to obiecano. Zażądam dodatkowej kajuty, przylegającej do mojej. Z pewnością na to przystaną... — Spojrzała ponad nim, próbując sobie wyobrazić swą osobę w obcisłym przebraniu, pozbawioną długich loków. — Pomyśl tylko! Masz okazję ujrzeć otwarty ocean, ciepłe kraje... wszystko to, o czym rozmawialiśmy... na w ł a s n e oczy! Razem ze mną stawiałabyś kroki na nie odkrytych wcześniej lądach, wypatrywała Krzyża Południa na nocnym niebie. Wdychałabyś słone powietrze niesione z wiatrem na morzach południowych. Wszystko to, co dotąd sobie tylko wyobrażałaś, o czym marzyłaś, mogłabyś zobaczyć i przeżyć... Zastanów się — ujął jej dłonie w swoje — co to oznacza.

---

* P h i l i b e r t   d e   C o m m e r s o n — królewski botanik Ludwika XV; uczestnik wypraw na Pacyfik w drugiej połowie XVIII w. (przyp. tłum.).

To niemożliwe, przekonywała się w duchu, to szaleństwo zrodzone pod zimnym niebem Anglii w ciągu zbyt długo trwającej nocy. Wpatrując się w czerwone punkciki na palenisku, oczyma wyobraźni ujrzała jaskrawe obrazy, jakie Banks przed nią roztoczył, i przez ułamek sekundy była skłonna uwierzyć, że jej najskrytsze marzenia mają szansę się ziścić. Wiedziała, że oddałaby wiele, aby ziściło się choć jedno z nich, zaryzykowałaby wszystko... Wiedziała też, że tak naprawdę ma tylko jego do stracenia i że kiedyś i tak go przecież straci...

Tydzień później pod „The Bell Post", zatłoczony zajazd na trasie między Londynem a Bath, mniej więcej pół dnia drogi od stolicy, zajechał powóz. Pojazd był niepozorny, bez herbu na drzwiach, a służący, który zeskoczył z kozła, aby pomóc wysiąść podróżującym, nie nosił liberii. Dwie postaci, jakie się z głębi powozu wyłoniły, ubrane były przyzwoicie, lecz skromnie. Drobna szlachta, ocenił właściciel zajazdu, do którego zwrócili się o osobną izbę. Dla niego liczył się ubiór, nie twarze, był zbyt zajętym człowiekiem, by zwrócić uwagę na niepokój malujący się na jednej z nich i niezwykłą bladość drugiej. Oberżystka przyjrzała im się wnikliwiej, lecz większą uwagę poświęciła roślejszemu z dwójki. Przystojny, dobrze wychowany i ma dobre oczy, uznała. Zagiąwszy na niego parol, zupełnie zignorowała jego drobnego milczącego towarzysza. Gdyby nie to, mogła była zauważyć jego zadziwiająco delikatne rysy... Chłopaka, który przytrzymał im drzwi, kiedy udawali się na posiłek, ani trochę nie interesowali goście, jakich tłumy przewijały się przez zajazd; długo jednak wspominał błyszczącą złotą monetę, jaką jeden z dziwnej dwójki wcisnął mu w dłoń.

I nikt nie zwrócił uwagi, że kiedy powóz odjeżdżał, skierował się w stronę Londynu, czyli tam, skąd przybył...

Od samego początku zdawała sobie sprawę, że ich plan to budowanie zamków na piasku. Próby, jakie przeprowadzali, poszły zbyt gładko, zbytnio zależały od braku spostrzegawczości biorących w nich udział świadków. Po pierwszej wycieczce nastąpiły kolejne, wszystkie z tym samym efektem:

nikogo nie udało się jej oszukać — jej po prostu nie zauważano. To mogło wystarczyć podczas pierwszej części podróży, na Maderę, gdyż spokojny pasażer trzymający się swej kajuty nie stanowi rzadkości i łatwo mu zginąć w tłumie jemu podobnych. Banks przekonywał ją, że jeśli nie liczyć paru zdań, kiedy będzie musiała zamówić posiłek, może zachować milczenie, i uspokajał, że obsługa statków pasażerskich popadła w taką rutynę, że ich ciekawości nie wzbudzi nawet osoba cierpiąca na ciężki przypadek choroby morskiej, a co dopiero ktoś tak spokojny jak ona. Byle tylko podróż została zawczasu opłacona, a ona nie urządzała na pokładzie fochów, wszystko będzie dobrze.

Jednakże na Maderze wszystko miało się zmienić. Od Banksa dostanie listy polecające do zasiedziałej tam od dawna rodziny Anglików, którzy z pewnością wykażą zainteresowanie niespodziewanym gościem. Nawet jeśli w oczekiwaniu na przybycie Banksa na „Resolution" będzie oddawać się zbieraniu roślin na pobliskich wzgórzach, nie sposób uwierzyć, że jej obecność przejdzie nie zauważona. W głębi duszy była przekonana, że plan się nie powiedzie, i po tysiąckroć przeżywała wstyd i upokorzenie, jakie ją czekają, kiedy zostanie zdemaskowana. Nie wiedziała jedynie, jaką przybiorą formę. Zważywszy na listy polecające, które przedstawi, z pewnością nie zostanie ośmieszona publicznie. Ci, którzy się zorientują co do jej fałszywej tożsamości, przestaną z nią rozmawiać, za to będą sobie używać za jej plecami. Na samą myśl, że stanie się pośmiewiskiem, zatrzęsła się ze strachu, lecz zaraz uświadomiła sobie, że przecież drwiny nie wyrządzą jej żadnej wymiernej szkody. Oczywiście nie będzie mogła wtedy kontynuować ich planu i pierwszym statkiem wróci do Londynu. Miała nadzieję, że jeśli uda się jej zachować anonimowość do samego końca, Banksowi także nie stanie się krzywda. Ona zaś będzie bogatsza o doświadczenie tej krótkiej podróży, a rysunki, jakie zrobi podczas badania zamorskiej flory, zawsze będą jej o nim przypominały.

Ale nawet jeśli nikt mnie nie zdemaskuje na Maderze, i tak nie zdołam się zaokrętować na „Resolution", analizowała dalej swoje szanse. Wiedziała z opowiadań Josepha, że kapitan Cook nie jest głupcem, wiele słyszała o bystrości jego umysłu i przenikliwym spojrzeniu. Prędzej czy później pozna prawdę — i co wtedy? Jeśli dojdzie do tego, nim wyprawa ruszy w nieznane, będzie jeszcze czas się wycofać, choć najem się przy tym sporo wstydu, przewidywała. Najważniejsze jednak, by Josephowi udało się naprawić szkodę i żeby mógł kontynuować podróż. Z pewnością obróci całą sprawę w żart, a po trzech latach niebezpiecznej podróży nikt nie będzie o mnie pamiętał. Największą obawą napawała ją możliwość, że zostanie odkryta na pełnym morzu; czy zdoła to znieść? Nie dość, że zostanie potwornie upokorzona, to na domiar złego nie będzie miała jak stamtąd uciec. Pomimo przerażenia, jakie czuła na samą myśl o podobnej sytuacji, częścią swego jestestwa radowała się, że wciąż będzie na pokładzie, kiedy statek przetnie równik i kiedy w końcu zawiną do Rio de Janeiro. Cook prawdopodobnie będzie nalegał, bym tam zeszła na ląd, lecz moje marzenie już się ziści...

Było jeszcze coś, co wzbudzało w niej dodatkowy dreszczyk emocji, a czego nawet nie próbowała wyjaśniać Banksowi: podczas podróży na Maderę i już na samej wyspie będzie s a m a. Bez przyzwoitki i towarzysza, zdana tylko na siebie. Perspektywa niezależności, jakiej by nigdy nie doświadczyła zostając w Anglii i dożywając choćby setki, zawróciła jej w głowie. Szyderstwo, drwina, pogarda, niesmak nawet — zabolą, lecz jej nie zranią. Po powrocie ból zniknie bez śladu, ona zaś na zawsze zachowa w pamięci to, po co odważyła się sięgnąć i co za własną sprawą otrzymała.

Banks nie dzielił włosa na czworo. Połączenie miłości i optymizmu bywa niebezpieczne; wciąż lekko otumaniony uczuciem, które spadło na niego tak niespodzianie, jak i własnym sukcesem odniesionym podczas pierwszej wyprawy, wierzył, że jego plan nie zawiedzie. Rzeczywistość miała dlań mniejsze znaczenie od zawziętej determinacji, by pokonać każdą przeszkodę. Lecz i jemu zdarzały się chwile zwątpienia. Podczas nocy spędzanych razem z nią budził się zlany potem, w panice, pełen obaw, że odeszła. Odnalazłszy ją w ciemności, obserwował jej rysującą się pod kołdrą sylwetkę, wytężając wzrok, by dostrzec ledwie zauważalny miarowy ruch jej unoszonych oddechem piersi. Ogarniała go niezwykła czułość, a cały plan uważał w takich chwilach za nie najlepszy żart. Zgodziła się spełnić mój kaprys... co za egoizm z mojej strony... żądać, by udała się w samotną, a potem pełną niebezpieczeństw podróż, wyrzucał sobie w duchu, przyrzekając, że z samego rana poinformuje ją o zmianie decyzji. Wszakże gdy sen powracał, jego obawy topniały, a najważniejsza stawała się bliskość jej ciała. Na krawędzi snu i jawy przypominał sobie jej odwagę, wyjątkową wręcz śmiałość, i przepełniała go duma; kiedy zasypiał, pozwalając myślom biec własnym torem, po niepokoju nie zostawał nawet ślad.

Choć starał się przyjeżdżać do Richmondu tak często jak to możliwe, wiosną coraz trudniej było mu się wyrwać z londyńskiego zgiełku; przygotowania do drugiej wyprawy absorbowały go o wiele bardziej niż te sprzed czterech lat i niżby sobie obecnie życzył. Tak, wtedy nie ciążyło mu doświadczenie ani niezliczeni botanicy, systematycy, filozofowie, księża, zegarmistrzowie, kupcy kolonialni, wynalazcy, artyści, spekulanci, handlarze, krawcy, żebracy i pełni nieuzasadnionego optymizmu wydziedziczeni synowie. Każdy z nich powoływał się na nieistniejących wspólnych znajomych, chciał dorzucić swoje trzy grosze do planów wyprawy, służyć radą, zaprezentować swoje talenty lub prosto z mostu żądał podwyżki, awansu bądź zatrudnienia. Najbardziej zaś martwiło Banksa to, że plany, jakie miał co do własnej grupy, a zwłaszcza zakwaterowania na statku, nie szły po jego myśli.

Intuicyjnie czuł, że na przeszkodzie stanął mu Cook. Przed pierwszą wyprawą kapitan uparł się, by wypłynęli nie na zwykłym liniowcu jak Pan Bóg przykazał, lecz na pękatym „kocie Whitbych" — węglowcu o mocnej konstrukcji, lecz płytkim zanurzeniu, statku równie wolnym co stabilnym. „Endeavour" spisał się dobrze, ale z natury rzeczy węglowce były małe, a co za tym idzie, nie mogły zabrać na pokład wielu ludzi. Dla planów Banksa, zarówno naukowych, jak i osobistych, zwykły węglowiec okazał się niewystarczający. Admiralicja, przekonana o wadze drugiej wyprawy, była gotowa zaoferować Cookowi statek większy, gdyby tylko o niego poprosił, ten jednak odmówił dowodzenia fregatą i pozostał przy wypróbowanym węglowcu. Frustracja Banksa spowodowana decyzją dowództwa objawiła się w zrzędliwych listach wystosowanych do Admiralicji, w których wciąż przekonywał, jak kluczowe dla powodzenia całej wyprawy jest umożliwienie mu, by mógł zabrać ze sobą tylu towarzyszy, ilu pierwotnie zamierzał, i umieścić ich w odpowiednich warunkach. Jako że ze zdaniem Josepha Banksa powszechnie się liczono, Admiralicja wyraziła zgodę, aby „Resolution" został zaadaptowany do jego potrzeb. Na statku miało znaleźć zakwaterowanie więcej osób, aniżeli dopuszczała to jego pierwotna budowa.

Mimo że Banks w pewnym sensie odniósł zwycięstwo, długo czuł się urażony w swej ambicji, że nie wysłuchano jego sugestii jak należy. Dodatkowo cała ta sprawa spowodowała pogorszenie stosunków panujących między nim a Cookiem, co było dlań o tyle bolesne, że kapitana szanował i nigdy wcześniej nie miał z nim najdrobniejszego zatargu. Uleciała gdzieś jego pewność co do tego, że kiedy poinformuje Cooka o jeszcze jednym członku załogi mającym się zaokrętować na Maderze, jego prośba spotka się z życzliwością. Wszakże krążąc w zdenerwowaniu po swym domu przy New Burlington Street, Banks wiedział, że jego wzburzone uczucia biorą się skąd indziej. Zasadniczość i stuprocentowa uczciwość Cooka, których Banks nie po raz pierwszy był świadkiem, uświadomiły mu, jak wielkim szacunkiem darzy swego kapitana. Nie mógł pogodzić się z tym, że zamyśla go oszukać — w najlepszym razie, w najgorszym zaś postawić w żenującej sytuacji, która wprawi go w słuszną złość. Przyjaciele Banksa znali go jako śmiałka i lekkoducha, kobieta w Richmondzie widziała w nim człowieka pełnego pasji, jednakże kapitan Cook ze swymi ideałami przywództwa i uczciwości potrącał w jego duszy zupełnie inną strunę i nijak do niej nie pasowało podstępne wprowadzenie kochanki na pokład. Im większą winę w związku z tym Banks odczuwał, tym bardziej irytowały go niezaprzeczalne zalety Cooka i tym bardziej zajątrzał się ich konflikt.

Paradoksalnie, kiedy Banks zaczął się wahać, ona nabrała większej pewności. Latem, kiedy dni stały się długie i upalne, noce zaś krótkie i duszne, potwierdzono jej przejazd na Maderę, dopilnowano także strony finansowej przedsięwzięcia i zakwaterowania na miejscu. Na jej oczach fantazja przeobrażała się w rzeczywistość, żyjącą własnym życiem i kierującą się własnymi zasadami. W pamięci bez końca powtarzała kolejne etapy podróży: powóz zawiezie ją do Southampton, tam wejdzie na pokład statku o dźwięcznej nazwie „Robin". Równocześnie ćwiczyła nowy krok, głos, nowe nazwisko. Powtarzając w myśli swoją rolę, robiła wszystko, by ogarniający ją raz po raz strach nie zdołał jej sparaliżować. W tym czasie w Londynie wymagano stałej obecności Banksa, toteż jego wizyty niemal ustały. To dało jej pojęcie o tym, jak wyglądałaby jej ostoja w Richmondzie, gdyby tylko on udał się na wyprawę. Dyskrecja rychło by się przedzierzgnęła w odosobnienie, radosną tajemnicę zastąpiłaby obezwładniająca duszność. Im dłużej nad tym rozmyślała, tym większej nabierała pewności, że za nic w świecie nie może zostać sama. Coraz mniejsze znaczenie miały strach i obawa co do przyszłości, byleby tylko nie przyniosła ona samotności.

Na tydzień przed planowanym dniem wyjazdu przebrała się w swój nowy kostium i wyślizgnęła wieczorem z domu. Uliczki Richmondu były spokojne, lecz gdzieniegdzie wciąż kręcili się ludzie, oświetlani gasnącymi promieniami słońca, na których tańczyły drobinki kurzu. W domach zapalały się światła, podobnie jak w tawernach przycupniętych nad rzeką. Tafla Tamizy w spokojnym powietrzu wyglądała jak gładkie szkło, w którym odbijała się czerń. Spacerowała godzinę z okładem, żegnając się z okolicą, którą zdążyła polubić. Doszedłszy do ostatnich zabudowań na końcu alei, przystanęła wystawiając twarz do wiatru i spojrzała na zaciągnięte chmurami niebo. Poczuła się bardzo mała, bardzo samotna i bardzo, ale to bardzo wystraszona. Nagle silniejszy podmuch wiatru przegonił chmury zakrywające księżyc, a widok, który ukazał się jej oczom, tak ją zachwycił, że aż wciągnęła głęboko powietrze. Wypuszczając je powoli z płuc miała wrażenie, że niebo się nad nią pochyliło.

Kiedy trzy dni później galopował w stronę Richmondu, był zdecydowany. Podniecenie, jakie towarzyszyło ich przygotowaniom do wyjazdu, trwało zbyt długo i napięcie zaczęło dawać o sobie znać. Tę noc mieli spędzić wspólnie po raz ostatni — w Anglii. Nazajutrz wyjeżdżała do Southampton. Wszelako Banks jeszcze dziś chciał jej powiedzieć, że nie wolno jej z nim jechać; jeśli będzie trzeba — zabronić jej tego kategorycznie. Cały plan był wytworem jego wyobraźni i tylko on ponosi winę za rozbudzone w niej nadzieje: będzie ją błagał o przebaczenie i prosił o jeszcze jedną szansę. Wspólnie zbudują swą przyszłość po jego powrocie. Podjęta po długim namyśle decyzja sprawiła, że kamień spadł mu z serca.

Na miejscu wyszła mu na spotkanie poważnolica Martha, która bez słowa wręczyła Banksowi liścik napisany tak dobrze mu znanym pochyłym charakterem pisma.

Najdroższy!
Wybacz mi. Jeszcze jedna noc w Twych ramionach, a zmienię zdanie; przy Tobie tak łatwo być wystraszoną kobietą. Gdy jestem sama, nie mam innego wyjścia, jak tylko być odważną. Wiem też, że przytulając mnie dziś w nocy, zabroniłbyś mi jechać z Tobą. Zatem podjęłam tę nieoczekiwaną dla Ciebie decyzję i opuściłam Richmond o dzień wcześniej, czując, że tak właśnie muszę zrobić. Będę na Ciebie czekać na Maderze. Do zobaczenia.

Nie było podpisu, ale na samym dole strony mniej pewnymi literami dopisała w ostatniej chwili:

Dookoła panują ciemności, a w złowieszczym szumie wiatru słyszę niepokój. Boję się. Cokolwiek się wydarzy, zawsze będę o Tobie myśleć. Proszę, myśl o mnie, jeśli potrafisz.

13

Nazwa czy nazwisko?

Podejmując decyzję o zatrzymaniu się w tym samym co ostatnio hotelu, miałem nadzieję pokrzyżować Karlowi Andersonowi szyki. Naiwnie myślałem, że w ten sposób dam mu do zrozumienia, jak bardzo pewien swego jestem, co moim zdaniem miało zaowocować błędem z jego strony. Nie wziąłem pod uwagę, że sam zostanę wprowadzony w pomieszanie.

Gdy tylko mnie zobaczył, wstał i wyszedł mi na spotkanie z wyciągniętą do uścisku do dłonią. Idąc w jego stronę zauważyłem, że prezentuje się tak samo nieskazitelnie jak zawsze: okaz skandynawskiego zdrowia i niezachwianej pewności siebie, odziany w idealnie skrojony garnitur, w którym było mu zadziwiająco do twarzy. Jego perfekcyjny wygląd zaczynał mi działać na nerwy.

— O, pan Fitzgerald! — ucieszył się na mój widok. — Rzuciło nam się w oczy pańskie nazwisko w księdze meldunkowej... Witam! — potrząsał moją ręką energicznie, jakby to on był właścicielem hotelu. Kto wie, może i był.

— Cześć, Fitz — Gabby również wstała — cieszę się, że na siebie wpadliśmy.

— Myślałem, że jesteś w Londynie — odparłem na to, za wszelką cenę nie chcąc okazać po głosie zdziwienia, które z pewnością wymalowane było na mojej twarzy.

Anderson pośpieszył załagodzić nie narodzony jeszcze konflikt.

— Przedzwoniłem dziś do Gabrielli i zaprosiłem ją na małą uroczystość. Mam przeczucie, że ten tydzień przyniesie sukces...

Gabby płynnym ruchem dotknęła jego ramienia.

— Karl sądzi, że udało mu się znaleźć ptaka — przeniosła wzrok na mnie. Oczy miała jak zwykle piękne. I jak zwykle nie sposób było odczytać, co mówią.

Anderson uniósł rękę, gestem dając znać kelnerowi, że prosi o jeszcze jeden kieliszek, po czym położył mi dłoń na plecach i poprowadził do stolika, przy którym siedzieli, kiedy wszedłem.

— Napijmy się — powiedział, wolną ręką wskazując szampana. — Przyzna pan, że odnalezienie tak rzadkiego okazu to dobra okazja do małej uroczystości... — uśmiechnął się do mnie zachęcająco.

— Widział go pan? — spytałem wyprężony jak struna pod jego dotykiem.

— Jeszcze nie... — uśmiech ani na moment nie opuścił jego twarzy. — Ale mam zamiar.

— Ach tak — z westchnieniem ulgi opadłem na przepastny fotel. — Zatem wciąż jest szansa...

— Szansa? — Anderson udał zdziwienie. — A, rozumiem! Parę minut temu miałem przyjemność zderzyć się w holu z pańską uroczą towarzyszką... — Zwrócił się wyjaśniająco do Gabby: — Na imię ma zdaje się Katya... — I znów patrząc na mnie, kontynuował: — Z tego co widzę, przeprowadzaliście badania na własną rękę...

— Sprawdziliśmy jeden czy dwa tropy — wtrąciłem.

— Związane z listami Fabriciusa? — Nonszalancja Andersona wyprowadziła mnie z równowagi. W duchu zakląłem na nieostrożność Katii, która radośnie zwierzyła mu się z celu swej wyprawy do Danii; no ale trudno winić dziewczynę, że uległa jego legendarnemu urokowi. — Mogę pana zapewnić, że donikąd was nie zaprowadzą. Kochanka Josepha Banksa itede... — ciągnął. — Wszystko to zdążyłem już posprawdzać. Gdyby wcześniej podzielił się pan ze mną swymi przypuszczeniami, zaoszczędziłbym wam zachodu, to wszystko ślepe uliczki. Widzi pan — nachylił się lekko ku mnie — ja wiem, gdzie dokładnie znajdował się Ptak z Uliety na przełomie wieków i dokąd prawie na pewno powędrował później. Proszę nie zapominać, że od miesięcy pracuje nad tym cały sztab ludzi... Właśnie dziś jeden z nich rozmawiał z farmerem, którego rodzina niegdyś żyła w tych okolicach. Wygląda na to, że już wkrótce będę w stanie pokazać panu ten egzemplarz.

— A obrazy? — spytałem, nie spuszczając z niego wzroku.

— Obrazy? — uśmiechnął się do Gabby. — A, chodzi panu o prace Roiteleta. Z pewnością wybaczy mi pan, że nie wspomniałem o nich wcześniej, ale jak pan zapewne wie, są warte fortunę, toteż im mniej ludzi o nich wie, tym lepiej.

— I nadal sądzi pan, że będą w tym samym miejscu co ptak?

— Mam taką nadzieję. Proszę pamiętać, że nigdy nie wystawiono ich na sprzedaż ani nawet nie wspomniano o nich. To może oznaczać, że znajdują się wciąż tam gdzie przedtem, czyli w gablocie z Ptakiem z Uliety. Finchley, który ostatni widział je w dziewiętnastym wieku, twierdził, że są dobrze ukryte. Oczywiście może się także okazać, że to wcale nie prace Roiteleta, ale raczej wierzyłbym plotkom i Finchleyowi... Zresztą już jutro przekonam się na własne oczy, a do tego czasu pozostaję dobrej myśli.

— Wszystko pięknie — powiedziałem, przytrzymując mu rękę, którą podnosił do ust kieliszek — tylko dlaczego włamał się pan do mojego domu? — bezpośredniość tonu głosu, jakim się odezwałem, niemile zazgrzytała w atmosferze wzajemnych grzeczności i uśmiechów; Anderson nie mógł mieć wątpliwości co do uczuć, jakie doń żywiłem. Zerknął na mnie nerwowo i chciał coś powiedzieć, ale nie dałem mu dojść do słowa. — A jeśli nie pan osobiście, to któryś z pana ludzi? Po namyśle dochodzę do wniosku, że przecież nie pobrudziłby pan sobie rąk... Szkoda, że nie poprosił ich pan, by zostawili większy porządek; nie było potrzeby rozrzucać notatek po całym domu.

Ostatnie słowa wyraźnie go poruszyły.

— Ktoś przeglądał pańskie notatki? — zapytał.

— Proszę nie udawać, dobrze pan o tym wie!

Popatrzył wymownie na moją dłoń spoczywającą na jego przegubie, po czym podniósł wzrok i spojrzał mi prosto w oczy.

— Daję panu swoje słowo, panie Fitzgerald, że nie miałem z tym nic do czynienia.

Mierzyliśmy się wzrokiem przez parę sekund, potem cofnąłem rękę.

— W takim razie kto miał?

Odpowiedzi udzieliła mi Gabby.

— Przecież Karl mówił ci, że ptakiem interesuje się więcej osób... Do twojego domu włamał się pewnie...

W tym momencie Anderson zauważył coś za moimi plecami i gwałtownie poderwał się na nogi. Obróciwszy się dostrzegłem przyobleczoną na czarno sylwetkę osoby o bardzo ciemnych włosach: Katya stała w drzwiach baru, wahając się, czy wejść do środka, czy też raczej nie. Anderson zawołał do dziewczyny po szwedzku czy norwesku i zamachał do niej, czym zwrócił jej uwagę. Gdy podeszła, dodał po angielsku:

— Proszę się do nas dosiąść. Zaraz otworzymy następną butelkę... — już rozglądał się za kelnerem.

Nie mogę powiedzieć, że ten wieczór należał do najbardziej udanych w moim życiu, ale Anderson zdawał się dobrze bawić. Przezornie unikał tematu Ptaka z Uliety, częstując nas dykteryjkami z czasów, gdy jako młody paleontolog pracował w Ameryce. Poznać było, że raczy nimi słuchaczy nie po raz pierwszy, ale nawet ja musiałem przyznać, że były nie najgorsze, no i szczerze ubawiły Katię. Kiedy rozmowa zeszła na bardziej ogólne tematy, zwrócił się bezpośrednio do niej z jakimś pytaniem tyczącym Szwecji, co zostawiło mnie i Gabby samym sobie. Uczucie bliskości, jakiego doświadczyłem podczas naszego poprzedniego spotkania, gdzieś uleciało, nie było już między nami tego porozumienia dusz, a rozmowa wyraźnie się nie kleiła w towarzystwie tamtej dwójki. Spojrzenie Gabby raz czy dwa zatrzymało się na Katii, jakby była ciekawa, jaka jest rola dziewczyny w poszukiwaniach bądź moim życiu.

Wkrótce Anderson zaproponował, abyśmy wszyscy razem zjedli kolację, ale że miałem go już serdecznie dosyć, wymówiłem się wcześniejszą rezerwacją dla siebie i Katii w innej restauracji. Kiedy wyszliśmy z baru i już wkładaliśmy płaszcze, musiałem się Katii przyznać, że była to niezupełnie prawda.

— Po prostu nie chciałem na cały wieczór utknąć w towarzystwie Andersona — wyjaśniłem jej.

Rzuciła mi dziwne spojrzenie.

— Mnie wydał się całkiem miły. A do tego jest zabawny.

— Podoba ci się?

— Jest interesujący — odparła. — Zupełnie inny, niż go sobie wyobrażałam. — Ująwszy moje ramię, lekko je ścisnęła, po czym poprowadziła wąską uliczką, przy której znajdowała się znana nam już restauracja. — Ale jest też typem zwycięzcy. Nie jestem pewna, czy to mi się w nim podoba...

Przez chwilę szliśmy w milczeniu, aż wreszcie nie wytrzymałem.

— Nie sądziłem, że mu powiesz o listach Fabriciusa. Myślałem, że to nasza tajemnica.

Chyba ją zraniłem tym podejrzeniem.

— To j e s t nasza tajemnica. Jemu powiedziałam tylko, że przeglądałam te listy, a nie co w nich znalazłam.

— A jednak on to wiedział. I powiedział, że to kolejna ślepa uliczka.

Zatrzymała się raptownie, na samym środku pustej o tej porze jezdni, i popatrzyła na mnie sceptycznie.

— Mówiłeś Gabrielli?

— Gabby — bezwiednie się zaczerwieniłem na wspomnienie tamtego wieczoru w restauracji, kiedy wino lało się szerokim strumieniem...

Katya spojrzała na mnie koso, po czym wzruszyła ramionami i kontynuowała wędrówkę. Kolacja niezbyt nam się udała.

Nazajutrz zjawiliśmy się w archiwum zaraz po otwarciu.

— Ludzie, których nazwiska zaczynają się na „b", dobrze pamiętam? — zapytała mnie z uśmiechem sympatyczna urzędniczka w okularach, która najwyraźniej miała doskonałą pamięć wzrokową.

— Nie tym razem — odparłem. — Dziś interesują nas tylko ludzie o nazwisku Burnett.

Skinęła głową z aprobatą.

— A kto konkretnie?

— Zaczniemy od Mary Burnett, a potem zobaczymy.

Moja zdawkowa odpowiedź bynajmniej nie miała posłużyć zbyciu miłej okularnicy; taki właśnie mieliśmy z Katią plan, i chociaż nie przedstawiał się on imponująco, zwłaszcza w świetle ostatniego spotkania z Andersonem, ja wciąż żywiłem nadzieję, że jego przechwałki były na wyrost, a rzekomo nieomylna sieć informatorów jednak go zawiodła.

Kiedy zajęliśmy miejsca przy wyznaczonym stanowisku, Katya z mety rzuciła się w wir pracy, a ja ze smutkiem pomyślałem, że gdzieś naderwała się łącząca nas wcześniej cienka nić porozumienia. Westchnąwszy w duchu, skoncentrowałem się na stojącym przed nami zadaniu. Jeszcze raz pokazałem Katii to, co udało mi się odkryć podczas mojej pierwszej wizyty.

— Dobra — zareagowała żywo — jeśli ta Mary Burnett, którą podejrzewamy, rzeczywiście jest naszą Panną B., powinna zostać sierotą, zanim Banks powrócił do Anglii. Z tego co mówisz, wiadomo, że jej ojciec zmarł, ale co stało się z matką?

Odszukawszy właściwe rolki mikrofilmu, przewijaliśmy je powoli, prześlizgując się wzrokiem po zapiskach parafialnych.

— Nic. — Katya podsumowała nasze wysiłki. — Czyli znów się pomyliliśmy?

— Niekoniecznie — zaprzeczyłem słabo. — Mogła umrzeć gdzie indziej. Albo pochowano ją gdzieś poza Revesby... możliwości jest wiele.

— Ale, ale — ożywiła się Katya, która także nie chciała dać za wygraną. — Zakładając, że tajemnicza kochanka Banksa faktycznie nazywała się Mary Burnett, i skoro pochodziła z Revesby, to przecież mogła tutaj wrócić. Kiedy już zakończył się jej romans z Banksem? — popatrzyła na mnie pytająco.

Wolno pokiwałem głową.

— Hmm... Trochę to naciągane, ale czemu nie? Mogła tutaj wyjść za mąż... albo nawet umrzeć. — Rozpoczęło się długie i mozolne szperanie w archiwach: przejrzeliśmy księgi małżeństw zawartych w Revesby w ciągu kolejnych czterdziestu lat i księgi zgonów do połowy następnego wieku, nigdzie jednak nie natknęliśmy się na nazwisko Mary Burnett. Później, chyba licząc na cud, zaczęliśmy nie mniej skrupulatnie przeglądać księgi okolicznych parafii. Poszukiwania zajęły nam, jeśli nie liczyć krótkiej przerwy na lunch, prawie cały dzień. O trzeciej daliśmy za wygraną i przecierając zmęczone oczy, spojrzeliśmy na zawieszoną na przeciwległej ścianie mapę hrabstwa. — Nie wiedziałem, że jest takie duże — powiedziałem zmęczony.

— I że składa się z tylu parafii — dodała Katya.

— A dlaczego mielibyśmy ograniczać się do hrabstwa Lincoln? Mogła przecież wyprowadzić się w okolice Norwich albo Yorku...

W ciągu godziny zaczęły nam łzawić oczy od ciągłego wślepiania się w migoczący ekran, a lista Burnettów, jaką sporządziliśmy, miała coraz mniej sensu, nie mówiąc już o tym, że nigdzie nie znaleźliśmy wzmianki o Mary Burnett, córce Richarda i Elizabeth, urodzonej 29 września 1753 roku. Na pół godziny przed zamknięciem archiwum poddaliśmy się, by zdążyć usystematyzować notatki. Przy recepcji Katya przeprosiła mnie na chwilkę i zniknęła w toalecie, a ja czekałem na nią z wypisaną widać na czole klęską, skoro miła urzędniczka przerwała pakowanie się i spytała współczująco:

— I tym razem się nie udało?

— Niestety nie. Zdołaliśmy wyszperać paru Burnettów, szkoda tylko, że nie tych co trzeba.

Kobieta rozejrzała się po pustoszejącej czytelni.

— Przychodzi do nas regularnie pewien pan, który opracowuje drzewo genealogiczne swej rodziny — zaczęła. — Nie dawniej niż wczoraj mówił mi, że szuka między innymi Burnettów, i gdyby się był pojawił, szepnęłabym mu słówko, ale jak na złość dzisiaj nie przyszedł. Gdyby jednak spróbowali państwo jutro... — zawiesiła głos. — Na imię ma Bert, a znają go wszyscy nasi stali bywalcy.

Rozmowę przerwała Katya, która nagle nabrała animuszu. Umówiliśmy się, że do siódmej spędzimy czas na własną rękę, a potem się spotkamy i postaramy ułożyć wszystko w jakąś logiczną całość. Katya wyszła, nie czekając na mnie; zanim zamknęły się za nią masywne drzwi, zobaczyłem jeszcze, jak wtula twarz głębiej w kołnierz płaszcza i niknie w mroku. Przeszła zaledwie parę kroków, po czym odwróciła się, jakby poczuła moje spojrzenie, i uniósłszy dłoń nieśmiało do mnie pomachała. Chwilę potem już jej nie widziałem.

Ten drobny gest podniósł mnie na duchu i już byłem gotów stawić czoło paskudnej aurze i ciemności na zewnątrz, kiedy znów podeszła do mnie pracownica archiwum.

— Przepraszam najmocniej — powiedziała, wciskając mi do ręki skrawek papieru. — Może to się na coś panu przyda — to mówiąc puściła do mnie oko i czym prędzej się oddaliła.

Na kartce, kiedy ją rozłożyłem, znalazłem nazwisko „Bert Fox", a obok niego wykaligrafowany numer telefonu.

Los uśmiechnął się do Dziadka tak późno, że nieomal z a późno. Zbyt wiele czasu spędził snując się po stolicy i tracąc dobre imię, tak że w końcu przedzierzgnął się w zgryźliwego uparciucha. Kiedy w „Explorer's Club" świętował nadejście 1933 roku, mijało właśnie siedemnaście lat od dnia, gdy Chapin znalazł nieszczęsne piórko — i przez tyle samo lat Dziadek dzień w dzień obawiał się, że kto inny odkrył j e g o pawia. Wkrótce potem, w tym samym klubie, przedstawiono go pochodzącemu z Południowej Afryki niejakiemu Myersonowi, który zbił majątek na górnictwie. W kurtuazyjnej rozmowie Dziadek dowiedział się, że Myerson jest zapalonym kolekcjonerem rzadkich ptaków.

Nie mając nic lepszego do roboty, postanowiłem zadzwonić pod numer, który otrzymałem w tak nieoczekiwanych okolicznościach. Ze słuchawką przyciśniętą kurczowo do ucha wysłuchałem trzech czy czterech sygnałów i wreszcie usłyszałem męski głos.

— Halo? — zacząłem, uświadomiwszy sobie poniewczasie, że nie przygotowałem żadnej mowy. — Czy to Bert Fox?

— Taa... — potwierdził burkliwie, ale chyba nie wrogo.

— Proszę posłuchać... Pan mnie nie zna, nazywam się Fitzgerald. Cały dzień spędziłem w archiwum miejskim i od urzędniczki dostałem pański numer telefonu... Być może jest pan w stanie mi pomóc. Próbuję odszukać kogoś o nazwisku Burnett.

— To musiała być Tina — skomentował. — Tylko jej mówię, nad czym w danym dniu pracuję. O którego Burnetta panu chodzi?

Powiedziałem mu, że poszukuję kobiety, która mieszkała w Londynie w latach siedemdziesiątych osiemnastego wieku i prawdopodobnie urodziła się w Revesby jako Mary Burnett. Wysłuchał mnie uprzejmie, nie przerywając, ale kiedy skończyłem, wymruczał coś w rodzaju przeprosin.

— Nie wydaje mi się, bym był w stanie panu pomóc — rzekł. — Revesby to raczej nie mój teren.

— Będę wdzięczny za informacje o jakichkolwiek Burnettach żyjących w hrabstwie Lincoln...

Przez chwilę myślał, posapując lekko w słuchawkę.

— No dobrze... Skoro chce pan pogadać o drzewach genealogicznych, zapraszam. Jestem w domu przez cały wieczór.

Bert Fox mieszkał parę przystanków autobusem od archiwum miejskiego, na ulicy, przy której ciągnęły się trzypiętrowe domki z czerwonej cegły wybudowane w początkach dwudziestego wieku. Ogródki frontowe zarastały gęste żywopłoty poprzetykane złotokapami i gdzieniegdzie cisami, których gałęzie były wciąż mokre od niedawnego deszczu. Kiedy znalazłem właściwy numer domu, musiałem ominąć wiekowego forda stojącego na podjeździe; drugiego, pozbawionego kół i rozkraczonego na cegłach, dostrzegłem przez otwartą bramę garażu. Zadzwoniwszy do drzwi próbowałem wyobrazić sobie gospodarza na podstawie głosu, jaki usłyszałem przez telefon, jednakże rzeczywistość przeszła moje najśmielsze oczekiwania. Na progu pojawił się mężczyzna wysoki i żylasty, choć nieco przygarbiony, o wysokim czole i tej niewielkiej ilości włosów, jaka mu pozostała, związanej z tyłu w długi srebrny koński ogon. Ubrany był w luźną, pozbawioną kołnierzyka białą koszulę oraz brązową kamizelkę, a twarz pobruździły mu

liczne linie sugerujące, że równie często się uśmiecha, jak marszczy brew. Zwróciłem też uwagę na jego dłonie, upstrzone ciem-
nymi plamami po atramencie lub oleju.

— To pan jest tym gościem od Burnettów? — spytał,
zapraszając do środka. — Jestem trochę zajęty, ale mogę
z panem pogadać.

Na pierwszy rzut oka pokój, do którego mnie wprowadził,
sprawiał wrażenie pogrążonego w zupełnym chaosie. Cały
był zapchany stolikami i półkami, na których tłoczyły się
staromodne gramofony, pomiędzy nimi zaś, tak na stołach, jak
na podłodze, walały się śrubki i korbki, i pogięte kawałki
metalu o najdziwniejszych kształtach. Mniej więcej na środku
pomieszczenia stały prostopadle do siebie trzy zapadnięte
sofy, na których oczywiście spoczywała kolejna porcja części
mechanicznych, wokół nich zaś poustawiano chwiejne sterty
płyt gramofonowych w charakterystycznych białych koper-
tach. Większość pokoju spowijał półmrok, jedynie umieszczony centralnie stół był rzęsiście oświetlony przez reflekto-
rową lampę. Domyśliłem się, że moje najście przerwało pracę
Berta nad rozłożonym tam, na czynniki pierwsze gramofonem.

— Tym się zajmuję — oznajmił. — Gramofonami. Zdzi-
wiłby się pan, gdyby pan wiedział, ile mam pracy. — Wskazał
na części na stole roboczym. — Jeden gość przywiózł go aż
z Kentu... Proszę siadać — powiedział nachylając się nad
sprzętem.

Wypatrzyłem wolny kawałek miejsca na sofie i przysiadłem tam ostrożnie, mimo to mój ruch spowodował, że umiesz-
czona na podłokietniku płyta zjechała mi na podołek.

— Siedemdziesiątka ósemka — zauważyłem, zerknąw-
szy na kopertę.

— Tak jak wszystkie — zatoczył ręką koło. — Najlepszy
dźwięk. Ale można go odsłuchać tylko na którymś z tych...

Pozwoliłem mu wygłosić pean na cześć starych dobrych
metod zapisywania dźwięku; palił przy tym jak smok i od
czasu do czasu wybierał którąś z metalowych części i niby od
niechcenia wkładał ją do wybebeszonego gramofonu stojącego
przed nim.

MARTIN DAVIES

— Zatem — w pewnym momencie postanowiłem delikatnie zmienić temat — pracuje pan nad drzewem genealogicznym rodziny...

Przytaknął skinieniem głowy, nie wyjmując papierosa
z kącika ust.

— Taa... — odezwał się swym zwykłym burkliwym głosem. — Robię to ze względu na mamę. Ona wprost przepada
za takimi rzeczami. Ma dobrze po dziewięćdziesiątce... ale
świetnie się trzyma. — W głowie czym prędzej dokonałem
obliczeń jego wieku. Z początku dawałem mu góra sześćdzie-
siąt lat, ale teraz zrozumiałem, że musiał być starszy, być może
miał na karku nawet siedemdziesiątkę. — Nie powiem, żeby
i mnie nie sprawiało to pewnej frajdy — ciągnął. — Widzę
nawet swoiste podobieństwo — znów pokazał na leżący przed
nim gramofon. — I tu, i tam chodzi o to, by poukładać części
we właściwym porządku. No i znaleźć to i owo, żeby zapełnić
luki...

— A o co chodzi z tymi Burnettami? Byli pańską rodziną?

— Ze strony taty — odpowiedział, grzebiąc w stercie
metalowych części na stole. — Najpierw zająłem się krew-
nymi po kądzieli — uśmiechnął się półgębkiem — to było
łatwiejsze. Głównie miejscowa szlachta, rozumie pan, łatwo ich było wyśledzić — rzucił na mnie okiem — co nie
znaczy wcale, że już skończyłem... Zawsze można iść
jeszcze dalej wstecz, prawda? Albo dla odmiany rozrysować
drzewo wszerz. No i zawsze trafi się ktoś, kogo trudniej
znaleźć... — w tym miejscu zawiesił głos, jakby dając mi
możliwość opowiedzenia swojej historii, a ja skwapliwie
z niej skorzystałem. Podzieliłem się z nim swoją nad wyraz
skromną wiedzą na temat Mary Burnett z Revesby i wspomniałem o moich i Katii bezskutecznych próbach natrafie-
nia na jej ślad w lokalnym archiwum. Wysłuchawszy mnie
uważnie, potrząsnął głową. — Chyba jednak na nic się
panu nie przydam — burknął. — Osiemnasty wiek to znacznie wcześniej, niż mnie udało się dotrzeć, a poza tym Revesby
to naprawdę nie moja część hrabstwa. Moja rodzina wywo-
dzi się z północy, z drugiej strony Lincolnu... Mary Burnett

218

— powtórzył z chmurną miną. — Nie, chyba nigdy się na nią nie natknąłem.

— Zatem to pański dziadek ożenił się z jakąś Burnett-ówną?

— Y-y — pokręcił głową, zaciągając się mocno papierosem. — To stało się dawniej. — Wstał i przeszedł po notatki. — Proszę spojrzeć. Na samej górze jestem ja, rocznik 1925, potem mój tata i dziadek — mówiąc pokazywał palcem na imiona. — Matthew Fox, rocznik 1856 — i widząc moje zdziwienie, zaraz wyjaśnił: — Tata był późnym dzieckiem, dziadek miał zdaje się równo czterdzieści lat, kiedy urodził mu się pierwszy syn, stąd taki duży skok w czasie. — Postukał palcem w kolejne imię. — A to mój pradziadek, jeszcze jeden późny żonkoś, i prapradziadek, też Matthew. To właśnie on poślubił Burnettównę.

Albert Fox, ur. 1925
Henry Fox, ur. 1896
Matthew Fox, ur. 1856
Joseph Fox, ur. 1804
Matthew Fox, ur. 1764

Zafascynowany przyglądałem się wypisanym imionom i datom.

— Musiał pan poświęcić temu sporo czasu...

— Wcale nie — zaprzeczył. — Po pierwsze z Foxami nie było problemu, a po drugie lubię się stąd wyrwać na parę popołudni w tygodniu. Pobyć poza domem, rozumie pan... Gorzej mi poszło z żonami. Mój dziadek przykładowo ożenił się dwukrotnie, najpierw z panną Smith, a potem z panną Jones, da pan wiarę? Dwa najbardziej popularne nazwiska w Anglii i akurat z nimi musiał się chajtnąć — pokręcił głową z niedowierzaniem.

— Pańskie drzewo obejmuje także żony?

— Obejmuje co się tylko da — wrócił do grzebania w swym metalowym śmietniku.

— A ten ostatni Matthew z listy? Powiedział pan, że poślubił Burnettównę?...

— Taa... ale nie tę pańską Mary — wciągnął głęboko policzki, wypalając papieros do końca. Zdaje się, że nikt spoza rodziny nie był w stanie wzbudzić jego zainteresowania. Rzeczywiście, znów pokazał na listę przodków i oznajmił: — Ta trójka brała ślub w tym samym kościele, czyli ułatwili mi robotę. Dopiero tata złamał tradycję i ożenił się z mamą w Kornwalii, gdzie pomieszkiwała u kuzynki. Nie zazdroszczę przyszłym pokoleniom, które zechcą to prześledzić... — zachichotał, zapewne wyobrażając sobie zmagania oddalonych w czasie amatorów genealogii. — Weźmy mnie: żeniłem się w odległym o kilkaset kilometrów urzędzie stanu cywilnego w Londynie! Na szczęście im dalej w przeszłość, tym łatwiej Foxów wytropić, ba, są wymarzonym przedmiotem badań: siedzieli na tyłku w jednym miejscu, dzierżawili swoje poletka i cokolwiek robili, działo się to w okolicach Ainsby.

Bert Fox miał głowę pochyloną nad gramofonem czy też raczej jego szczątkami, toteż nie zauważył mojej gwałtownej reakcji na ostatnie słowo.

— Zaraz, zaraz — odezwałem się nie swoim głosem, tak że zdziwiony gospodarz podniósł na mnie zaciekawiony wzrok.

— Powiedział pan: „Ainsby"?

— Zgadza się — przytaknął zdziwiony.

— Czyli Ainsby to miejsce, nie nazwisko?

Popatrzył na mnie jak na dziwaka albo co gorsza głupka.

— Yhm — mruknął. — Wioska, leży na północny zachód stąd. Na mapie jej nie ma...

Poderwałem się na nogi.

— Nie chciałbym być niegrzeczny, panie Fox, ale muszę się zbierać. Proszę nie mieć mi tego za złe, po prostu muszę coś pilnie sprawdzić. Myślę, że dowiedziałem się od pana czegoś naprawdę bardzo ważnego...

Nawet jeśli zdziwiło go moje nagłe wyjście, nic nie dał po sobie poznać. Odprowadził mnie do drzwi i pewnie spoglądał za mną, kiedy pośpiesznym krokiem oddalałem się w mrok wieczoru. Mając to na uwadze, powściągnąłem się i nie rzuciłem od razu biegiem w stronę hotelu.

Banks, dowiedziawszy się o jej przedwczesnym wyjeździe, oczekiwał, że wybuchnie złością, zacznie pomstować na
jej głupotę, poczuje się zraniony brakiem zaufania, a nawet że
ogarną go wyrzuty sumienia — nic z tego jednak. Uczucia,
jakie nim zawładnęły, dalekie były od tego, czego mógł się po
sobie spodziewać.

W pierwszym odruchu postanowił ją powstrzymać. Zażądał od Marthy informacji, lecz ku jego zmartwieniu wczesna
godzina odjazdu nie rokowała nadziei, że zdoła ją dogonić
w drodze do Southampton. W głowie dokonywał pośpiesznych
kalkulacji: gdyby bezzwłocznie wrócił do Londynu i co koń
wyskoczy ruszył dalej, miałby szanse dotrzeć na miejsce, nim jej
statek odpłynie... Myśl o statku sprawiła, że przed oczyma stanął
mu „Resolution". Przygotowania do wyprawy były już zapięte
na ostatni guzik i Banks nie mógł ot tak zniknąć nagle z Londynu. Bez wątpienia przykułoby to uwagę wszystkich, a być może
nawet postawiło pod znakiem zapytania samą wyprawę. Żadne
z nich nie byłoby zadowolone z takiego obrotu sprawy. Pozostało mu więc uczynić co innego: znając nazwę statku oraz jej
nowe nazwisko mógł wysłać do niej posłańca z wiadomością!
Już zmierzał ku biurku, już rozglądał się za piórem, chcąc pisać
list, błagać ją, by wróciła, obiecać, że... Stanął w pół kroku,
porażony myślą, cóż takiego ma jej obiecać. Cenny czas mijał,
udaremniając obmyślone przed chwilą próby pościgu, jeden
kwadrans, drugi, a Banks nie napisał ani linijki. Bezwiednie
miał w dłoni liścik od niej, w końcu rozwarł palce i przyjrzał
się pogniecionej kulce papieru.

Niechętnie przyznał sam przed sobą, że jej decyzji nie
zmieniłoby najbardziej wyrafinowane argumentowanie, na jakie by się zdobył. Wyjechała nie ze względu na niego, ale na
siebie, ponieważ m u s i a ł a wyjechać. Przeczuwał, że w głębi
duszy ten krok ją przerażał, podobnie jak wychowanego
w klatce ptaka zawsze przerażać będzie niebo i otwarta przestrzeń. Upatrując w jej strachu swej ostatniej szansy, nieoczekiwanie dla samego siebie — tam, w niewielkim saloniku domu

w Richmondzie — poczuł ograniczenia narzucone jej życiu, jakich on nigdy nie zaznał i jakich z pewnością nigdy nie będzie mu dane doświadczyć.

Choć przyjechał, by ją powstrzymać, mimo fiaska wracał do Londynu z lekkim sercem. W drodze powrotnej wreszcie zrozumiał, na czym polega wolność ducha, która go w niej zaintrygowała. Od samego początku wiedział, że właśnie niezależność różni ją od reszty znanych mu kobiet, lecz traktował ją dotychczas jak cechę zewnętrzną, na podobieństwo ptasiego upierzenia. Dopiero teraz pojął, jak bardzo się mylił: niezależność ta wynikała z głębi jej jestestwa i stanowiła o jej prawdziwej istocie. Kiedy wjeżdżał stępa do oświetlonego latarniami ulicznymi Londynu, przepełniały go wewnętrzny spokój i pogoda ducha. Bądź wprawiła go w taki stan umysłu niezwykła przejrzystość powietrza panująca tamtej nocy, bądź też pod rozgwieżdżonym niebem poczynała w nim kiełkować miłość.

Wstydem napawały go minione miesiące, kiedy z obawy przed społecznym potępieniem, dezaprobatą Cooka, głównie zaś nie chcąc zmarnować sobie życia, gotów był zawieść rozbudzone w niej przez siebie samego nadzieje. Podniósłszy czoło, powziął decyzję, że za wszelką cenę stanie na wysokości zadania i okaże się jej godny, nagle bowiem jej i tylko jej zdanie o nim zaczęło mieć znaczenie. Uśmiechając się do własnych myśli, zmusił zmęczonego konia do kłusa, przyrzekając sobie, że nie pozwoli, by jego tchórzostwo uniemożliwiło ziszczenie ich planu, że zrobi wszystko, by ich marzenia się spełniły!

Dotarłszy na New Burlington Street późnym wieczorem, Banks od razu udał się na spoczynek, lecz sen nie przychodził. Myśl, że tę noc mieli spędzić razem, i rozczarowanie z powodu jej wcześniejszego wyjazdu nie pomagały mu zasnąć. Bicie zegara obwieszczało upływ kolejnych godzin, on zaś, przewracając się z boku na bok, na krawędzi snu i jawy widział ją na pokładzie statku. Najpierw wiotka sylwetka w męskim ubiorze miotana porywami wiatru i smagana morską wodą, później w zaciszu kajuty smukłymi palcami odpinająca guzik po guziku dziwnego przebrania. Na samą myśl, że płynie na Maderę po to, by tam na niego czekać, poczuł podniecenie. Wyobraził sobie, jak w obezwładniającym upale wyspy spotyka ją przebraną za mężczyznę gdzieś na oczach ludzi, czyni zadość konwenansom zdawkową rozmową, proponuje wychylenie kielicha na osobności, być może u niej na kwaterze, gdzie za zamkniętymi drzwiami gestem nakazuje jej milczenie i z bolesną powolnością odpina każdy guzik i haftkę, by w końcu w nagrodę poczuć pod palcami jej nagie ciało. Później przeskoczył myślami do zarezerwowanej specjalnie dla niej kajuty na „Resolution", w której będą mogli powtarzać ten rytuał do woli, i w duchu złożył przysięgę, że tak właśnie będzie.

Wszelako rankiem otrzymał wiadomość, która wpłynęła na całe jego dalsze życie. Ministerstwo Marynarki zakwestionowało zdatność „Resolution" do żeglugi. Pilot, któremu powierzono zadanie wyprowadzenia statku na pełne morze, był tak zaniepokojony jego niestabilnością, że odmówił wypłynięcia poza ujście Tamizy, zawracając przy The Nore, kotwicowisku Marynarki Królewskiej. W raporcie określił przebudowany węglowiec jako chwiejny i niezdatny do żeglugi, a Admiralicja przyjęła te uwagi za dobrą monetę i nakazała usunąć wszelkie modyfikacje. Kajuty dobudowane na prośbę Banksa miały zostać rozebrane, a statek doprowadzony do stanu pierwotnego. Dzień pokazał, że marzenia, jakie Banks snuł minionej nocy, były li tylko mrzonkami. Kiedy po jakimś czasie ujrzał znów „Resolution", kajuta, z którą wiązał wielkie nadzieje, spoczywała jako rumowisko belek w suchym doku.

Nie spodziewała się, że przeżycie, którego tak wyczekiwała, wprawi ją w pomieszanie. O statkach nie wiedziała zgoła nic, jeszcze mniej było jej wiadomo o ludziach pracujących na morzu. Najgorsze zaś okazało się to, że dotychczasowe życie nie przygotowało jej na wrażenia z codziennego bliskiego obcowania z płcią odmienną. Maniery mężczyzn były bardziej grubiańskie, a ich język wulgarniejszy, niż podejrzewała, lecz znacznie silniej niepokoiła ją kwestia kontaktu fizycznego. Zdało jej się, że niewidzialna bariera, która otaczała ją całe życie, nagle runęła, pozwalając zupełnie obcym ludziom zbliżać się do niej na niewyobrażalną wcześniej małą odległość, a nawet jej d o t y k a ć! Kiedy wchodziła na pokład, poszturchiwano ją i pchano się na nią bezwstydnie, co byłaby wzięła za prowokację i całkiem poddała się panice, gdyby nie pewna obserwacja: ci sami mężczyźni, którzy ją traktowali obcesowo, zachowywali się jak należy, przechodząc koło kobiety. Była pewna, że gdyby w porcie panowało mniejsze zamieszanie, zdemaskowano by ją bez dwóch zdań. Na szczęście na pokładzie „Robina" nikt już nie zwracał na nią uwagi; zdołała schronić się w swej kajucie niczym królik w norze i pozostała tam, z walącym wciąż z przejęcia sercem, pozwalając, by uczucie paniki powoli zamieniało się w rozpacz i żałość. Ostatnie przeżycia wywołały w niej coś w rodzaju paraliżu, tak że przez pełne osiem godzin nie wyściubiła nosa z kajuty, ignorowała gongi na posiłki i wstrzymywała oddech, słysząc, jak pod jej drzwiami rozlegają się czyjeś kroki. Pragnęła, by zostawiono ją w spokoju i żeby podróż jak najprędzej się zakończyła. Już tęskniła za lądem.

Skazawszy się dobrowolnie na uwięzienie w kajucie, nie obserwowała odbicia od brzegu, lecz czuła je wszystkimi innymi zmysłami; zrozumiała, że klamka zapadła. Świadomość nieuchronności losu i braku możliwości odwrotu sprawiła, że oczy jej zwilgotniały. Statek wydawał przejmujące odgłosy, tak bardzo jej obce, pokrzykujący zaś na pokładzie ludzie także zdawali się mówić nie znanym jej językiem, co wzmagało w niej poczucie zagrożenia. Pierwszej nocy leżała w koi nie potrafiąc zmrużyć oka, kiedy belkowanie statku jęczało i trzeszczało, a marynarze donośnym głosem nawoływali się ze wszech stron; zamiast znaleźć ukojenie w ludzkim języku, martwiała za każdym razem, nie umiejąc zrozumieć tonu ni znaczenia wykrzykiwanych słów. Wreszcie nad ranem zapadła w płytki sen, nie rozdziawszy się nawet, skulona pod kocem. Ostatnią myślą, jaką zapamiętała z tego pełnego emocji dnia, było pragnienie, by w drzwiach stanął Banks, tak jak to miało miejsce wiele razy w zaciszu Richmondu.

Przebudziła się z okrzykiem przestrachu, że statek tonie. Wszystko wokół się kołysało, a do dotychczasowego jęczenia i trzeszczenia doszło jeszcze skrzypienie desek, broniących się przed naporem morskich odmętów. Ściany kajuty nagle się wybrzuszyły i przez moment pozostały w tej niebezpiecznej pozycji grożąc, że woda zaraz wedrze się do środka, po czym wszystko wróciło do normy przy kolejnym przechyle statku, który wzbudził w niej mdłości. Czując wstrząsy i słysząc przerażającą muzykę statku, w mgnieniu oka wyskoczyła spod przykrycia i zdecydowała się opuścić swą kryjówkę. Otwierając drzwi na tyle tylko, by upewnić się w ponurych podejrzeniach, ze zdziwieniem zauważyła, że oprócz jednostajnego skrzypienia statku na pokładzie nie panuje żaden harmider, załoga nie biega w panice po pokładzie, a pasażerowie nie przesiadają się w pośpiechu do szalup ratunkowych. Wymknęła się więc na zewnątrz i zaryzykowawszy parę kroków po umykających jej spod nóg deskach, zatrzymała majtka niosącego wielkie wiadro, aby spytać go słabym głosem, jakie mają szanse dobić do brzegu.

— Pewnieście pierwszy ras na mozu — zaseplenił uśmiechając się do niej z wyższością, po czym wypluwszy coś przez burtę, dodał: — To już trzeci pasażer, który mnie o to pyta, a dopiero co zacząłem wachtę. Bez obaw, szanowny panie, to tylko wiaterek na Kanale, później będzie gorzej.

Podniesiona na duchu jego spokojem raczej aniżeli niezręcznym pocieszeniem sięgnęła do dziwnej kieszonki w surducie i wyjąwszy monetę spytała chłopca, czy może przynieść jej coś do jedzenia. Majtkowi oczy rozszerzyły się z niedowierzania, kiedy dostrzegł w jej ręce błysk złota; zapewnił ją, że dostarczy jej posiłek i do końca podróży będzie pilnował, by niczego „szanownemu panu" nie brakło.

— Większą część czasu spędzę w kajucie — powiedziała, modulując głos.

— Wielu dżentelmenów tak właśnie robi, chociaż dobrze jest od czasu do czasu łyknąć świeżego powietrza — odparł, porywając monetę i wielkie wiadro i oddalając się raźno.

Na jej nieszczęście obie przepowiednie chłopca sprawdziły się rychlej, niżby sobie tego życzyła, albowiem już na trzeci dzień podróży. Zdążyła tymczasem otrząsnąć się ze smutku i obaw, jakie towarzyszyły jej podczas pierwszej nocy na statku, i poczuć jeśli nie pewność siebie, to przynajmniej niewielką dumę z tego, co dotychczas osiągnęła. A udało jej się pozostać niezauważoną, zdobyła wiernego sługę, chętnego spełnić jej zachcianki, coraz lepiej czuła się w nowym ubraniu, zapewne dlatego, że ani na chwilę się z nim nie rozstawała. Jednakże wszystko to straciło na znaczeniu, kiedy „Robin" wypłynął na głębokie morze, gdzie od razu zaczęło nim rzucać jak łupinką orzecha. Zdołała wprawdzie stłumić ogarniającą ją panikę, lecz nic nie mogła poradzić na instynktowne przeczucie nadciągającej katastrofy, które swym ciężarem legło jej na piersiach. Rozważywszy to przez chwilę na zimno, wyprostowała się, zarzuciła pelerynę i rozstawiając szeroko nogi, wyszła z kajuty. Jej podróż właśnie się rozpoczęła.

Okres poprzedzający wypłynięcie „Resolution" był dla Banksa udręką. Dni mijały w rytmie staccato; wraz ze wschodem słońca czas nieubłaganie przyśpieszał, tak że Banks wołał w duchu o chwilę wytchnienia, noce zaś wcale nie przynosiły mu ulgi, kiedy pełen obaw i frustracji bezgłośnie prosił o sen. Coraz większą liczbę ludzi winił za klęskę swego planu, z dnia na dzień pogrążając się w coraz większym zgorzknieniu. Cooka zaczynał postrzegać jako wroga, nieprzychylnego mu od samego początku ich znajomości; w Ministerstwie Marynarki zasiadali jego zdaniem sami zazdrośnicy, nie mogący mu darować wcześniejszych sukcesów i nie dopuszczający do siebie myśli, że cywil mógł posiąść pilnie przez nich strzeżoną wiedzę; lord Sandwich zasiadający w Admiralicji jawił mu się z kolei jako uparciuch otoczony kiepskimi doradcami, podszeptującymi przeciwko wielkiemu Banksowi. Cokolwiek czynił, cokolwiek mówił, nieważne: prosił, tłumaczył czy tupał nogą — nic nie robiło na nich wrażenia. Mimo to bezustannie prowadził rozmowy i pisał listy, używając coraz silniejszych argumentów, stawiając sprawę na ostrzu noża, aż w końcu jego nieposkromiony temperament znalazł ujście i nadszedł czas konfrontacji.

Banks był zamożny i sławny, z jego zdaniem się liczono, miał znajomości i przyjaciół na świeczniku, wszystko to nie było bez znaczenia dla Admiralicji. Jednakże kiedy przyszło co do czego i ważyły się losy kosztującej majątek wyprawy wysyłanej na drugi koniec świata, górę wzięło zdanie doświadczonego żeglarza. Zwyciężył Cook, a Banks mógł tylko bezsilnie zaciskać pięści.

Dopiero wiele lat później zrozumiał tę decyzję i własne, targające nim wtenczas emocje. W młodości wszakże, z gorącą głową, wiedział tylko, że poświęcił s w o j e pieniądze i s w ó j czas, aby skompletować grupę wybitnych specjalistów, którzy mieli przesunąć do przodu horyzont ludzkiej wiedzy, i zamiast z uznaniem spotkał się z iście oślim uporem i głupotą. Czuł się do głębi zawiedziony, zraniony w człowieczej dumie, urażony w męskiej ambicji, że jego zdanie miano za nic. Uczyniony mu afront był nie tylko rażący, był także publiczny, a tego Banks już nie mógł zdzierżyć. Przeżywane w samotności upokorzenie przeradzało się we wściekłość, która musiała znaleźć ujście. Po takiej perfidii ze strony Cooka po prostu nie chciał mieć z nim nigdy więcej do czynienia.

Cały czas stała mu przed oczyma jej drobna sylwetka żeglująca w kierunku Madery. Nie wiedział, jak mógłby przekazać jej informację, że będzie musiała zostać na lądzie, podczas gdy on pożegluje w szeroki świat. Nie potrafiłby się przyznać, że doznał publicznego upokorzenia starając się jej zapewnić bezpieczną podróż u jego boku. A jak by to o nim świadczyło, gdyby przełknął porażkę i mimo wszystko pożeglował? Dotychczas wyczekiwał ich spotkania na Maderze z niemal zmysłowym napięciem; teraz czuł jedynie gorzki smak rozczarowania.

Do samego końca walczył i przekonywał do swej wizji wyprawy, lecz nikogo nie udało mu się przeciągnąć na swą stronę. Ministerstwo Marynarki w liście do Admiralicji zbyło jego obiekcje, sugerując, że znany przyrodnik nie ma wystarczającej wiedzy, by wypowiadać się na tematy żeglugi morskiej, i podkreślając, że przebudowany zgodnie ze sztuką „Resolution" zapewnia grupie Banksa wszystko, co tylko w danej sytuacji możliwe, a wyłączne daleko idące zmiany objęły nieznaczne zmniejszenie jego własnej kajuty i utratę jednej niewielkiej, bezpośrednio do niej przylegającej.

Jedna kajuta!... Banks nie był w stanie wyrazić, co w związku z tym czuje. Ta jedna niewielka kajuta znaczyła dlań wszystko! Pod koniec maja skierował do Admiralicji śmiertelnie poważne słowa: ...Sposób, w jaki go potraktowano, uniemożliwia mu osiągnięcie założonych sobie celów... Nie ma innego wyjścia, jak tylko złożyć rezygnację... Równocześnie wystosował do Cooka prośbę, by cały jego dobytek i sprzęt badawczy usunięto bezzwłocznie ze statku.

Zarządziwszy wysłanie obu listów, Banks wrócił do gabinetu ledwie panując nad emocjami. Przemierzał nerwowo pomieszczenie, aż w końcu przystanął przy oknie. Tłumaczył sobie w duchu, że upokorzony nie miał innego wyjścia, że to była sprawa honoru i że ona z pewnością go zrozumie... Wtedy znów ujrzał ją oczyma wyobraźni, zmierzającą do celu. Boże mój, jakżeż szczęśliwa będzie na Maderze oczekując ciągu dalszego podróży, pomyślał. Pozostał przy oknie, zatopiony w myślach, długo po tym jak światło słoneczne opuściło pokój, a dokumenty na biurku nieopodal stały się zupełnie nieczytelne w ciemności.

Sztorm nękał „Robina" przez całą następną noc. Kiedy opuściła kajutę, mogła zobaczyć liliowobłękitne niebo tuż nad linią horyzontu i strugi deszczu płynące w powietrzu niemal poziomo z powodu silnego wiatru, jednakże ani jej w głowie było podziwianie fenomenów natury. Wychyliwszy się za burtę, pozwoliła wstrząsać się torsjom tak długo, aż żołądek zupełnie jej opustoszał i boleśnie się zacisnął. Tkwiła przy balustradzie całą wieczność, obojętna na wszystko, z wyjątkiem targających nią uczuć. W którejś chwili, oczekując kolejnej fali nudności, potoczyła wzrokiem dookoła i zauważyła, że inni pasażerowie znajdują się w podobnym jak ona stanie, nie zdążyła jednak się nad tym zastanowić, gdyż ręce już jej się zaciskały na brzegu burty, a wnętrzności od nowa protestowały.

Dwadzieścia minut później, choć przemarznięta do szpiku kości i zmokła jak kura, czuła się nieco lepiej. Wróciła do kajuty, by się umyć i przebrać, i zupełnie już doszedłszy do siebie, postanowiła zaczerpnąć świeżego powietrza. Kiedy wyszła ponownie na pokład, niebo zaciągnęło się przybierając odcień głębokiego fioletu, a statek jakby przestał się kołysać.

Deszcz ustał, burza cichła. Starannie ominąwszy luk, rozejrzała się wokół siebie: reszta pasażerów także musiała się poczuć lepiej, gdyż przy burcie nikogo już nie było. Oparłszy ręce na balustradzie wystawiła twarz do wiatru, smagał ją zimnem i świeżością. Poczuła się znacznie lepiej... co tam lepiej! czuła się świetnie. I była szczęśliwa. Tak, szczęśliwa — pośród zamierającego sztormu, na zimnym opustoszałym pokładzie niewielkiego statku. Za jej plecami świt zaczynał barwić nieboskłon. Obejrzawszy się, mocniej otuliła ramiona suchą peleryną i posłała wstającemu słońcu uśmiech. Przeżyła ciężką noc. Za tydzień z okładem będzie już na Maderze.

14

Podstęp

Podczas każdej wyprawy, której pisany jest sukces, prędzej czy później szczęście uśmiecha się do jej uczestników. Wracając autobusem do centrum Lincolnu zastanawiałem się, czy Bert Fox jest właśnie takim łutem szczęścia. Jeśli nawet, istniała obawa, że los uśmiechnął się do mnie odrobinę za późno. Po chwili namysłu wzruszyłem ramionami: przecież to nic nowego. Dziadkowi przytrafiło się dokładnie to samo.

Z sobie tylko znanych powodów Myerson uwierzył w istnienie afrykańskiego pawia, mimo że nikt inny nie dawał temu wiary, i bez mrugnięcia okiem wyłożył znaczne środki finansowe na wyprawę w dorzecze Konga, przywracając tym samym Dziadka do życia. Wkład Myersona nie pokrył całości kosztów, toteż Dziadek, odzyskawszy utraconą podczas długiej choroby energię, z determinacją graniczącą z desperacją począł kwestować za resztą. Zadłużywszy się pod hipotekę domu i żonine wiano, zebrał akurat tyle, że wyprawa mogła dojść do skutku.

Zanim udał się w podróż, prawdopodobnie na fali poprzedzającej ją euforii, odwiedził Devon i uczynił żonę brzemienną, choć nie można mieć pewności, że był tego świadom wyruszając do Afryki ani że wiedza w tym zakresie cokolwiek by w jego planach zmieniła. Tak czy inaczej współczesne Dziadkowi źródła wytykały mu niekompetencję, oskarżano go o brak obiektywizmu i popadnięcie w obsesję, coś na kształt gorączki złota u amerykańskich pionierów czy nieprzepartego pragnienia zdobywania nowych szczytów, jakie nęka alpinistów. Hm... sam mogłem coś nieco na ten temat powiedzieć.

Wysiadając z autobusu spojrzałem na zegarek: było po siódmej. Tak jak się spodziewałem, Katya już na mnie czekała, lecz na szczęście nie spełniły się moje obawy: w barze hotelowym zastałem tylko ją oraz siedzące w przeciwległym rogu starsze małżeństwo deliberujące o czymś półgłosem — i ani śladu Andersona, co było mi niezmiernie na rękę. Nie zatrzymawszy się nawet, by zamówić coś do picia, od razu podszedłem do stolika, który zajmowała Katya. Widziałem, że moje zachowanie wzbudziło jej ciekawość, toteż nie zwlekając usiadłem, wykładając na stół dwie kartki papieru.

— Ale z nas gapy — powiedziałem.

Zerknęła na blat stołu, po czym podniosła na mnie zdziwiony wzrok.

— To przecież te fotokopie, które podrzucono ci przez otwór na listy — stwierdziła. — List do kobiety ze Stamfordu.

— Zgadza się — przytaknąłem. — A gdzie dokładnie w liście jest napisane, że adresatka mieszka w Stamfordzie?

Katya ponownie rzuciła okiem na fotokopie, aby odświeżyć sobie pamięć, lecz widziałem, że w myśli stara się rozgryźć, do czego zmierzam.

— W liście nie ma o tym ani słowa — rzekła w końcu. — Tylko na kopercie...

— Otóż to! — podniosłem fotokopię koperty i odczytałem kolejne linijki adresu: — Miss Martha Ainsby, Stary Dwór, Stamford, hrabstwo Lincoln... — zawiesiłem głos. — Oryginału nie widział nikt z nas, nawet Potts, który przyznał się, że jest w posiadaniu wyłącznie kopii. A teraz niespodzianka: w hrabstwie Lincoln znajduje się miejscowość o nazwie Ainsby!

Katya przeżuwała tę rewelację w milczeniu, jakby niepewna jej znaczenia.

— Nie bardzo rozumiem... chodzi ci o lokalne określenie? — spoglądała z powątpiewaniem na odbitkę koperty. Nagle plasnęła się ręką w czoło. — Już wiem! Ktoś zamienił miejscami nazwy!... — Wciąż patrzyła na leżącą na stole fotokopię, a ja niemal widziałem, jak myśli galopują w jej głowie. — Nie widać, że to fałszerstwo, gdyż charakter pisma pozostał ten sam, po prostu wycięto dwa słowa i przyklejono je na odwrót... nic trudnego i bezpieczniejszego, jeśli wie się, że nikt nie zobaczy oryginału. — Oderwała wzrok od kopii i spojrzała na mnie z tryumfem odkrywcy.

Pokiwałem głową.

— A do tego odbitki są nie najlepszej jakości — dodałem — co znacznie ułatwiło fałszerzowi sprawę.

— Znaczy się, szukaliśmy niewłaściwej osoby w niewłaściwym miejscu — skonstatowała ze smutkiem. — Powinniśmy wypytywać o rodzinę Stamfordów mieszkającą w Ainsby.

— Tak — westchnąłem. — Dlatego nigdzie nie natrafiliśmy na wzmiankę o Starym Dworze w okolicy Stamfordu. Założę się jednak, że z łatwością znajdziemy go w Ainsby!

— Obawiam się, panie Fitzgerald, że nie — doszedł mnie z tyłu znajomy niski głos. — Stary Dwór w Ainsby spalił się w czasie drugiej wojny światowej.

Katya i ja byliśmy tak pochłonięci rozłożonymi przed sobą papierami, że nie zwróciliśmy uwagi, iż do baru wszedł nowy gość. Obróciwszy się, ujrzałem zbliżającego się ku nam okrąglutkiego mężczyznę.

— Nazywam się Potts — wyciągnął rękę do Katii. — Nie mieliśmy przyjemności się poznać, ale widziałem panią w Stamfordzie, gdzie nas wszystkich wystrychnięto na dudka...

— Katya odwzajemniła się swoim nazwiskiem, na co on mrugnął do niej szelmowsko, przybierając na moment wygląd wujaszka podrywacza. Poza tym się nie zmienił: nadal nosił tweedy, prezentował się jak przedwojenny lekarz i wciąż wyczuwałem w nim jakiś fałsz. — Nie chciałem podsłuchiwać — pośpieszył z zapewnieniem, kiedy żadne z nas nie zaprosiło go do stolika — ale przez przypadek zorientowałem się, że właśnie dowiedzieliście się o wiosce Ainsby... Proszę dać mi chwilę, zamówię coś w barze i wypijemy za wasz sukces. — Oszołomieni patrzyliśmy, jak stukając obcasami podchodzi do barmana, po czym wraca z butelką czerwonego wina i trzema kieliszkami. — Tylko sobie nie pomyślcie, że jestem w stosunku do was do przodu... — tłumaczył się, rozlewając wino. — Sam na to wpadłem dopiero wczoraj, dacie wiarę? Poprzednie parę dni spędziłem w Londynie wyprany z pomysłów i prawie gotów się poddać. Już miałem machnąć ręką i wracać do Stanów, kiedy spacerując po dzielnicy Covent Garden przystanąłem przed sklepem sprzedającym mapy i temu podobne... Nomen omen, nazywa się „U Stamforda", znacie to miejsce?

Pokiwałem głową.

— To nie pierwszy lepszy sklep... Tyle że nazywa się „U Stanforda", przez „n" w środku — sprostowałem dla porządku.

— Doprawdy? — Jak to Amerykanin, nie miał za grosz poszanowania dla tradycji. — Nieważne, grunt, że ta nazwa podsunęła mi pewien pomysł. Stałem przy wystawie klepiąc się w czoło i obrzucając epitetami, podczas gdy londyński tłum omijał mnie szerokim łukiem, bez wątpienia utwierdzając się w swych opiniach na temat kuzynów zza oceanu. Widzicie, jak tylko przeczytałem szyld, zrozumiałem, gdzie popełniłem błąd. Na samą myśl o tym płoną mi uszy... Ech, pewnie czas udać się na emeryturę. — Wzniósł toast, spoglądając na nas z uśmiechem znad szkieł okularów. — Skorzystałem z tego, że sklep oferował mapy, wszedłem do środka i na miejscu rozwiałem swoje wątpliwości: Ainsby w hrabstwie Lincoln. — Potrząsnął głową z niedowierzaniem. — Anderson pewnie śmieje się z nas do tej pory.

Obserwowałem go uważnie, nie wiedząc, jak dalece mogę mu wierzyć.

— A co sprowadza pana do tego hotelu? — spytałem wprost. — Nie powie pan chyba, że to kolejny zbieg okoliczności?

— Ależ skąd! — zaprzeczył żywo. — Po prostu znam gust Andersona, jeśli chodzi o zakwaterowanie w delegacji... Obdzwoniłem wszystkie najdroższe hotele w hrabstwie, aż go namierzyłem. Czy on wie, że i wy tu się zatrzymaliście?

— Spotkaliśmy się zeszłego wieczoru — poinformowałem sucho. — Spodziewa się, że jeszcze dziś ptak trafi w jego ręce.

— Doprawdy? — Potts zdawał się rozkojarzony. — Cóż, zaraz się tego dowiemy. Jestem z nim umówiony tutaj o ósmej...

— Sięgnął do kieszonki kamizelki i wyłowił z niej zegarek z dewizką. — Mamy jeszcze trochę czasu, napijmy się więc, a ja chętnie posłucham o okolicy. Zdaje się, że niegdyś słynęła z manufaktur wytwarzających sukno na garnitury...

Zanosiło się na jeszcze jeden ciężki wieczór. Anderson spóźnił się dwadzieścia minut, ciągnąc za sobą Gabby — oboje starali się nie pokazać po sobie zdziwienia z powodu liczebności komitetu powitalnego, jaki na nich czekał. Anderson przywdział zwykłą maskę niewzruszonego spokoju, nalegał, by zamówić jeszcze wino (francuskie, najdroższe). Gabby i ja uśmiechnęliśmy się do siebie, lecz z racji miejsca, jakie zajęła, wymieniliśmy spojrzenia tylko raz czy dwa podczas całego spotkania.

Dla obserwatora z zewnątrz musieliśmy stanowić dziwną grupę. Bez wątpienia najbardziej rzucał się w oczy Anderson — posągowy i szykownie ubrany. Tuż przy nim siedziała Gabby, której nikt niewtajemniczony nie posądziłby o zaangażowanie w ruch ochrony przyrody; w eleganckiej wieczorowej sukience, pełna gracji nie pasowała do polowego laboratorium, gdzie wszyscy po prostu muszą być brudni i spoceni (zadziwiające, że nawet w najgorętsze dni i w najbardziej zakurzonej okolicy ona zawsze wydawała się suchsza i czystsza od reszty ekipy; osobiście znałem badacza, który wytrwał u jej boku długo po tym, jak wstrzymano wypłatę poborów, gdyż wystarczało mu przebywać w jej towarzystwie). Przy dwójce starych wyjadaczy Katya sprawiała wrażenie młodszej i mniej pewnej siebie. Pottsowi przypadłaby rola jeśli nie wujaszka, to na pewno dobrej duszy. Nie potrafiłem ocenić, jak jestem postrzegany ja. Zresztą sam nie byłem wtedy do końca pewien, jak się postrzegam.

Towarzyską część wieczoru zakończył Potts, odchylając się na oparcie fotela i wkładając kciuki do kieszonek kamizelki.

— Właśnie podziwialiśmy pańskie zdolności manualne, panie Anderson — powiedział, brodą wskazując na fotokopie, leżące wciąż na stole. — Wykorzystał pan listy Stamforda, żeby zainteresować Teda Staesta swym projektem, dbając przy tym, by nikt postronny nie skorzystał z dostępnej panu wiedzy.

Stary trik: pociąć adres na linijki i zamienić je kolejnością. Czysta robota, sprytna i skuteczna. Pewnie nieźle się pan przy tym uśmiał.

Anderson rzucił okiem na papiery i uśmiechnął się nieznacznie, ale kiedy się odezwał, mówił ze zwykłą powagą i uprzejmością.

— Ależ skąd — żachnął się lekko. — Nigdy nie pozwalam sobie nie doceniać konkurencji. Przyznaję jednak, że co do zamiany nazw miejscami ma pan rację, chociaż złapałem się tego sposobu z zupełnie innych powodów, niż pan podejrzewa. Wiedziałem oczywiście, że Staest zainteresuje się ptakiem, lecz niestety słyszał także o obrazach. Nie mając pewności, że zdoła zachować tę wiadomość dla siebie... Nie uwierzy pan, jakie cuda można zdziałać za pomocą kawałka kalki, gumki myszki i hotelowej kserokopiarki. Tak czy inaczej, doszły mnie potem słuchy, że na kopii pozostawionej u Staesta ktoś położył swą niepowołaną rękę... — spojrzał znacząco na Pottsa, wzruszając ramionami, jakby mówił mu, że sam jest sobie winien.

— Tak, a kiedy się pan o tym dowiedział, zaraz wysłał pan swego człowieka do Stamfordu, żebym miał komu deptać po piętach. Niezłe zagranie...

— ...choć nie do końca potrzebne — dokończył za niego Anderson, obdarzając nas wszystkich swym najbardziej czarującym uśmiechem. — I tak wyprzedzałem was wtedy o pół roku.

Potts posmutniał jak wiekowy gracz w szachy, którego właśnie pobił jego ulubiony wnuczek. Przyjąwszy fakty do wiadomości, zaraz się jednak rozluźnił i wzniósł toast.

— Za zwycięzcę i jego zdobycz zatem. — Pociągnął solidny łyk wina. — Bo ma pan już zdobycz, prawda?

— Nie, dzisiaj jeszcze nie. — Anderson chętnie opowiadał o swym tryumfie. — Ale mam na jutro umówione spotkanie i jestem pewien, że ptak niebawem znajdzie się w moich rękach.

— E, tam — machnął dłonią zniecierpliwiony Potts. — Nikogo nie obchodzi ptak... — zerknął na mnie i się poprawił: — oczywiście, jeśli nie liczyć pana Fitzgeralda. Proszę lepiej powiedzieć, co z obrazami. Znalazł je pan?

— Człowiek, z którym mam się jutro spotkać, nic nie wie o obrazach. Jest w posiadaniu bardzo starego wypchanego ptaka, a ja mam podstawy przypuszczać, że to t e n ptak.

— Rozumiem więc, że nie poinformował go pan, że jego wypchany ptak wysiaduje dzieła sztuki warte grube miliony?

Anderson wymownie spojrzał na wiszący nad barem zegar, dając tym samym do zrozumienia, że pytanie Pottsa — jako w nie najlepszym guście — nie zasługuje na odpowiedź.

— Panie Potts, czy chciał pan ze mną rozmawiać o czymś konkretnym czy też...?

Pulchny Amerykanin skinął głową.

— Dobrze już, dobrze. Nie ma potrzeby się obrażać. Komu sprzeda pan te obrazy, panie Anderson?

— Tuzin prac Roiteleta? Nie sądzę, by brakło chętnych...

— Jeśli ujawni je pan w tym kraju, ściągnie pan tylko sobie na głowę kłopoty — powiedział Potts z pewnością w głosie. — Być może jest pan wybitnym fachowcem w swojej dziedzinie, ale ja znam się na rynku sztuki. I zaręczam panu, że obrazy zostaną objęte zakazem wywozu z Anglii szybciej, niż pan zdąży wykręcić numer do swego prawnika. Co innego, gdyby miał pan kogoś zaufanego, kto uporałby się w pańskim imieniu z całą związaną z tym biurokracją. Ja na przykład jestem w stanie przetransportować te obrazy do Stanów, zanim pan skończy mówić „milion dolarów", razem ze wszystkimi wymaganymi dokumentami, które czarno na białym będą potwierdzać, że dzieła Roiteleta przeleżały parę setek lat na czyimś strychu w Pensylwanii. Bez ekstrakosztów, bez zwłoki, bez dociekliwych prawników. Interesuje mnie wyłącznie skromna prowizja.

— Ach tak. — Anderson wymienił spojrzenia z Gabby. — Obawiam się jednak, że pańska oferta jest tyleż niespodziewana co przedwczesna. Wolałbym poczekać z omawianiem podobnych spraw do czasu, kiedy obrazy znajdą się w moich rękach.

Obserwowałem, jak mierzą się wzrokiem — dwaj mężczyźni, których bawią ich gierki — i nagle poczułem się zmęczony. Katya błądziła gdzieś spojrzeniem, a Gabby wpatrywała

się w Andersona z wypisaną pogodą na twarzy. Cisza się przedłużała, lecz nie miałem pojęcia, co mógłbym w takiej sytuacji
powiedzieć, prawdę powiedziawszy, nie wiedziałem nawet, co
myśleć.

Naszła mnie nagła ochota, by wyrwać się stamtąd na parę
godzin — zostawić ich wszystkich, hotel, Lincoln daleko za
sobą. Podobnie jak przed prawie stu laty Dziadek, zaangażo-
wałem się w coś, czego do końca nie rozumiałem, nad czym
nie panowałem i w czym się powoli gubiłem. Być może nadszedł czas, by się wycofać. Anderson dostanie swoje obrazy,
Gabby — pieniądze na swój projekt, dzięki którym przez kilka
lat zdoła kontynuować wojnę, którą i tak kiedyś przegra. Katya
wróci na uczelnię i do swego życia, a całą sprawę skwituje
kiedyś anegdotą na jakiejś imprezie. A Ptak z Uliety — co
z nim się stanie? Prawda była taka, że on już był przeszłością,
skazany, by zakończyć ziemski żywot w laboratoryjnej zamra-
żarce Teda Staesta.

— Chciałbym zadać jedno pytanie — odezwałem się, nim
wstałem do wyjścia. — Znaleźć okaz ptaka po tylu latach, to
jest coś. Mógłby nam pan przynajmniej powiedzieć, jak pan
tego dokonał — zwróciłem się do Andersona.

Zdziwiło mnie ciepłe przyjęcie tego pytania, choć właściwie nie powinno było: wiedziałem, że pod wymuskanym pan-
cerzem i pozornym chłodem aż kipi z emocji, pełen dumy ze
swych śledczych zdolności. Rozlaliśmy resztę wina i popijając
szlachetny trunek, wysłuchaliśmy historii Andersona obejmu-
jącej ostatnie sześć miesięcy. Sprowadzała się ona do oczywi-
stości: wszystko czego potrzebował, to cierpliwość, pieniądze,
no i naturalnie odrobina szczęścia. Większość pracy wykonał
ze Stanów, opłacając ludzi, by odwalili za niego czarną robotę
tutaj, w Anglii. O rodzinie Stamfordów dowiedział się całkiem
wcześnie.

— John Stamford zginął na froncie zachodnim w 1917
roku — opowiadał. — Nigdy nie udało mu się wrócić do domu,
za którym tak bardzo tęsknił. Zanim skończyła się wojna, szczęście zupełnie opuściło jego rodzinę. Majątek został podzielony
i sprzedany, co w praktyce oznaczało koniec Stamfordów. Nie
jest wiadome, co stało się z jego siostrą, prawdopodobnie wy-

szła za mąż i się przeprowadziła. Najważniejsze zaś, że wyposażenie Starego Dworu skończyło pod młotkiem na aukcji. Tak naprawdę dopiero od tej aukcji Anderson uzyskał punkt zaczepienia. Udało mu się odnaleźć katalog wyszczególniający grupami wszystkie przedmioty, przy czym rzecz jasna skupił się na wypchanych okazach zwierząt. Wtedy mógł zawęzić poszukiwania do ptaków. Na jego szczęście archiwalny egzemplarz katalogu podawał dane nabywców, tak że Anderson mógł ruszyć ich śladem. Cały czas obawiał się, że w pewnym momencie straci trop — prawdę powiedziawszy, wciąż nie rozumiem, dlaczego tak się nie stało — jednakże cudownym zrządzeniem losu wydając polecenia z Nowego Jorku dowiedział się o losach każdej partii majątku zawierającej choć jeden okaz ptaka.

— Wykazy w katalogu dalekie były od naukowej ścisłości — kontynuował. — Po prostu opisy, na przykład: „kolekcja ptaków śpiewających" albo „dwie pary gołębi". Tak czy inaczej, po wyeliminowaniu absolutnie nie pasujących okazów do sprawdzenia pozostało siedem. Zdołaliśmy prześledzić ich historię aż do czasów współczesnych i ustalić ich obecne miejsce pobytu. Całej siódemki — podkreślił z dumą. — Dacie wiarę? Gdyby ufać rachunkowi prawdopodobieństwa... — wzruszył tylko ramionami. — Wtedy postanowiłem tu przylecieć, a w głowie kołatała mi myśl, że ktoś mógł mnie przecież uprzedzić, odwalić całą tę robotę już wcześniej... — rzucił mi przeciągłe spojrzenie. — Jednakże jak się okazało, niepotrzebnie się martwiłem.

Wszyscy ciekawie mi się przypatrzyli, lecz nie pozwoliłem, by Anderson stracił wątek. Wytrzymałem jego spojrzenie, skinąłem mu potakująco i uniosłem brew, dając do zrozumienia, że czekam na ciąg dalszy. Głowy znów się odwróciły. Po krótkiej chwili przerwy, pewnie dla wzmocnienia efektu, podjął:

— Dotąd widziałem sześć z nich i żaden nie okazał się Ptakiem z Uliety. Jutro mam zobaczyć fotografie ostatniego, zatem wszystko niebawem się wyjaśni.

— Fotografie — z niedowierzaniem powtórzył Potts. — Fotki? Dlaczego nie okaz?

Anderson zachował kamienną twarz.

— Siódmy okaz wylądował dość daleko od hrabstwa Lincoln. Jeden z moich ludzi dziś go oglądał i do jutra ma tutaj dostarczyć zdjęcia.

Potts przybrał zafrasowaną minę.

— Z całym szacunkiem, panie Anderson, ale coś mi się wydaje, że nie wie pan wiele więcej od nas... Przecież nawet nie ma pan pewności, że tego ptaka w ogóle wystawiono na aukcji.

W odpowiedzi Andersona nie pobrzmiewała najlżejsza nutka niepokoju.

— Rodzina Stamfordów znacznie zubożała wskutek działań wojennych — wyjaśnił — a wierzyciele domagali się spłaty długów. Do tego stopnia, że Marcie Stamford pozwolono zatrzymać tylko rzeczy osobiste. Wszystkiego można się dowiedzieć z dokumentów — powtórzył. — Wyprzedano c a ł y majątek.

— Ale przecież mogli pozbyć się ptaka wcześniej, czyż nie? — Potts nie dawał za wygraną.

— Ależ naturalnie — potwierdził Anderson. — Ale zachowajmy zdrowy rozsądek! Martha Stamford m o g ł a podarować komuś ptaka. M o g ł a go nawet sprzedać po kryjomu, poza aukcją. Po pierwsze jednak nie na wiele by się jej to zdało, po drugie łatwo mogła zostać przyłapana, po trzecie wreszcie nigdzie nie ma najmniejszej wzmianki o takiej sprzedaży. Oczywiście istnieje m o ż l i w o ś ć, że Ptak z Uliety zniknął ze Starego Dworu przed aukcją. Mimo to bardziej prawdopodobne jest, że tak się nie stało. A skoro nie, właśnie go znalazłem. Poza tym obrazy Roiteleta nie wypłynęły przez tyle lat...

— A jeśli zdjęcia, które pan jutro zobaczy, nie będą przedstawiały Ptaka z Uliety? — spytałem.

Spojrzał na mnie twardo.

— W takim wypadku zyskam pewność, że okaz zaginął, a dalsze poszukiwania nie mają sensu. Przyzna pan, że odwiedzanie każdego strychu w Anglii nie znalazłoby ekonomicznego wytłumaczenia, panie Fitzgerald. Chyba że ma pan pomysł, jak wśród setek tysięcy strychów wyłonić ten właściwy?

Wszyscy znów spojrzeli na mnie, jakby oczekiwali, że udzielę mu odpowiedzi. Katya patrzyła mi prosto w oczy. Spuściłem wzrok na kolana, gdzie kurczowo zaciskałem palce jednej dłoni na drugiej. — Nie — powiedziałem w końcu. — Ma pan całkowitą rację. Jeżeli Ptaka z Uliety nie wystawiono na tamtej aukcji, może znajdować się wszędzie.

I z jakiegoś powodu ta myśl sprawiła, że aż cały się w środku rozpromieniłem.

Będąc jeszcze na pokładzie, wydana na pastwę żywiołom, myślami wybiegała do przodu, lecz ku jej strapieniu przyszłość nie przynosiła otuchy. Dopiero gdy z daleka ujrzała brzeg Madery, gdy jej nozdrzy doleciał subtelny zapach lądu, wszelkie obawy ją opuściły, a wcześniejszy strach okazał się nieuzasadniony. W zachwycie przyglądała się temu miejscu, wraz z przybliżaniem się „Robina" do brzegu chłonęła coraz więcej szczegółów, kiedy stopniowo zaczynały się rysować kontury farm i lasów. Przepełniała ją nie znana jej przedtem radość; czuła, że to nowe doświadczenie ją odmieni.

Wpływając do portu, „Robin" trzymał się blisko brzegu, co dało jej możliwość lepszego przyjrzenia się linii brzegowej i z rzadka położonym domom, za którymi hen skłaniały się porośnięte soczystą zielenią wzgórza. Potęgujący się z każdym ruchem wioseł zapach nie odstręczył jej — połączenie woni smoły, rozgrzanych desek i ludzkich ciał z dodatkiem odoru przybrzeżnego mułu i unoszących się na wodzie odpadków wydało jej się całkiem na miejscu. Mimochodem zauważyła, że jeden z pasażerów z grymasem odrazy przyłożył do nosa nasączoną perfumami chusteczkę, lecz nie poszła w jego ślady; cieszyła się każdym głębokim wdechem, długo przetrzymując powietrze w płucach, by niczego nie uronić. Spodziewała się, że gdy przyjdzie do wysiadania ze statku, ogarnie ją panika, wszakże nim się spostrzegła, niczym w transie opuściła pokład, ledwie zauważając kłębiący się wokół tłum, znacznie bardziej zainteresowana tym, co ją czeka na lądzie. Miasto olśniło ją swym przepychem i panującym w nim ożywieniem, na jakie nie przygotowało jej żadne ze źródeł, do których sięgnęła szukając przed wyjazdem informacji o wyspie. Naczytała się o brudzie i ubóstwie zagranicznych miast portowych, tymczasem wszystko wydało jej się tutaj czyste i schludne. Budynki wyglądały inaczej niż w Anglii: po jednej stronie przystani ścieśnione stały rażące bielą murowanych ścian prostopadłościany, po drugiej zaś luźniej rozmieszczone drewniane konstrukcje dzielnie opierały się wodzie morskiej i silnym wiatrom. Codziennemu życiu towarzyszyły dziwne dźwięki, uszy raziły jej głośne pokrzykiwania w rozmaitych językach. Porażona widokami i ogłuszona hałasem zatrzymała wzrok na wyłaniających się z porannej mgły wzgórzach, w których zieleni upatrywała wytchnienia i ukojenia.

Usługujący jej podczas podróży chłopiec pokładowy dopilnował, by wyładowano na brzeg wszystkie jej rzeczy, natomiast inny młodzieniec, wysłany z domu, w którym miała się zatrzymać, przywitał ją, zaraz gdy zeszła z trapu.

— *Señor* Burnett? — spytał, patrząc raczej na piętrzący się obok niej bagaż aniżeli na jej twarz. — Proszę za mną. — Zręcznie manewrując torował jej w ciżbie drogę do czekającego opodal powozu. Kiedy wsiadła, wgramolił się bez ceregieli za nią. — Pański bagaż, on przyjechać — zapewnił żarliwie, kalecząc angielszczyznę, po czym dał znać woźnicy, by ruszał.

Stangret zaczął uważnie przedzierać się przez portowy zgiełk, ona zaś zastanawiała się w duchu, czy coś zauważył. Ten mężczyzna około pięćdziesiątki z dobrodusznie pobrużdżoną przez słońce twarzą rzucił jej ciekawe spojrzenie, gdy zbliżała się do powozu. Czy nie przyglądał się jej o ułamek sekundy za długo? Co znaczył dziwny uśmiech, którym odpowiedział na jej pozdrowienie? Czy wiotkość jej sylwetki bardzo rzucała się w oczy? Wzruszyła ramionami: nie będzie się tym przejmować, po prostu nie będzie. Wokół miała cały nowy świat do poznania.

Wyjechawszy na pustą drogę w głąb wyspy, woźnica jął pokazywać jej widoki i objaśniać łamaną angielszczyzną.

— *Igreja* — mówił na przykład. — Kościół. Santa Clara.

Patrzyła we wskazanym kierunku i przez moment widziała błyszczące dachówki i dzwonnicę, zaraz jednak powóz ruszał dalej, a ona traciła widok z oczu.

Im dalej od brzegu, tym skąpsze były domostwa, a w krajobrazie zaczynała dominować bujna roślinność. Zdawało jej się, że otaczają ją niezliczone drzewa każdego możliwego rodzaju, natomiast tam, gdzie wreszcie kończy się las, wyrastają góry. Z uczuciem podniecenia uświadomiła sobie, że już jutro będzie mogła zobaczyć wszystko z bliska. To cud, powtarzała sobie w duchu.

Poczucie nierzeczywistości, podniecenie i oszołomienie pomogły jej przetrwać podróż i pierwsze chwile po przybyciu na kwaterę. Na długo zanim dotarli na miejsce, bity trakt przeszedł w pokrytą koleinami wyboistą dróżkę, a potem woźnica skręcił w nieomal polną drogę wiodącą prosto do ładnej kamiennej willi stojącej w cieniu olbrzymich drzew. Kiedy podjeżdżali pod dom, na próg wyszła niska pulchna kobieta, która wytarłszy ręce w fartuch, pomachała im zamaszyście. Nie zdążyli się jeszcze zatrzymać, a pani Drake, wciąż wycierając ręce, z szerokim uśmiechem poczęła wygłaszać długą mowę powitalną. Była to wdowa po handlarzu win z Bristolu, której Banks powierzył ją na czas pobytu na wyspie. Kiedy wyszła z powozu i stanęła z gospodynią twarzą w twarz, pani Drake zawahała się ujrzawszy swego gościa.

Decyzja Banksa wzbudziła powszechną sensację. Jego najbliżsi współpracownicy — Solander, Zoffany i inni — nie mieli innego wyjścia, jak również zrezygnować z udziału w ekspedycji. Cook, planujący wyprawę naukową wszech czasów, w ciągu zaledwie paru dni stanął przed problemem, kim zapełnić opustoszałe nagle koje. Pośpieszne poszukiwania zaowocowały wciągnięciem na listę uczestników przyrodnika o nazwisku Forster oraz jego syna artysty, jednakże nawet to nie zdołało zatrzeć złego wrażenia. Dotychczasowi krytycy Banksa zdobyli dowód, że jest on zbyt pewny siebie, zadufany w swych opiniach i nie przejawia szacunku dla starszych i bardziej doświadczonych. Przyjaciele byli skonsternowani. Poznawszy jego wady, wiedzieli, że bywa zmienny, znali wszakże i jego zalety. Nie można mu było odmówić ambicji, uporu w dążeniu do celu, jak również tego, że z drugą wyprawą Cooka wiązał wielkie nadzieje. Nikt nie potrafił sobie wyjaśnić, w imię czego poświęcił je dla zaledwie paru stóp kwadratowych powierzchni sypialnej na „Resolution". Niektórzy podejrzewali, że pod koniec w grę zaczęła wchodzić duma, lecz nawet oni nie rozumieli, dlaczego Banks się nie nagiął. Jego decyzja chyba najbardziej uderzyła w tych, którzy mieli stanowić jego grupę, stracili bowiem prospekt znaczących przychodów, a część z nich także zainwestowane znaczne środki finansowe. Niezadowoleni spotykali się i szemrali, choć nikt nie odważył się wystąpić otwarcie przeciwko niemu.

Nie mniej zadziwiło ich zachowanie Banksa już po złożeniu rezygnacji. Spodziewali się, że nie da za wygraną, że obróci sprawę na własną korzyść, że wystąpi z planem alternatywnej wyprawy — przecież zapasy i sprzęt zostały zgromadzone, wszyscy byli gotowi do drogi. Niedoszli współpracownicy łudzili się, że da się jeszcze ich grupę ocalić. Banks wszakże zareagował inercją. Wciąż odczuwał głęboki żal do Admiralicji i nadal chciał się zemścić na nieprzychylnych mu ludziach z Ministerstwa Marynarki, jednakże na ogół pozostawał obojętny i cichy. Jakby ignorując oczekiwania przyjaciół, Banks nie przedstawił żadnej alternatywy.

Wreszcie Solander przywrócił go do życia. Znalazł Banksa zaszytego w gabinecie przy New Burlington Street. Trochę czasu mu zajęło, nim zdołał odwrócić uwagę przyjaciela od ponurych myśli. Przerwał jego użalanie się nad sobą, odciągnął od okna, przez które tamten godzinami wyglądał, i zmusił, by go wysłuchał.

— Ależ, Josephie — perswadował — któż to widział, żeby tak się przejmować jakimś tam niepowodzeniem! Morza południowe nie są jedynym ciekawym zakątkiem świata... Masz do dyspozycji wierną ci grupę, wielkim nakładem kosztów zgromadziłeś wyposażenie. Pamiętaj, że twoi przyjaciele stając po twojej stronie poświęcili swe marzenia. Mają prawo wiedzieć, co zamierzasz zrobić.

— Zrobić? — powtórzył Banks, jakby to słowo wprawiło go w zdumienie.

— A jakże! Wainwright przykładowo donosi o statku wyruszającym właśnie na Karaiby. Pomyśl tylko, ile można tam dokonać, zbierając i opisując tamtejszą faunę i florę! Dlaczego się nad tym nie zastanowisz?

— Karaiby? — Banks unikał wzroku przyjaciela, sprawiał wrażenie, że nie potrafi się skoncentrować na temacie rozmowy. — Nie ma się nad czym zastanawiać. Aby wyprawa miała sens, musiałaby trwać przynajmniej rok.

— Przecież mieliśmy wypłynąć na trzy lata — przypomniał mu Solander.

— Przykro mi, przyjacielu, ale Karaiby nie wchodzą w grę!

Zapadła niezręczna cisza.

— Królewskie Towarzystwo Naukowe będzie zawiedzione, jeśli po tylu przygotowaniach i wszystkich twoich obietnicach pozostaniesz bierny.

Banks spojrzał ostro na przyjaciela.

— Królewskie Towarzystwo Naukowe może iść do diabła — oznajmił z pasją. — Uczynię, co zechcę.

Solander postanowił spróbować z innej beczki.

— Twój brak działania wywoła lawinę spekulacji. Ludzie będą się zastanawiać, co cię tutaj trzyma. Co jest ważniejsze od wkładu w rozwój wiedzy, którego tak zaciekłym orędownikiem stałeś się w ostatnich miesiącach... — Mierzyli się przez chwilę wzrokiem. — Chodzi o to, Josephie, żeby c o ś zrobić. Musisz udowodnić, że ta cała awantura z Admiralicją przyniesie szkodę im, nie tobie! Zorganizowanie własnej wyprawy tylko uwypukli twoje znaczenie.

Banks zadumał się nad tymi słowami.

— Hmm... Widzę, że masz rację, Danielu, mimo to jednak...

— Wyprawa nie musi być długa... — Solander kuł żelazo póki gorące. — Wierzę, że masz ważne powody, by pozostać w kraju. Co byś powiedział na parę miesięcy na morzu?

— Masz coś konkretnego na myśli?

— Cóż, jeśli w grę wchodzi naprawdę krótka wyprawa, można by pomyśleć o Islandii, to nie najgorsze miejsce, sam przyznasz... Niedługa podróż, a sama wyspa wciąż wymaga dogłębnego zbadania. Miałbyś tam wiele do roboty, nie nudziłbyś się, przestał zadręczać...

— Kiedy byśmy wyruszyli? — zapytał Banks odwracając się do okna.

— Najrychlej jak to możliwe. Zima na Islandii zaczyna się wcześnie... — Solander się zastanowił. — Naprawdę nie powinniśmy zwlekać.

Banks zaczął snuć w głowie obliczenia. Zanim jego list dotrze na Maderę, minie co najmniej dwadzieścia dni. Potem będzie musiała poczynić przygotowania, wykupić przejazd do Anglii, zatem kolejne dwadzieścia dni, nim dotrze do Londynu. Cały ten czas musi na nią czekać, musi tu być, by ją przywitać, w przeciwnym razie nigdy już nie mógłby jej spojrzeć w oczy.

— Potrzebuję dwóch miesięcy — oznajmił odwracając się do Solandera.

— To niemożliwe, Josephie. Nasze zapasy są gotowe t e r a z, jeśli wstrzymamy się z wyruszeniem aż dwa miesiące, równie dobrze możemy nigdzie nie pojechać... — W końcu postanowił się odwołać do honoru Banksa. — Pamiętaj, że chodzi o ludzi, którzy z lojalności dla ciebie zrezygnowali z wyprawy swego życia. Jesteś im coś winien. — Banks wzdrygnął się nieznacznie. — Poza tym każda zwłoka będzie trącić niepewnością, a tego za wszelką cenę powinieneś unikać. Jeśli udamy się w drogę natychmiast, wrócimy za trzy miesiące. Trzydzieści dni, oto o co cię proszę, Josephie. Bez względu na to, co cię powstrzymuje, będzie musiało poczekać trzydzieści dni, gdyż w przeciwnym razie zawiedziesz tych, którzy ci zaufali. Josephie, uwierz mi, nie masz wyboru! Chodzi o twój honor.

Banks słuchał przyjaciela bez słowa i nie odezwał się, nawet wtedy gdy tamten skończył mówić. Stał tylko z zamkniętymi oczyma, tak że Solander chciał już kontynuować argumentację, kiedy Banks na niego spojrzał i wykrzywił twarz w grymasie.

— Honor, powiadasz? Pod takim sztandarem chcesz mnie widzieć? Dobrze zatem. Dziękuję ci za troskę o mnie i mój h o n o r. Daj mi, proszę, znać, co należy robić.

Po tej rozmowie Solander szybko opuścił dom przy New Burlington Street, tak by Banks nie zdążył zmienić zdania, kiedy go na powrót opadną dręczące go ostatnio demony.

Pierwszego dnia wieczorem pani Drake przedstawiła nowego gościa dwójce pozostałych rezydentów. Prezentacja dokonała się w długiej, utrzymanej w zielono-srebrnej tonacji jadalni, do której przez okna zaglądało zarówno natarczywe słońce, jak i bujne listowie roślin obrastających dom. Światło wciąż było ostre, kiedy zasiadali do stołu, toteż wszyscy się sobie z ciekawością przyglądali. Pierwszy z Anglików, pan Dunivant, był czerwonolicym jowialnym mężczyzną około pięćdziesiątki, bristolskim kupcem z upodobaniem do wina z Madery. Mówił raczej, niż słuchał, nic dziwnego więc, że nie wykazał specjalnego zainteresowania nowym stołownikiem. Drugi Anglik, pan Maddox, okazał się przystojnym młodzieńcem o intrygujących oczach, które zatrzymały się na nowo przedstawionym i wracały doń raz po raz, kiedy uśmiechając się pod nosem, mówił:

— Witamy na Maderze, panie Burnett. Jeśli dobrze zrozumiałem, zajmujesz się pan botaniką?...

— Jestem zaledwie amatorem. Znalazłem się tutaj, by narysować i namalować okazy miejscowej flory.

— Doprawdy nie rozumiem, co w tym może być interesującego — wtrącił pan Dunivant. — Zdaje się, że coraz więcej młodych ludzi tym się zajmuje, ale cóż oni z tego mają?!

Maddox uśmiechnął się, uprzejmie wysłuchawszy starszego kompana, lecz skontrował:

— A nie sądzisz, mój drogi, że udana uprawa winorośli wiele zawdzięcza wcześniejszym obserwacjom poczynionym przez takich właśnie zapaleńców?

— Ach, naturalnie. Nie mam nic przeciwko nauce, jeśli znajduje ona jakieś zastosowania... Jednakże nadal nie rozumiem, jak chodzenie po miedzach i zaglądanie za żywopłoty

może się przyczynić do rozwoju ludzkiej wiedzy. Panie
Burnett?...

Zaczerpnęła głęboko tchu, by odpowiedzieć, lecz ubiegł ją
Maddox.

— A czy przez przypadek znaczna część dostępnych nam
leków nie jest rezultatem takiego właśnie chodzenia i zaglą-
dania?

Dunivant mądrze pokiwał głową.

— Zapewne masz rację... — powiedział niewyraźnie, po
czym wrócił do przeżuwania odgryzionego przed chwilą kęsa.

Maddox wykorzystał moment milczenia, by zwrócić się
ponownie do przybysza.

— Pani Drake nam zdradziła, że twoim zamiarem, panie,
jest dołączyć do Cooka, kiedy zawinie do tutejszego portu,
i udać się na wyprawę do mórz południowych...

— Tak, taki mam zamiar — potwierdziła.

Maddox udał zamyślenie.

— Muszę przyznać, że jestem nieco zdziwiony. Mój ku-
zyn jest bliskim znajomym Josepha Banksa i z tego, co mi
opowiadał, wywnioskowałem, że cała jego grupa zebrała się
w Londynie. A może zastąpisz kogoś z nich?

Poczuła, że się rumieni pod jego natarczywym wzrokiem.

— Może źle się wyraziłem, panie Maddox — rzekła, nie
zapominając o modulowaniu głosu. — Użyłem słowa: zamiar,
podczas gdy bardziej właściwe byłoby w mojej sytuacji: nadzieja. Nie znam niestety pana Banksa zbyt dobrze, toteż mogę
mieć tylko nadzieję, że zdołam go zainteresować swymi zdol-
nościami, kiedy zejdzie na ląd na Maderze.

— Ach tak — odezwał się Maddox po dłuższej chwili.
Robił wrażenie, jakby temat przestał go ciekawić. — Nieważne... Pani Drake pewnie popełniła omyłkę mówiąc mi, że jesteś
dobrym znajomym Banksa. Ale to przecież niemożliwe, często
przebywałem w towarzystwie kuzyna i samego Banksa, z pewnością bym cię kiedyś spotkał, panie.

— Obawiam się, że rzeczywiście zaszła pomyłka — przyznała, starając się nadać głosowi spokojne brzmienie. — Doprawdy prawie wcale go nie znam. Po prostu kiedyś
skomplementował moje prace, to wszystko...

Tym razem Maddoxa ubiegł Dunivant.

— Słyszałem, że niezły z niego flirciarz... — i puszczając oko, dodał: — Mam nadzieję, że w tym żaden z was mu nie towarzyszył, co?

Dunivant wybuchnął głośnym śmiechem i zanim zdążyła ochłonąć, konwersacja się urwała wraz z hałaśliwym wejściem pani Drake do jadalni. Towarzyszyło jej trzech służących, którzy zaraz zaczęli podawać przystawki. Poczuwszy się w swoim żywiole Dunivant równocześnie jadł i opowiadał anegdoty o legendarnym lenistwie wyspiarzy, sypiąc nimi jak z rękawa. Inwencji brakło mu dopiero przy szklaneczce malmseya, słodkiego miejscowego wina, kiedy wokół zapanowały ciemności, rozjaśnione jedynie blaskiem świec bezszelestnie przyniesionych i zapalonych przez służbę. Delikatny powiew od okna z rzadka dolatywał aż do stołu, a wtedy chybotliwe płomyki odchylały się, grożąc zgaśnięciem. W takim właśnie przytłumionym oświetleniu Maddox zwrócił się do niej ponownie.

— Panie Burnett, zdaje się, że pani Drake wspomniała coś o pańskiej jutrzejszej wyprawie na wzgórza w towarzystwie kogoś ze służby...

— To prawda, choć mam nadzieję, że wkrótce nie będę potrzebować przewodnika.

— Tuszę zatem, że się spotkamy. Wprawdzie powinienem dopilnować interesów ojca, jednakże ze skruchą przyznaję, że lenistwo tubylców mi się chyba udzieliło — tu rzucił rozbawione spojrzenie w kierunku Dunivanta — i często zamiast siedzieć nad papierami, wybieram się na przechadzkę.

— Być może więc się spotkamy — odrzekła, postanawiając w duchu, że wyruszy z samego rana i wespnie się możliwie wysoko.

— Bardzo bym tego chciał. — Maddox zniżył głos. — Widzisz, panie, z największą przyjemnością dotrzymałbym ci towarzystwa, gdy będziesz szkicował...

Nie zdążyła mu odpowiedzieć, gdyż ponownie pojawiła się pani Drake, tym razem, by powiedzieć wszystkim dobranoc.

Ciągła koncentracja podczas rozmowy przy kolacji, jak również nadmiar wrażeń wyczerpały ją tak dalece, że nie mogła tamtej nocy zmrużyć oka. Rankiem wstała niewyspana i pełna złych przeczuć.

Przygotowania do wyprawy na Islandię toczyły się bez jego udziału. Solander zajął się wyczarterowaniem statku, trasę wyznaczono niemal mimochodem, ktoś zarządził przeniesienie zapasów i wyposażenia na pokład „St. Lawrence'a". Banks w tym czasie czekał, wciąż żywiąc nadzieję, że nieoczekiwanie zjawi się w Londynie o n a. Zdarzały mu się krótkie przypływy energii, wystarczające, by przekonać postronnych, że jego zapał i pragnienie odkryć nie zmniejszyły się ani o jotę; śląc w świat listy zdobywał się na entuzjazm — tylko najbliżsi wiedzieli, że utracił poczucie celu i dryfuje zagubiony.

Te kilka tygodni pokazało mu, co to znaczy: czekać. Nieobecny duchem, myślami znajdował się nieustannie na morzu, towarzysząc listowi, który wysłał na Maderę. Siłą woli starał się sprawić, by dzięki pomyślnym wiatrom list czym prędzej dotarł do adresatki. Mając nadzieję, że przeprawa odbyła się bez przeszkód, każdego dnia rano spoglądał w kalendarz i był pewien, że list jest już w jej rękach albo lada chwila się w nich znajdzie. Próbował wyobrazić sobie jej reakcję, kiedy rozerwawszy pieczęć przeczyta jego słowa. Co będzie czuła? Co sobie o nim pomyśli? Czy będzie w stanie nadal go szanować, po tym jak ją zawiódł? Ciążyła mu myśl, że zanim zdąży do niego wrócić, on będzie już w drodze na Islandię. Z jednej strony pragnął, by zdążyła dotrzeć do Londynu, nim przygotowania do wyprawy dobiegną końca, z drugiej — z utęsknieniem wyczekiwał możliwości ucieczki.

Zamiast więc zadręczać się w nieskończoność, postanowił przyjąć zaproszenie starych przyjaciół, z którymi wcześniej nie raz udał się na obchód londyńskich klubów. Kiedy Solander przyszedł z wizytą na New Burlington Street, chcąc poradzić się Banksa w jakiejś sprawie związanej z wyprawą, nie zastał go w domu, a służba nie potrafiła powiedzieć, gdzie ich pan się podziewa od minionego wieczoru. Prawie dwadzieścia cztery godziny później dwóch lokajów przyprowadziło go do domu nieprzytomnego — w braku świadomości znalazł ulgę po raz pierwszy od wielu tygodni: było mu obojętne, gdzie jest oraz dlaczego nie jest gdzie indziej.

Pierwsze dni na Maderze spędziła w stanie nieustającego zachwytu. Zrywała się bladym świtem i opuszczała kwaterę jak najwcześniej, udając się w stronę wzgórz. Tam posuwała się wzdłuż *levadas*, starożytnych kanałów irygacyjnych, wijących się meandrami po zboczach, aż docierała do miejsca, które wybrała na swą pracownię. Na początku korzystała z pomocy przewodnika, wszelako po paru pierwszych dniach, kiedy już zapamiętała pokazane jej ścieżki, wolała sama odnajdywać drogę pomiędzy drzewami cynamonowymi, klucząc wśród mangowców i bananowców. Na miejscu szkicowała kwiaty i liście, jakich nigdy wcześniej nie było jej dane zobaczyć, po czym zmęczona wieloma godzinami wędrówki i pracy chroniła się w cieniu i spoglądając na rozpościerające się w dole morze, spożywała posiłek, jaki ze sobą przezornie zabierała. W największy upał ucinała sobie drzemkę, ukołysana do snu podzwanianiem dzwoneczków uwiązanych u szyj koźląt, które w dusznym, aromatycznym powietrzu poruszały się niemrawo na stromych zboczach ponad nią.

Piątego ranka odważyła się zejść do miasta. Jak co dnia wyszła z willi wcześnie i znalazła się na pustawych uliczkach, kiedy powietrze wciąż jeszcze było rześkie po nocy, choć słońce zaczynało już przygrzewać. Podobnie jak otaczająca ją przyroda, miasto także napełniło ją spokojem. Przeszła nieśpiesznie opodal domu cieśli, który jako jeden z pierwszych mieszkańców rozpoczął pracę, nucąc przy tym pieśń bez słów, na którą składało się ledwie parę nut, a która mimo to była pełna wyrazu; pobrzmiewały w niej smutek i radość równocześnie. Nieco dalej, mijając uchylone okno dużego domu, posłyszała dźwięki akordów wydobywanych ze skrzypiec, jak gdyby dziecko ćwiczyło wczorajszą lekcję. Tak samo jak melodia cieśli, jękliwe tony strun pasowały do bezludnych o tej porze, pogrążonych wciąż w cieniu ulic.

Każdy dzień byłby idealny, gdyby nie widmo wspólnego wieczornego posiłku. Oprócz Maddoxa i Dunivanta musiała poznać pozostałych członków angielskiej społeczności, którzy z nudów i ciekawości odwiedzali dom pani Drake, aby zobaczyć jej nowego gościa. Wszyscy oczywiście wypytywali ją o Banksa, a ich pytania były tak dociekliwe, że wkrótce się pogubiła i zaczęła sobie przeczyć. Niektórzy zatem opuszczali willę przekonani, że nieco zdziwaczały pan Burnett ma już zaklepane miejsce pośród członków wyprawy Cooka, podczas gdy inni rozpowiadali, że jego udział jest niepewny. Maddox przyglądał się jej zmaganiom z uśmieszkiem, od czasu do czasu włączając się do rozmowy i niby mimochodem zmieniając temat, kiedy opuszczała ją wszelka nadzieja, że zdoła zaspokoić ciekawość dżentelmenów nie odkrywając jednocześnie swej tożsamości.

Kiedy siódmego dnia jak zawsze udała się w swe ulubione miejsce na wzgórzach, by dokończyć szkic liści nie znanego jej wcześniej drzewa *guava*, przeszkodzono jej niespodzianie. Ranek niechętnie ustępował południu, powietrze stało ciężkie i nagrzane w promieniach palącego słońca. Niewielka plama cienia, w której siedziała, stanowiła jej jedyną ochronę, a szemrzący nieopodal strumień wpadający do wyciosanej w zboczu kamiennej niecki dawał ułudę ochłody. Zatopiona w pracy nie usłyszała, że ktoś się do niej zbliża, dopóki kroki nie rozległy się tuż za nią.

— Proszę o wybaczenie — odezwał się Maddox, występując z cienia i stając naprzeciw niej. — Skłonny byłem podawać w wątpliwość pańskie talenty. Tylu znam ludzi, którzy twierdzą, że potrafią rysować, a w rzeczywistości... — wzruszył ramionami. — Spodziewałem się, że i ciebie można do nich zaliczyć, panie. Wszelako, choć daleko mi do bycia ekspertem w tych sprawach, widzę, że zaiste jesteś artystą co się zowie. Może nawet faktycznie zamierzasz dołączyć do wyprawy Cooka...

Nie po raz pierwszy w jego obecności na policzki wystąpił jej rumieniec.

— Tak jak wcześniej mówiłem... — zaczęła.

— Och, nie ma znaczenia, co mówiłeś, panie — powiedział siadając tuż obok niej, tak że się gwałtownie odsunęła. Rozejrzał się wokół. — Zatem to tutaj zabijasz czas... Nie ukrywam, że musiałem chłopakowi zapłacić, by wskazał mi właściwą ścieżkę, gdyż przyznaję, niezmiernie mnie intrygujesz, panie Burnett. — Zignorowała jego słowa, udając, że pochłonięta jest wykańczaniem szkicu. — Ależ się robi spiekota... — Maddox ostentacyjnie powachlował się kapeluszem. — Nie gorąco ci w tym surducie, panie?

— Nie, ani trochę.

— Czyżby? — Zastanawiał się przez chwilę, po czym radosnym głosem oznajmił: — Mam pomysł! — i wskazując na pobliskie jeziorko, którego tafla zachęcająco migotała w cieniu, spytał: — Popływamy?

— Raczej nie. Nie umiem pływać — odparła z opuszczoną głową, rysując zawzięcie.

Ujął ją za łokieć wstając.

— No dalej — pociągnął ją. — Woda tu przecież nie jest głęboka, za to szalenie orzeźwiająca. A w dodatku jeziorko położone jest na uboczu... — uśmiechnął się i wyjaśnił: — Nie zgorszymy wiejskich dziewek.

Uwolniła ramię z jego uścisku.

— Panie Maddox, naprawdę... Nie mam ochoty.

Obserwował ją uważnie, z szelmowskim błyskiem w oku.

— Zadziwiasz mnie pan, panie Burnett! A czy będzie w takim razie ci przeszkadzało, jeśli sam popływam?

Spojrzała mu prosto w oczy i bez mrugnięcia powieki odrzekła:

— Dlaczego miałoby mi przeszkadzać? Możesz robić, co zechcesz, panie.

Poderwał się na równe nogi i stojąc o krok od niej zaczął rozpinać koszulę.

— Nie będzie przeszkadzać a n i t r o c h ę?

— Naturalnie, że nie — zapewniła, wytrzymując jego spojrzenie. — Mówiłem już przecież.

Maddox skończył rozpinać guziki, zdjął koszulę i rzucił ją na ziemię, po czym schylił się, by zzuć buty.

— Chodzi o to, że jest w tobie coś intrygującego — mówił, rozbierając się powoli. — Właściwie powinienem był się spodziewać, że odmówisz wspólnej kąpieli... Czy to dlatego, że uważasz ćwiczenia fizyczne za odrażające?

Przyjrzała mu się bacznie.

— Skądże, bynajmniej. Przyznasz jednak, panie, że wysiłek fizyczny nie jest zbyt... inspirujący?

Usłyszawszy taką odpowiedź, uniósł nieznacznie brew, lecz bez wahania zdjął ostatnie części garderoby. Nagi odwrócił się do niej plecami i pomaszerował w stronę brzegu, po czym wolno się zanurzył. Podczas gdy Maddox zażywał kąpieli, starała się odzyskać równowagę, za wszelką cenę nie chcąc dać po sobie poznać, jak bardzo ją całe wydarzenie poruszyło. Po jakimś czasie wyszedł z wody, podniósł swe ubranie i w pewnej odległości od niej osuszył się i odział. Chwilę potem znów siedział koło niej. Kontynuowała szkicowanie jakby nigdy nic, pozwalając, by zaległa między nimi cisza, którą w końcu przerwał Maddox.

— Kim jesteś? — spytał cicho, porzuciwszy prześmiewczy ton.

— Na nazwisko mam Burnett — odrzekła.

— Myślałem, że zaczniesz krzyczeć i uciekniesz — powiedział, uśmiechając się nieśmiało. — Chciałem cię nastraszyć.

— A to niby dlaczego?

— Gdyż — spojrzał na nią wyzywająco — wziąłem cię za damę.

Już dawno domyśliła się, że ją przejrzał. Mimo to jego słowa spowodowały, że cała zadrżała.

— Cóż — jakimś cudem udało jej się zapanować nad głosem — to oczywiste, że nią nie jestem.

— Tak... — brew mu się znów uniosła. — To jasne, że nie jesteś d a m ą. A to sprawia, że intrygujesz mnie o wiele bardziej. Choć nie dama, nie jesteś także... no wiesz, tym innym rodzajem kobiety. Muszę przyznać, że to dość podniecające...

Chciała go uderzyć. Przez moment zbierała całą swoją siłę, by cios, jaki spadnie na jego twarz, miał należytą moc, dokładnie taką, na jaką sobie zasłużył. Zaraz jednak poczuła, jak ogarnia ją wewnętrzny spokój; nie podda się, nie załamie, nie ucieknie.

— Myślę, panie Maddox, że najlepiej będzie, jeśli mnie teraz opuścisz. Mam pracę do skończenia.

Ku jej zdumieniu posłuchał.

— Jak sobie życzysz, p a n i e — powiedział z przekąsem, wstając. Już zbierał się do odejścia, kiedy wybuchnął:
— Oni wszyscy wiedzą, nawet pani Drake. Sami się domyślili. Wiesz o tym? — Nie odrywała wzroku od szkicu, czując, jak policzki ogarnia jej płomień. — Och, jeszcze jedno — rzekł sięgając do kieszeni. — List do ciebie. Przyszedł tego ranka od pana Banksa. Bez wątpienia pisze o roślinach, p a n n o Burnett.

Upuścił list na trawę u jej stóp. Zaczekała, aż zniknie jej z oczu, po czym trzęsącymi się rękoma sięgnęła po niego i złamała lakową pieczęć.

Przeczytawszy jego treść siedziała długo bez ruchu. W końcu postanowiła, że nim wróci do willi, ukończy jeszcze jeden szkic, a jutro z samego rana rozejrzy się za statkiem do Anglii.

15

Odkrycia

Kiedy obudziłem się rano, po głowie chodziło mi tylko jedno: jak by tu cichcem opuścić Lincoln. Wywody Andersona nie nastawiły mnie do niego ani odrobinę przychylniej, toteż nie miałem najmniejszej ochoty być świadkiem jego tryumfu. Wprawdzie wciąż mogło się okazać, że gdzieś po drodze popełnił błąd, lecz niewiele by to zmieniło w moim położeniu; list Stamforda stanowił bez wątpienia najpewniejszy trop dla nas wszystkich — gdyby się okazał ślepą uliczką, cofnęłoby nas to do punktu wyjścia. A to z kolei by oznaczało, że Ptak z Uliety jeszcze długo pozostanie w ukryciu — zakładając, że w ogóle przetrwał ostatnie kilkadziesiąt lat.

Ubrałem się szybko, by czym prędzej zawiadomić Katię o swojej decyzji. Trochę się obawiałem jej reakcji, kiedy usłyszy, że postanowiłem wrócić do Londynu, gdyż nie chciałem jej rozczarować, po tym jak wczoraj z takim zapałem rozszyfrowała sztuczkę z zamianą nazw w adresie i nie dała się zniechęcić Andersonowi. Nie zastawszy jej w pokoju ani w jadalni, zapytałem recepcjonistkę, czy jej przypadkiem nie widziała. Kobieta poinformowała mnie, że Katya wyszła z hotelu wcześnie rano, nie zostawiając żadnej wiadomości. Sądząc, że znajdę ją w którymś ze znanych nam miejsc, ruszyłem w obchód po mieście. Odwiedziłem archiwum, bibliotekę, a po drodze zajrzałem do paru kafejek, w których piliśmy kawę. Nigdzie jej nie było, co mnie nieco zaniepokoiło. Martwiłem się, że niepotrzebnie przedłuża się mój pobyt w Lincolnie, ale nie mogłem przecież zostawić jej tu samej, co gorsza — nie miałem pojęcia, gdzie jeszcze mogę jej szukać. Zacząłem bezmyślnie przemierzać ulice, przyglądając się przechodniom i zapuszczając żurawia do otwieranych właśnie sklepów, w nadziei że wpadnę albo na nią, albo przynajmniej na jakiś plan.

Moje poszukiwania zakończyły się nieoczekiwanie dla mnie samego, gdyż zamiast Katii znalazłem Gabby. Zauważyłem ją przez wystawę antykwariatu i po krótkim wahaniu postanowiłem wejść do środka i się przywitać. Stała tyłem do mnie, z wdziękiem opierając się o regał i przeglądając stareńkie wydanie „Herbariusza" Gerarda. Uśmiechnęła się, kiedy do niej podszedłem, lecz mimo to wyczuwałem między nami dystans, którego nie było wcześniej, podczas naszych spotkań w Londynie.

— Myślałem, że pojedziesz z Karlem po ptaka — zagaiłem, uświadamiając sobie poniewczasie, że w moich słowach niepotrzebnie pobrzmiewała gorycz. Gabby musiała pomyśleć, że nie umiem godnie przyjąć przegranej.

— Jest jeszcze za wcześnie — odparła, nadzwyczaj ostrożnie odkładając książkę na półkę. — Dopiero w południe spotkam się z Karlem, żeby obejrzeć zdjęcia.

— Pewnie bardzo się cieszysz. Nawet jeśli nie znajdziecie obrazów, uda ci się wkraść w łaski Teda Staesta... — głos mi się chyba lekko załamał, ale udała, że tego nie dostrzega.

— Mam taką nadzieję — skinęła głową i wyraźnie się zawahawszy, ciągnęła: — Fitz, chcę cię o coś zapytać. Rozumiesz już, co próbowałam ci wcześniej powiedzieć o Karlu? On w głębi duszy jest taki jak ty. Zauważyłeś to zeszłego wieczoru? Uwielbia poszukiwania, sposób, w jaki się odbywają, tę całą detektywistyczną dłubaninę. On zdaje sobie sprawę, że tuzin prac Roiteleta to być może gruszki na wierzbie: mogło ich nigdy nie być albo namalował je ktoś inny, albo są zupełnie zniszczone, albo co gorsza zwyczajnie kiepskie. Ale z drugiej strony mogą się okazać dokładnie tym, na co liczymy. I to właśnie ta myśl, że istnieją i czekają, by je odkryć, napędza Karla. — Taa, pomyślałem, ta myśl plus milion dolarów. Zmilczałem jednak. Gabby spojrzała na mnie i spytała: — Jak myślisz, Fitz, znajdziemy dzisiaj ptaka?

— Jeśli rzeczywiście został wystawiony na tamtej aukcji, pewnie tak.

— A jeśli nigdy go nie wystawiono, uważasz, że nikt go nigdy nie odnajdzie, prawda?

Popatrzyliśmy sobie w oczy.

— Och, jeśli wciąż jest w jednym kawałku, ktoś go kiedyś znajdzie — powiedziałem. — Przypadkiem. Najbardziej wartościowe znaleziska wychodzą na jaw podczas porządków na strychu. Właściciel zastanowi się, co to może być warte, i zaniesie okaz do eksperta. Jestem przekonany, że właśnie w ten sposób Ptak z Uliety ujrzy znów światło dzienne.

Spojrzałem w stronę wystawy. W przerwie między półkami migały mi głowy przechodniów. Przyglądałem im się z udawanym zainteresowaniem.

— Za dwa dni lecę do Rio — oznajmiła Gabby, po czym ciszej dodała: — Fitz, zastanawiałam się trochę... nad tobą, nad zdjęciem koło twojego łóżka... Wiem, że nigdy jej nie zapomnisz, ale musisz wreszcie zacząć prawdziwe życie. Nie czekaj, aż będzie za późno.

Tego samego dnia pojechałem do Revesby. Z Lincolnu wyjeżdżałem powoli, w zapadających ciemnościach późnojesiennego popołudnia, nie do końca zdecydowany, dokąd się udaję. Początkowo myślałem o Ainsby, lecz po krótkim zastanowieniu doszedłem do wniosku, że związane jest ze zbyt współczesnymi losami ptaka; zresztą Anderson obrzydził mi tę część poszukiwań. Niech sam skończy układankę, z sukcesem czy bez, nie interesują mnie jego detektywistyczne metody i odkrycia dzięki nim poczynione. Postanowiłem sprawdzić znacznie odleglejszą przeszłość Ptaka z Uliety, związaną z niejasną historią, którą Hans Michaels odkrył i pozostawił w postaci zagadkowego szkicu bezimiennej kobiety. O co tu chodziło? W którym punkcie połączyły się losy jej i okazu? Te pytania mogły przynieść odpowiedzi o wiele ciekawsze od wszystkiego, do czego udało się dojść Andersonowi. Zignorowałem zatem drogowskaz pokazujący zjazd do Ainsby i skierowałem się dalej na południe, gdzie leżało Revesby.

Prowadząc samochód w gęstniejącej szarówce, zacząłem wspominać Dziadka. Przypomniałem sobie, jak w młodości, dopiero co ukończywszy studia, byłem pełen krytycyzmu dla jego osoby, wyznawanych przezeń zasad, braku naukowej dyscypliny i nieumiejętności przewidywania. Gardziłem nim za to, że poświęcił rodzinę w imię własnych mrzonek i ambicji. Teraz zdałem sobie sprawę, że w znacznym stopniu go przypominam. Na pewnym etapie życia byłem dokładnie taki sam: sfiksowany na jednym punkcie, uganiałem się po świecie od kolekcji do kolekcji, marnotrawiłem pożyczone pieniądze, trwoniłem przyjaciół, którzy zasługiwali na coś lepszego. Nic nie miało dla mnie wtedy znaczenia oprócz odkrycia, jakie postawiłem sobie za cel — wielkiego odkrycia, które miało zmienić moje życie. Patrząc wstecz na tamte lata dostrzegałem własne szaleństwo i ze smutkiem zastanowiłem się, czy Dziadkowi kiedykolwiek dane było zrozumieć swój błąd. Czy któregoś dnia, kiedy przedzierał się przez wilgotny las równikowy, naszła go chwila refleksji? Czy obiecał sobie, że nie zniszczy własnej przyszłości? Cóż, jeśli nawet, nie dotrzymał słowa i parł naprzód.

Ostatnia wyprawa Dziadka w porównaniu ze wszystkimi poprzednimi, w jakich brał udział, była nader skromna. W skład ekspedycji wchodzili: młody przyrodnik Barnes, przewodnik wyga i czterech tubylców, w tym tragarz i kucharz, których przekonano sowitym wynagrodzeniem, jakie otrzymają, jeśli tylko uda się w kongijskiej puszczy znaleźć pawia. Wędrówkę rozpoczęli od ujścia rzeki Kongo, po czym podążali w głąb kraju, od jego południowej granicy, najpierw rzeką do Matadi, potem koleją i znów rzeką do odległego o prawie tysiąc pięćset kilometrów Stanleyville,* skąd musieli podjąć wędrówkę na własnych nogach. Szli bez ustanku przez dwa miesiące, kierując się wciąż na północ, aż w końcu, zapewne w braku lepszego pomysłu, skręcili na północny wschód.

_____
* S t a n l e y v i l l e — obecnie Kisangani, miasto w Kongu w środkowej Afryce, położone nad rzcką Kongo (przyp. tłum.).

Ktoś, kto nigdy nie doświadczył gorąca i wilgotności wiecznie zielonego równikowego lasu deszczowego, nie potrafi sobie wyobrazić wpływu, jaki takie warunki wywierają na człowieka. Do tego Kongo to bezlitosny kraj, a Dziadek w żaden sposób nie był na to przygotowany. Po krótkiej podróży z Anglii znalazł się w dziczy, za całą swą obronę mając potężną siłę woli, która jak sądził, zupełnie mu wystarczy. W czwartym miesiącu wędrówki Barnesa zmogła gorączka, w ciągu zaledwie paru dni krzepkiego mężczyznę zmieniając w słabeusza nie mogącego sprostać trudom wyprawy. Siedemnastoletnie plany i ambicje Dziadka legły w gruzach po nieledwie stu dwudziestu dniach ekspedycji. W wielkim zamieszaniu postanowiono, że Barnes musi wrócić do domu. W praktyce decyzja ta oznaczała, że przewodnik z trójką tragarzy spróbują wyprowadzić chorego z puszczy, nim nieszczęśnik wyzionie ducha. Z Dziadkiem, którego przy życiu utrzymywała tylko chinina, pozostał jeden tubylec. Mimo przeciwności zarzucili na plecy trzykrotnie cięższy bagaż i kontynuowali marsz, który miał ich uczynić sławnymi. Żaden z nich nie mógł wtedy wiedzieć, że istnienie afrykańskiego pawia zostanie oficjalnie ogłoszone kilka miesięcy później.

Kiedy jechałem do Revesby, z każdym kilometrem drogi ubywało łagodnych pagórków, teren stawał się bardziej płaski, aż w końcu przeszedł w typowe dla hrabstwa Lincoln moczary. Do wioski dotarłem około wpół do czwartej po południu, zmierzchało już, a stojące nisko nad horyzontem słońce przeświecało przez dzwonnicę kościoła, rzucając długi cień dokładnie tam, gdzie postanowiłem zaparkować. Miejscowość okazała się nieciekawa — zapomniana przez Boga dziura, bez pubu, w którym można by się schronić przed przyprawiającymi o dreszcze ciemnościami, bez sklepu, na którego wystawie można by zawiesić oko — ot, mała, w miarę regularna łata zieleni z domkami pochowanymi za żywopłotami, z tym że nawet zieleń pozostawiała wiele do życzenia. Revesby wyglądało, jakby za wszelką cenę chciało wyglądać inaczej niż porządna angielska wioska. Pusta przestrzeń pośrodku nie tylko przedzieliła wieś na pół, ale także, zwłaszcza teraz, późną jesienią, potęgowała wrażenie opuszczenia. Po jednej stronie ciągnął się rząd parterowych budynków, jakie w przeszłości jak kraj długi i szeroki wznoszono dla najuboższych. Nad wejściem do najbliżej stojącego widniała kamienna płyta z ledwie widocznym nazwiskiem i datą. „Banks", przeczytałem i dokonawszy pobieżnych obliczeń, wywnioskowałem, że filantrop mógł być dziadkiem Josepha.

Tak naprawdę nie miałem żadnego powodu, by tam pojechać, do wizyty popchnęła mnie zwykła ciekawość. Chciałem na własne oczy zobaczyć okolicę, w której żywot pędzili ludzie, o jakich ostatnio tyle się naczytałem. Jak się okazało, najbardziej mnie interesujący Dwór leżał kawałek za wioską, przy czym nie był to ten sam dworek, gdzie mieszkał Joseph Banks — tamten spłonął doszczętnie jeszcze w 1840 roku. Obecny budynek nadal był własnością prywatną, o czym dobitnie informowało zatrzęsienie tabliczek i znaków. Zniechęcony ich widokiem zawróciłem do kościoła, w nadziei że tam odnajdę ducha osiemnastego wieku. Niestety, świątynia, do której uczęszczał Banks przyrodnik, również nie wytrzymała próby czasu: rozebrano ją ponad sto lat temu, by w tym samym miejscu wybudować wspanialszą. Ze starego kościółka, podobnie jak ze spalonego dworu, nie pozostał najmniejszy ślad. Gwoli przyzwoitości dziewiętnastowieczni architekci wystawili w zakurzonym kącie model pokazujący, jak mały, niedoskonały i ujmujący był budynek, który unicestwili. Od tamtego czasu „nowy" kościół zdążył się postarzeć, jednakże nie znalazłem w nim tego, czego szukałem. Cóż, to czego szukałem, od dawna nie istniało. Przyjechałem do Revesby o jakieś sto lat za późno.

Gdy wyszedłem z kościoła, na zewnątrz było już prawie zupełnie ciemno. W gasnącym świetle przeszedłem między nagrobkami otaczającego świątynię cmentarza i odczytując niewyraźne napisy, z ulgą przekonałem się, że przynajmniej zmarłym nic nie zakłóciło spokoju; najbardziej zarośnięte mchem płyty pochodziły jeszcze z czasów, kiedy żył Banks. Ze smutkiem pomyślałem, że wkrótce inskrypcje całkiem znikną, kamienie pochylą się ku ziemi, a wtedy i pamięć o tych ludziach zostanie starta na proch. Ja także musiałem się poddać, obezwładniony przez egipskie ciemności i gęste kolczaste krzaki, i przyznać, że ten wyjazd nic mi nie dał. A może jednak? Wracając do samochodu myślałem o wiekowych nagrobkach i o tym, że nie tylko się uchowały przez te wszystkie lata, ale tkwią dumnie wokół znacznie młodszego od nich kościoła, łącząc dawne czasy ze współczesnością. Może więc wizyta w Revesby jednak mnie czegoś nauczyła? Mimowolnie przypomniałem sobie Dziadka — jego wyprawa nie była jedyną w historii, która zakończyła się spektakularną klęską tylko dlatego, że uczestnicy nie mieli na tyle wyobraźni, by zmienić plany, ani na tyle odwagi, by w porę zrezygnować.

Spędzone samotnie popołudnie sprawiło, że zatęskniłem za towarzystwem. Wyjechawszy z Revesby na drogę do Lincolnu, po niecałych dziesięciu kilometrach zauważyłem tablice reklamujące przydrożny pub i postanowiłem się tam zatrzymać, tłumacząc się w duchu, że wędrówka na zimnie z pewnością nie była zdrowa, o czym zresztą informowały mnie zziębnięte palce u rąk i nóg. Z przyjemnością wszedłem do ciepłego wnętrza, gdzie przy barze stało zaledwie parę osób, jako że pora była stosunkowo wczesna. Na szczęście w kominku paliło się już na całego, toteż zamówiwszy kufel piwa zainstalowałem się możliwie najbliżej ognia. Popijając miejscowy lager rozglądałem się po lokalu z ciekawością — był to typowy wiejski pub, który jakby żywcem przeniesiono z zamierzchłej przeszłości: żadnych renowacji, żadnych kart dań, żadnej ekologicznej poprawności. W hrabstwie Lincoln wciąż namiętnie polowano na lisy, o czym dobitnie świadczyły ściany gęsto udekorowane doczesnymi szczątkami zwierząt, które miały nieszczęście na własnej skórze przekonać się o hobby okolicznych mieszkańców. Na poczesnym miejscu nad barem stała szklana gablota, a w niej młoda lisica unosiła w siną dal zaduszoną kurę. W duchu zażartowałem wisielczo, że ktoś tu rzeczywiście zasłużył na karę. Wszędzie dokoła wisiały ozdoby z końskich rzędów i wyblakłe ryciny z początków dwudziestego wieku pokazujące dzielnych myśliwych na ich wspaniałych rumakach w scenach pościgu za lisem. Ot, takie sobie scenki rodzajowe dokumentujące odwieczną walkę farmerów z liskiem chytruskiem.

Zaraz, zaraz... z liskiem chytruskiem?!

Zamarłem z uniesionym do ust kuflem, gorączkowo starając się coś skojarzyć, po czym zalała mnie fala wstydu: jak mogłem być aż taki głupi?! Kiedy wreszcie ocknąłem się ze stuporu, ręce nie nadążały za wysyłanymi z mózgu sygnałami. Musiałem coś natychmiast sprawdzić, ale czy aby na pewno wciąż miałem ten list? Odstawiwszy kufel na bok, zacząłem przetrząsać kieszenie... W którejś z kolei znalazłem wymiętą kartkę papieru, przebiegłem po niej wzrokiem, szukając fragmentu, o którym dyskutowałem kiedyś z Pottsem. No gdzież jest ta mimochodem rzucona przez Johna Stamforda uwaga, która wydała nam się wówczas nieistotna i którą tak chętnie zbagatelizowaliśmy? No, jest wreszcie...

Do tego czasu strzeż go jak oka w głowie — nie chciałbym po powrocie dowiedzieć się, że sprzątnął mi go sprzed nosa ten Twój Lisek Chytrusek.

Aż do tej chwili sądziłem, że był to niewinny przytyk do adoratora siostry, teraz wszakże zacząłem nabierać pewności, że kryło się za nim znacznie więcej. Lisek Chytrusek, lisek, lis... „Fox" po angielsku to przecież ni mniej, ni więcej, tylko „lis"!

W pośpiechu miałem kłopot ze znalezieniem numeru telefonu, przeoczyłem staromodny aparat przy barze. Podniósłszy wreszcie słuchawkę, dwukrotnie pomyliłem cyfry, zanim udało mi się uzyskać połączenie. Kiedy po drugiej stronie usłyszałem jego głos, nieomal zabrakło mi tchu.

— Halo? Bert, to pan? Tutaj mówi John Fitzgerald. Parę dni temu wpadłem do pana pogadać o drzewie genealogicznym... — gdzieś w tle zawodził przerywany trzaskami głos tenora. — Wiem, że pewnie weźmie mnie pan za dziwaka, ale czy kiedykolwiek natknął się pan na nazwisko Martha Stamford? — zapytałem na jednym wydechu.

Po drugiej stronie zaległa cisza. Znany tenor umilkł, a Bert Fox ledwie stłumił śmiech.

— Taa... można powiedzieć, że się natknąłem — odezwał się wreszcie, starannie dobierając słowa; w jego głosie wciąż pobrzmiewało rozbawienie. — Martha Stamford to moja matka.

Lipiec tamtego roku przyszedł wietrzny. Statki i barki kolebały się niebezpiecznie na spienionych wodach Tamizy, hrabstwo Lincoln nawiedziły powodzie. „Saffron", mały stateczek kierujący się ku Portsmouth, został wstrzymany przez wzburzone morze i zmuszony do przybicia do brzegu Zatoki Biskajskiej. Na jego pokładzie stała niewielka postać, znużona i targana wymiotami, a mimo to wpatrzona w pomarszczoną podmuchami wiatru powierzchnię morza i na horyzoncie wypatrująca domu. Jednakże nawet pogoda sprzysięgła się przeciwko niej, wydłużając podróż z niewyobrażalnie długich trzech tygodni do pełnego miesiąca. Nim postawiła stopę na angielskiej ziemi, Banks wyruszył na wyprawę do Islandii.

Będąc jeszcze na pokładzie, na przekór pochmurnej aurze zabawiała się myślami o powrocie do domu w samym środku lata. Oczyma wyobraźni widziała, jak oślepiają ją promienie odbijające się w dachach portu, przycumowane u nabrzeża statki z białymi żaglami leniwie kołyszą się na zielononiebieskiej tafli wody, a tłum ludzi, w którym tu i ówdzie jakaś dama kryje się pod parasolką od słońca, napiera na trapy. Rzeczywistość odarła ją wszakże ze złudzeń: do Portsmouth wpłynęli późnym wieczorem, w deszczu, a niebo zasnuwała tak gruba warstwa chmur, że nie przebijał przez nie najmniejszy promyk zachodzącego słońca. Port sprawiał odstręczające wrażenie, ulice miasta były brudne i śmierdzące, a na dodatek nikt nie wyszedł jej na spotkanie. Postawiwszy stopę na stałym lądzie po raz pierwszy od wielu tygodni, chwiała się niepewnie, czując, jak ją przytłacza ciemność i pustka panujące wokół. Dotychczas korzystała z zasobów siły, energii i odwagi nadzwyczaj oszczędnie, wydzielając je po ziarenku niczym sprawnie działająca klepsydra. Wydarzenia ostatnich miesięcy wyczerpały ją wszakże do tego stopnia, że zszedłszy na ląd, poczuła się zupełnie bezbronna. Potrzebowała uśmiechu na powitanie. Ba, potrzebowała znacznie więcej — by ktoś ją przytulił i trzymał mocno w ramionach, nie zadając żadnych pytań ani nie stawiając żadnych warunków. Zamiast tego stała samotna w strugach deszczu, w tłumie obojętnych jej ludzi. Była świadoma, że skoro nie wysłała przodem listu zawiadamiającego o spodziewanym terminie swego powrotu, nie mogła oczekiwać obecności Banksa w porcie, a mimo to rozglądała się po otaczających ją obcych twarzach w poszukiwaniu tej jednej, tak dobrze znajomej.

Tamtej nocy, nie mogąc zasnąć w ciasnej izdebce taniego zajazdu, rozmyślała o czasie w Revesby, kiedy jej ojciec leżał umierający, o tym, jak otwierała wieczorami okiennice i wpatrywała się w kołysane wiatrem czubki drzew. Nie znalazła w nich wówczas odpowiedzi, podobnie jak żadnej nie przyniósł przedwczesny koniec jej podróży.

Na Islandię wyruszyli w początkach czerwca, kiedy wieją wiatry wystarczająco silne, by wypchnąć w pełne morze statek tak duży jak „St. Lawrence". Ostatnie tygodnie pobytu w Anglii Banks spędził bądź spity na umór, bądź pełen wyrzutów sumienia z powodu swego upadku — i za wszystko zaczął winić j ą. To przez nią znalazł się w niezwykle trudnym położeniu, to jej pospieszny wyjazd na Maderę uczynił sprawy jeszcze gorszymi, wreszcie to dla niej musiał zrezygnować z przygody swego życia. Przekonywał się poniewczasie, że powinien był jednak wypłynąć z Cookiem. Tłumaczył sobie, że gdyby nie jej pochopność, tak właśnie by się stało. Nie mógł znieść tych myśli, nie mógł znieść, że z jej winy wszystko poszło na opak. A na domiar złego teraz musiał albo znów wypłynąć, jeśli nie chciał zawieść swych towarzyszy, albo zostać w Londynie, żeby nie zawieść jej. Żył więc w rozterce czując, że bliskość, jakiej doświadczyli zimą w Richmondzie, została bezpowrotnie utracona. Zapomnienie znajdował w alkoholu i hulankach, a kiedy przyszedł czas, wsiadł na statek i przy sprzyjającym wietrze pożeglował na północ.

Kiedy wiatr przybrał na sile i zwrócił się przeciwko nim, okazało się to dla Banksa swego rodzaju zbawieniem. Cała załoga koncentrowała wysiłki na walce z żywiołem i utrzymaniu statku na kursie, podczas gdy Banks — stary wyjadacz i słynny podróżnik — cierpiał na niezwykle silny przypadek choroby morskiej. Gdy minęli przylądek Lizard i wpłynęli na Morze Irlandzkie, warunki atmosferyczne nie pozwoliły im na przybicie do brzegów wyspy Man, na co przez cały czas liczyli, tak że wytchnienia doznali dopiero na wysokości Hebrydów. Czarny miesiąc dobiegł końca i dla Banksa dosłownie i w przenośni znów zaświeciło słońce.

Do Richmondu dotarła parę dni później wczesnym wieczorem. W niknącym świetle dnia miejsce wydało się jej ani trochę nie zmienione. Podczas jej nieobecności pory roku przechodziły jedna w drugą, tak że teraz nadeszło wreszcie prawdziwe lato. Zboże na polach wybujało, żywopłoty się rozkrzewiły, przybite do drzwi tawerny afisze strzępiły się i rwały, lecz pomimo tych naturalnych zmian było tutaj jak dawniej. Kiedy ona żeglowała wśród nawałnic i oglądała miejsca na ziemi, jakich jej sąsiedzi nigdy nie zobaczą, Richmond wygrzewał się leniwie w słońcu. Zdumiona, że poczuła się tu jak w domu, starannie unikając bliskości rzeki, podeszła pod wzgórze, gdzie w umówionym miejscu czekała na nią uprzedzona o jej powrocie Martha. Spotkanie dwóch kobiet na zalesionym zboczu wzgórza nie wzbudziłoby niczyjej uwagi, jednakże baczniejszy obserwator dostrzegłby, że po ciepłym uścisku dłoni i kilku zamienionych słowach większa postać przekazała mniejszej list, który po chwili wahania został otwarty i przeczytany.

— „Najdroższa" — zaczęła na głos. — „Pisząc te słowa odczuwam wielki smutek. Z przykrością muszę Cię powiadomić, że kiedy je przeczytasz, ja będę daleko na morzu..." — przerwała, opuszczając dłoń, w której trzymała list, po czym schowała go do kieszeni. — Chodźmy, Martho — rzekła do wiernej towarzyszki. — To może zaczekać. Teraz najbardziej potrzeba mi kąpieli. A potem, jak już się wymoczę i nasycę głód, musimy porozmawiać.

Kiedy dwie postacie schodziły ze wzgórza, przyroda zdawała się wstrzymać oddech: na granatowiejące niebo nie odważył się wypłynąć księżyc, wiatr bał się zaszemrać w koronach drzew, jakby wszystko wokół zamarło w oczekiwaniu.

Do Islandii dotarli w sierpniu i od razu rzucili się w wir pracy; służyło im rześkie północne powietrze i wysiłek fizyczny na otwartej przestrzeni. Kraina była pusta i prosta, co dla Banksa było miłą odmianą po komplikacjach, jakich doznał w Anglii, i jeśli w ogóle myślał o kraju rodzinnym, to tylko z ulgą, że udało mu się zeń wyrwać.

We wrześniu wraz z Solanderem zdobyli wulkan Hekla i tam właśnie, na jego szczycie, spoglądając w dół na połyskliwą powierzchnię lawy, w której igrały promienie słoneczne, po raz pierwszy przelotnie pomyślał o niej, że zachwyciłaby się tym obrazem i kolorami. Wkrótce potem nadeszła islandzka jesień; pozbawiony drzew krajobraz na zasadzie kontrastu przywodził mu na myśl piękno lincolnskich lasów, całych w brązach i złocieniach. Od tej pory musiał się mieć na baczności, by nie tęsknić za utrzymaną w barwach rdzy sypialnią rozjaśnioną przytulnym światłem kominka.

Wyprawa dobiegła końca w październiku; wracając zawitali do Szkocji, gdzie Banks postanowił się zatrzymać na dłużej. Myśli o niej już tak nie bolały, choć napawały go poczuciem straty, ilekroć bowiem przyszła mu na pamięć, zdawał sobie sprawę z nieuchronności wypadków. Dlatego też nie było mu śpieszno wracać do Londynu. Nikt tam na niego nie czekał, a na pewno nie miał zamiaru przypominać sobie o szkodach, jakie wyrządził.

Przez prawie pół roku do Richmondu nie dotarły żadne wieści na temat wyprawy Banksa. Czas spędzała na dopracowywaniu szkiców i wypełnianiu kolorem rysunków oraz na systematyzowaniu notatek poczynionych na Maderze. W tym samym czasie odrastały jej obcięte przed wyjazdem włosy. Któregoś dnia w listopadzie ktoś przy niej napomknął, że Banks zrobił sobie przystanek w Edynburgu, jednakże nawet stamtąd nie otrzymała odeń żadnego listu. Trudno powiedzieć, czy wciąż o nim myślała, a jeśli nawet, nie dała niczego po sobie poznać, pochłonięta bez reszty pracą.

Banks pojawił się w Londynie na początku grudnia, by ku swej uldze stwierdzić, że kilka miesięcy wystarczyło, żeby zapomniano o zamieszaniu i goryczy towarzyszących jego wyjazdowi. Cook przysłał mu ciepły list, lord Sandwich go odwiedził i upili się jak za starych dobrych czasów. Jego życie wracało na normalny tor, mimo to ani razu nie usiadł, żeby do niej napisać. Na pewno słyszała o moim przyjeździe, mówił sobie. Skoro postanowiła mnie zignorować, wiem więcej, niżbym chciał. Jeśli jednak dostanę od niej list, z jego tonu wywnioskuję, na czym naprawdę stoję. Jeżeli z jej słów będzie wynikać, że nie żywi do mnie urazy, odwiedzę Richmond, kiedy mi czas pozwoli...

Po dwóch długich tygodniach, w ciągu których nie otrzymał od niej żadnej wiadomości, wstał pewnego ranka, zażądał konia i pogalopował do Richmondu.

Ziemię pokrył pierwszy śnieg, co przypomniało mu poprzednią zimę, lecz przez większą część podróży pozostawał głęboko zatopiony w myślach, tak że umykało mu piękno krajobrazu po drodze. Dopiero gdy zbliżał się do celu, zaczął zauważać otoczenie i uderzyło go, jak bardzo jest znajome i bliskie jego sercu.

Drzwi otworzyła mu służąca, której nie rozpoznał.

— Panienka Brown jest w domu, proszę pana — z dygnięciem odpowiedziała na jego pytanie. — Gdybyś zechciał tutaj zaczekać, panie... — Parę chwil później była z powrotem. — Panienka mówi, że możesz wejść na górę, panie. Właśnie maluje.

Wchodził po stopniach, stawiając ciężko kroki i w myśli ćwicząc słowa, jakimi ją przywita. Kiedy znalazł się na piętrze, drzwi do jej pracowni były rozwarte. Stanąwszy w nich pod światło zobaczył ją tuż przy oknie, tyłem do niego; całą uwagę poświęcała obrazowi na sztalugach. Miała na sobie zieloną suknię, a długie brązowe włosy, luźno tylko spięte, gdzieniegdzie opadały jej na kark. Nie zdążył się dobrze przyjrzeć, wchłonąć widoku znajomej szczupłej sylwetki, gdyż odwróciła się doń nagle i z twarzą opromienioną słońcem powiedziała:

— Witaj, Josephie.

To co dostrzegł w jej oczach, sprawiło, że dwoma długimi krokami przemierzył pokój i zamknął ją w ramionach.

— Jak to możliwe, że mi wybaczyłaś?

Nieco ponad rok po ich pierwszej nocy znów spoczywali w zielonkawej sypialni, a popołudniowe słońce przeświecało przez rude zasłony, rzucając zajączki światła na pościel. Niemal od razu po powitaniu jęli ściągać pośpiesznie ubrania, ciągnąc i szarpiąc guziki i zapinki drugiego; w pewnym momencie spojrzeli sobie w oczy, roześmiali się na swą niecierpliwość i czule pocałowali. Znalazłszy się w pościeli, pozwolili własnym ciałom prowadzić dialog, dla którego ich ciche zapewnienia i czułe słówka były tylko dopełnieniem. Znacznie później, kiedy leżeli spleceni bez ruchu, nadszedł czas rozmów.

— Wybaczyłam... ale co? — spytała.

— To, że puściłem cię samą na Maderę. I jeszcze to, że cię zawiodłem, bo byłem zbyt dumny i zbyt przepełniony złością na wszystkich. To, że nie pojechaliśmy razem na wyprawę...

— Ależ ja rozumiem. Wiem, dlaczego tak się stało. Dla mnie najtrudniejszy okazał się powrót, a potem, kiedy okazało się, że zdążyłeś wyjechać...

Oplótł ją ciaśniej ramionami.

— Tak bardzo było mi wstyd. Nie mogłem ci spojrzeć w oczy, musiałem wyjechać. Poza tym oczekiwano tego ode mnie...

— Wiem, domyśliłam się. Tyle że srodze mi ciążyło to przebranie; miałam dosyć udawania, że jestem mężczyzną. Chciałam na powrót być sobą!

— A czy przynajmniej dobrze się spisałaś jako mężczyzna?

— Raczej nie — poczuł, jak się uśmiecha. — Och, mało kto na mnie zwracał uwagę, ale każdy, kto zadał sobie ten trud, z łatwością odgadywał, kim jestem. Na szczęście niewielu się trudziło. W tłumie szło mi znacznie lepiej; chwilami czułam się przezroczysta.

Przytulił ją do siebie i mocno pocałował. Wreszcie czuł, że jest w domu.

A jednak nie było tak samo jak przedtem. Dopóty, dopóki Cook żeglował na „Resolution", Banks nie potrafił znaleźć sobie miejsca, jak gdyby jakąś częścią siebie i on żeglował po dalekich morzach. Wykorzystywał rozpierającą go energię na snucie planów kolejnych wypraw: do Walii i Holandii. Wiele czasu pochłaniały mu zajęcia w Londynie, dzięki którym stawał się coraz bardziej znany w kręgach naukowych i wśród członków Towarzystwa Królewskiego. Richmond udawało mu się odwiedzać tylko z rzadka, zniknęło gdzieś poczucie, że kiedy są razem, czas staje w miejscu.

Miesiące, jakie spędzili osobno, zmieniły ją. Nie potrafił w niej odnaleźć pasji, którą wcześniej dlań żywiła, zaczął nawet dostrzegać budzące się w niej wątpliwości, czego nigdy wcześniej nie zauważył. Choć nadal darzyła go czułością i namiętnością, przy najlżejszej wzmiance na temat przyszłości w jej oczach pojawiało się wahanie. Obracał wtedy wszystko w żart, przyciągał ją do siebie i zaklinał, by nigdy go nie opuszczała, gdyż tylko przy niej jest szczęśliwy — słowa prawdziwe i nieprawdziwe zarazem. Gdy pytał ją o coś, dostawał zdawkowe odpowiedzi, kiedy próbował się dowiedzieć, jak spędziła czas, podczas gdy on bawił na Islandii, wzruszała tylko ramionami i mówiła:

— Malowałam.

Z początkiem nowego roku oboje zrozumieli, że lokalizacja w Richmondzie jest niedogodna. Chcąc mieć ją przy sobie cały czas, także wtedy gdy pracował, przekonał ją, by przeprowadziła się do Londynu. W połowie stycznia, kiedy wokół panowała brzydka zimowa plucha, zamieszkała przy Orchard Street. Niedaleko stamtąd było do ruchliwej Oxford Street, skąd dochodziły ją pokrzykiwania kupców ulicznych, wokół wystrzelały w niebo niezliczone kościoły, których dzwony odtąd towarzyszyły jej nieustannie o każdej porze dnia, ale równocześnie to nowe miejsce, choć w centrum dużego miasta, dawało jej złudzenie bliskości natury — z położonych na piętrze pokoi czuła czasem, zwłaszcza jeśli wiał zachodni wiatr, zapach otwartych pól. Mieszkanie było nowe i urządzone z przepychem i być może dlatego już przy pierwszych oględzinach poczuła się jak utrzymanka. Dotychczas za wszelką cenę starała się uchronić rodzinne nazwisko od niesławy, w tym miejscu jednak nie musiała się trudzić. Przestała być panną Jakąśtam, została kochanką Josepha Banksa. Dla wszystkich; wiedzieli o tym kupcy, dostarczający jej żywność i ubrania, wiedziały o tym mijane na ulicy damy. Nikogo nie interesowało jej nazwisko ani jej przeszłość. Kiedy stamtąd się w końcu wyprowadzi, jej miejsce zajmie inna kobieta, odwiedzana przez innego mężczyznę, i ona także nikogo nie będzie obchodzić, z wyjątkiem być może tego, który będzie ją utrzymywał.

Wszelako trzeba przyznać, że Londyn, chociaż wiele jej zabrał, dał też coś w zamian. Joseph żył pełnią życia; jego dom przy New Burlington Street stał się centrum, w którym zbierali się najwybitniejsi myśliciele i naukowcy tamtych czasów, o kolekcji Banksa głośno było w całej Europie, ludzie przyjeżdżali z daleka, by ją podziwiać i o niej dyskutować. Dzień w dzień, od rana do wieczora było tam tłoczno i głośno, przerzucano się coraz to nowymi pomysłami i ideami, które stanowiły pożywkę dla jego umysłu. Nocami dzielił się z nią stymulującym natłokiem myśli, zamiast zapadać w sen, rozprawiali i sprzeczali się, aż ogień dogasał na kominku, tak że znów szukali ciepła w swych objęciach.

Na tym właśnie polegało zadośćuczynienie za pozbawienie jej nazwiska, za odarcie jej z godności.

Dwa tygodnie po jej przeprowadzce na Orchard Street Banks udał się do Holandii, a decyzja ta przyszła mu o tyle łatwiej, że wiedział, iż po powrocie zastanie ją na miejscu — mądrą i kochającą w równym stopniu. Był świadom, że po dwóch miesiącach przebywania w wyłącznie męskim towarzystwie za niczym bardziej nie zatęskni jak za nią, tym razem więc nie bał się rozłąki.

Na swój sposób ona także odniosła pożytek z jego nie-obecności. Jeszcze parę miesięcy wcześniej nie wyobrażała sobie życia bez niego, sądziła, że nie zniesie pustki; teraz miała swoje obrazy rozpoczęte na Maderze. To dzięki nim czuła się wolna, nie ograniczona ścianami przesłaniającymi jej horyzont. Kiedy malowała, przepełniała ją siła nie mająca granic. Banks wyjechał, jej świat się zmienił, lecz nie runął w gruzy — ujęła w dłoń pędzel i zaczęła malować.

Wrócił do Londynu pod koniec marca w świetnym nastroju, pełen miłości i jakby odmłodniały; z zapałem do pracy i uczuciem do niej wypisanymi na twarzy. Z miejsca poinformował ją, że najpewniej jeszcze tego lata wyruszy do północnej Walii, by pomóc Pennantowi. Dodał zaraz, że jeśli okolica okaże się mniej straszna niż krążące o niej opowieści, przy najbliższej okazji wybiorą się tam razem, żeby na własne oczy zobaczyła rozległe wrzosowiska i górę Snowdon. Tymczasem jednak chciał jej kogoś przedstawić — duńskiego entomologa o nazwisku Johann Fabricius, który przyjechał studiować jego kolekcję.

Jeśli nawet wydała mu się nieco poważniejsza niż zwykle, złożył to na karb długiego rozstania.

Przeczekała zamieszanie spowodowane jego przyjazdem i dopiero gdy największe emocje opadły, oznajmiła mu nowinę.

Od trzech miesięcy była brzemienna.

16

Wyjazd z Lincolnu

Do hotelu wracałem w środku nocy. Na obrzeżach miasta mimo nieludzkiej pory wciąż panował spory ruch, toteż odprężyłem się dopiero, gdy podjechałem pod wzgórze. Starówka pogrążona była w nocnej ciszy, a nad nią na granatowoczarnym niebie migotały miriady gwiazd. Zaparkowałem samochód opodal hotelu i spacerkiem przeszedłem ostatnie kilkaset metrów, w zamyśleniu przypatrując się fantazyjnym wzorom, jakie mróz nakreślił na nierównej powierzchni kocich łbów.

W holu przywitała mnie zapalona mała lampka, rzucająca snop światła na blat recepcji, tak że większość pomieszczenia pozostawała w mroku. Dyskretne oświetlenie i ciepło wnętrza sprawiły, że przystanąłem na chwilę rozkoszując się wrażeniem powrotu do domu. Rozluźniłem szalik i zacierając zgrabiałe ręce uświadomiłem sobie, jak bardzo zmarzłem — aż dotąd rozgrzewała mnie adrenalina. Nadal zresztą dygotałem z emocji, przepełniała mnie radość i chęć do życia — prawdę powiedziawszy, nie pamiętałem, kiedy tak się czułem po raz ostatni.

W stanie euforii, w jakim się znajdowałem, cud, że nie przegapiłem towarzystwa. Już miałem wejść na schody, kiedy kątem oka dostrzegłem jakiś ruch. Za nie domkniętymi drzwiami do hotelowego baru z ciemności wyłonił się na moment rozżarzony punkcik, po czym błyskawicznie zgasł. Ktoś tam siedzi i pali, pomyślałem. Zrobiłem kilka ostrożnych kroków w stronę przejścia.

— Katya? — zapytałem cicho.

Odpowiedzi udzielił mi Potts.

— Katya już od dawna śpi, panie Fitzgerald — poinformował mnie, w typowy dla siebie sposób rozciągając zgłoski.

Czerwony ognik rozbłysnął na nowo, tym razem jego żywot był dłuższy, Potts zaciągnął się głęboko, po czym powoli wypuścił dym z płuc. Stanąłem w progu, za którym znów zrobiło się ciemno choć oko wykol. Próbowałem przypomnieć sobie, gdzie znajduje się kontakt, równocześnie przebijając wzrokiem czerń. Na próżno.

— A tamci dwoje? — spytałem mojego niewidocznego rozmówcę.

— Chodzi panu o Andersona i Gabriellę? On udał się do Durhamu, a ona do łóżka. Oboje mieli ciężki dzień.

— Zatem o ptaku nie wiadomo nic nowego...? — ledwie udało mi się zapanować nad głosem.

— Jakby pan zgadł. Ciekawy, co się dzisiaj działo?

— Pottsa słyszałem i czułem dym jego papierosa, lecz w dalszym ciągu nic nie widziałem, jeśli nie liczyć pojawiającego się i znikającego w nierównych odstępach czasu ognika.

— Jasne.

Potts odchrząknął i zaczął relacjonować.

— Wyszli z hotelu o pierwszej po południu. Samochodem Andersona pojechali do wioski Storeby. W pubie „Pod Dzwonem" zatrzymali się na lunch, zamówili całą butelkę czerwonego wina, ale jej nie skończyli. Pomiędzy daniami Anderson trzymał Gabriellę za rękę i od czasu do czasu ją całował... Zdumiałby się pan, gdybym panu powiedział, czego ja się naoglądałem przez te wszystkie lata — westchnął ostentacyjnie, po czym uniósł papieros do ust. Po chwili kontynuował:

— Za dwadzieścia trzecia dosiedli się do nich dwaj mężczyźni. Obaj pracowali już wcześniej dla Andersona, sprawdziłem to dobrze, więc może mi pan wierzyć na słowo.

— Śledził go pan?...

— Oczywiście — odparł z lekka zniecierpliwiony Potts. — Tym się właśnie zajmuję, nie pamięta pan? Mogę mówić dalej? — Nie odezwałem się już ani słowem. — Jeden z mężczyzn wyłożył na stół plik zdjęć, po czym wszyscy w skupieniu zaczęli im się przyglądać, trwało to bite pół godziny. W pewnym momencie Anderson się ożywił i nawet zaczął postukiwać knykciami o blat, ale z daleka było widać, że nie jest zadowolony. Potem wstał i wyszedł z pubu. Na zewnątrz wypalił prawie całą paczkę papierosów. — Z ciemności dobiegł mnie szatański chichot. — Między nami mówiąc, panie Fitzgerald, był nieźle wkurzony.

— Zatem sądzi pan, że jego ludzie znaleźli nie tego ptaka co trzeba?

— Jak cholera nie tego!

Z ulgą wypuściłem bezwiednie wstrzymywane od dłuższej chwili powietrze.

— No, no... Tyle zachodu i wszystko na nic — skomentowałem.

— Otóż to. Nici z ptaka, nici z obrazów... Po wyjściu jego ludzi Anderson i Gabriella zostali w pubie. Siedzieli tam całe popołudnie, rozmawiając. Patrzyli sobie przy tym w oczy, trzymali się za ręce i raz po raz wzruszali ramionami. Anderson od czasu do czasu podnosił któreś ze zdjęć i robił marsową minę.

— Wpatrywałem się w koniuszek niewidocznego papierosa. Przyzwyczajony do ciemności wzrok powoli zaczął wyławiać zarys sylwetki Pottsa, zanurzonego w głębokim fotelu. Kiedy się poruszył, na oprawkach jego okularów zatańczył odbłysk światła. — Od jednego z pracujących dla niego ludzi dowiedziałem się reszty. Zdjęcia zrobiono w pewnym dużym domu położonym nieopodal Durhamu, dokąd trafiło sporo rzeczy po zlicytowaniu dworu w Ainsby. Co ciekawe, znajduje się tam również wiele obrazów, w tym o tematyce botanicznej. Nic dziwnego więc, że Anderson dał się ponieść entuzjazmowi. Cóż, zdjęcia pokazały, że nie ma wśród nich Ptaka z Uliety ani obrazów Roiteleta. Mimo to Anderson pojechał sprawdzić wszystko osobiście, moim zdaniem zupełnie niepotrzebnie. Rzuciłem okiem na te fotki i głowę daję, że żaden z obrazów nie jest pędzla Roiteleta. No tak — dodał jakby do siebie — ale Anderson nie zna się na sztuce. Z tego właśnie powodu powinien był przyjąć moją pomoc...

— Czyli nasz ptak wciąż gdzieś tam jest — skinąłem głową w stronę wyjścia. — A pan, panie Potts? Czemuż to zamiast spać snem sprawiedliwego, siedzi pan tu sam po ciemku?

Pytanie było dość bezpośrednie, jednakże Pottsa najwyraźniej nic nie mogło zmieszać.

— Czekałem na pana, panie Fitzgerald. Chciałem porozmawiać, jak tylko pan wróci. No i co tu będę krył: jestem bardzo ciekawy, gdzie pan się podziewał przez cały dzień.

— Wreszcie pozwolił sobie na okazanie nieco uczuć. — Rany, pomyśleć tylko, że wszyscy daliśmy się nabrać jak dzieci. Jedyny sensowny trop, list Stamforda, wyprowadził nas w pole. Wygląda na to, że teraz w panu cała nadzieja. Tylko pan może nas doprowadzić do zagubionych obrazów, gdyż nikt inny nie zna się tak dobrze na wypchanych ptakach. Ha, podejrzewam nawet, że wie pan więcej, niż mówi.

Zbierałem się, żeby jakoś na to odpowiedzieć, kiedy nagle kliknęła zapalniczka i po raz pierwszy podczas rozmowy zobaczyłem Pottsa wyraźnie. Szybko jednak zrozumiałem, że jego zamiar był odwrotny: to on chciał widzieć moją twarz.

— Kto wie? — rzuciłem odwracając się do wyjścia. — Dobranoc, panie Potts.

Wyszedłem z baru, zostawiając go na pastwę ciemności. Idąc wskroś holu i jeszcze na schodach wciąż czułem na sobie jego świdrujący wzrok. Od początku wiedziałem, że sprytna z niego bestia, toteż zachowując pozory spokoju flegmatycznie wspinałem się po stopniach. Wewnątrz wszakże aż buzowałem od adrenaliny i gdyby nie Potts, znalazłbym się na górze w mgnieniu oka. Przez cały czas gorączkowo zastanawiałem się co dalej. Musiałem z kimś porozmawiać.

Znalazłszy się w pokoju, przemyłem twarz zimną wodą, odczekałem pięć minut, po czym zgasiłem światła. Wciąż w ubraniu usiadłem na podłodze, opierając się plecami o drzwi, i wsłuchałem w ciszę na korytarzu. Z drętwoty wyrwały mnie kroki na schodach; zerknąłem na zegarek — minęło czterdzieści pięć minut. Kiedy Potts zamknął wreszcie drzwi do swego pokoju, nie śmiałem się poruszyć przez kolejną godzinę. Potem wziąłem szybki gorący prysznic, gdyż z emocji i zimna wstrząsały mną dreszcze, i złapałem za słuchawkę. Wybrałem numer Katii i pozwoliłem na ułamek dzwonka, po czym się rozłączyłem. Po kilku sekundach powtórzyłem manewr, potem jeszcze raz, zawsze przerywając pierwszy dzwonek. Przy szóstej próbie Katya od razu podniosła słuchawkę.

— Halo? — powiedziała chrapliwie, zaspana i zdezorientowana.

— Nic nie mów — szepnąłem. — Ubierz się i wymknij po cichu. Wracamy do Londynu.

O czwartej trzydzieści byliśmy już w drodze. Panowało przenikliwe zimno, na przedniej szybie wraz z pędzącym powietrzem osiadały kryształki lodu. Pusta jezdnia była czarna, jedynie pomiędzy pasami ruchu skrzył się szron. Z braku czasu i z powodu chłodu nie zdjęliśmy okryć, siedzieliśmy w samochodzie zakutani w płaszcze i szaliki. Katya sięgnęła do tyłu po stary koc i otuliła się nim szczelnie.

— Co się stało? — zapytała, ledwie opuściliśmy przedmieścia.

— Daj mi chwilę — odparłem burkliwie. — Poczekaj, aż się trochę zagrzejemy, a ja poukładam sobie wszystko w głowie.

Katya, wyciągnięta z ciepłego łóżka w środku nocy, nie miała zamiaru dawać za wygraną.

— W takim razie opowiedz mi o Gabrielli — zażądała po krótkim namyśle.

— O Gabby? Przecież ją znasz i wiele ode mnie słyszałaś...

— Aha. Ale wciąż nie wiem wszystkiego. — Odwróciła się niezręcznie, nie wypuszczając rogów koca z rąk. — Na przykład nie jestem pewna, co do niej czujesz.

Przez chwilę nic nie mówiłem, obserwując najpierw we wstecznym lusterku, potem kątem oka, jak z wielką prędkością zbliża się do nas olbrzymi mercedes, po czym wyprzedza nas i zostawia w tyle, jakbyśmy stali w miejscu.

— Hmm, ja sam nie jestem tego pewien. — Patrzyła na mnie wyczekująco. Zawahałem się, nim podjąłem. — Myślę, że musiałem się z nią znów spotkać, żeby się upewnić. Wiele dla mnie w przeszłości znaczyła, do tego łączy się z nią mnóstwo drogich mi wspomnień. Ciężko jest zapomnieć.

— A chcesz zapomnieć?

— Tak — odparłem zaciskając ręce na kierownicy.
— Najwyższy czas.

— Dlatego, że jest teraz z Andersonem? — drążyła
Katya.

— Nie — zaprzeczyłem z pewnością w głosie, która
chyba ją zaskoczyła. — O nim wiedziałem już wcześniej, tyle
że bałem się uwierzyć...

Myślała nad tym, co powiedziałem, wpatrując się w szosę
przed nami.

— A Gabby? Czy też zapomniała...?

— W pewnym sensie... nie o wszystkim. Zresztą wciąż ma
swoją pracę, tę samą co wtedy. Powinno jej być trudniej,
a jednak... to co robi, jest dla niej ważne... ważniejsze niż ludzie.

— Nie jesteś przypadkiem niesprawiedliwy?

— Nie chciałem, żeby to tak zabrzmiało. Wiem, że kiedyś
mnie kochała. Ale to było w czasach, gdy byłem częścią jej
pracy. Później, kiedy nasze drogi zawodowe się rozeszły,
w jednej chwili przestałem należeć do jej świata. Nie potrafiła
zrozumieć, że coś może być ważniejsze od pieprzonego lasu
deszczowego, że może mi na czymś zależeć bardziej...

Katię chyba usatysfakcjonowało to, co usłyszała, gdyż
nie zadała żadnego pytania więcej. Umościła się wygodniej
i w milczeniu wyglądała przez okno, myślę, że nawet trochę
przysypiała. W samochodzie robiło się coraz cieplej, kilometry
uciekały. Minęła dobra godzina, kiedy poruszywszy się zapytała, gdzie jesteśmy, po czym oznajmiła, że jest głodna. Chwilę
potem zatrzymaliśmy się przy najbliższym barze na kawę
i śniadanie.

Kiedy przyniesiono nakrycia i postawiono przed nami parujące kubki, Katya położyła łokcie na stole, oparła brodę na
splecionych dłoniach i spojrzała na mnie wyczekująco.

— No? — zachęciła, unosząc zabawnie brwi.

Rozmawialiśmy niemal godzinę. Nim skończyliśmy, nocne niebo strzępiło się na brzegach, zalewając delikatną poświatą okoliczne pola. Katya szybko zrozumiała, na czym polegał
targ, którego dobiłem w hrabstwie Lincoln minionego wieczoru. Wiedziała, że mam zaledwie parę dni na dotrzymanie umowy ze swej strony. Nie mieliśmy czasu do stracenia.

W milczeniu wsiedliśmy do samochodu i nie odzywając się do siebie skierowaliśmy się w stronę Londynu. Na przedmieściach zaczynała się właśnie poranna godzina szczytu; mimo że starannie omijałem korki, zajęło mi trochę czasu, nim podjechałem pod dom. Wyłączyłem silnik, lecz Katya ani drgnęła.

— Co jest? — spytałem.

— Wciąż myślę o tym, co powiedziałeś o Gabby. Wydaje mi się, że to co czuje do niej Anderson, jest prawdziwe. No wiesz, sposób, w jaki na nią patrzy, i takie tam...

Zastanowiłem się nad słowami Katii.

— Hmm... Nie jestem pewien. Moim zdaniem do siebie nie pasują.

— A moim tak. — Wzruszyła ramionami. — Może Gabby się zmieniła. Może dojrzała do tego, by zmienić swoje życie. Może poślubi Karla Andersona i założy rodzinę.

Potrząsnąłem głową.

— Gabby nigdy się nie zmieni. To czym się zajmuje, zbyt silnie w niej tkwi, stanowi zbyt dużą część jej samej... — przerwałem, gdyż uderzyła mnie pewna myśl. — Kto wie, z pieniędzmi Andersona może uda się jej mimo wszystko ocalić planetę?... Ale nie poślubi go, co to, to nie. Przynajmniej na razie.

— Skąd ta pewność?

— Stąd, że na razie — patrzyłem prosto przed siebie — wciąż jest moją żoną.

Nieraz się zastanawiałem, czy życie Dziadka potoczyłoby się inaczej, gdyby poślubił ukochaną kobietę. Cokolwiek bowiem powiedzieć o jego małżeństwie, z całą pewnością nie zostało zawarte z miłości. Nawet jego zapiski nie wyjaśniają, dlaczego w ogóle się pobrali, ukazują za to z całą bezwzględnością słowa pisanego, jak mało czasu ze sobą spędzali, zarówno przed ślubem, jak i po ślubie. Można by podejrzewać, że pewnego dnia nie mając nic lepszego do roboty oświadczył się pierwszej lepszej znajomej, czym wprawił w zdumienie obie zainteresowane strony. Nim zdążyli z tego zdumienia ochłonąć, byli zaślubieni na dobre i na złe, Dziadek zaszył się na powrót w puszczy i losy ich małżeństwa zostały przesądzone, bez możliwości wprowadzenia zmian czy poprawek.

Dzień, w którym ekspedycja rozdzieliła się na część wracającą do kraju i część mającą podążyć w głąb Konga, był ostatnim, kiedy Dziadek mógł przesłać do domu listy. Na pewno zdawał sobie sprawę, że kolejna taka możliwość pojawi się za miesiące całe, jeśli w ogóle, a mimo to nie napisał do żony, nie przekazał też dla niej żadnej wiadomości. Po prostu zarzucił bagaż na plecy i wraz z towarzyszem zniknął w bujnej roślinności.

Ani jeden, ani drugi nie znał tamtych terenów. Żaden nie miał najmniejszego pojęcia, dokąd zmierzają. Ich niewiedza i brak rozeznania czyniły łatwe dziesięciokroć trudniejszym, a trudne niemożliwym. Z pełną świadomością unikali kontaktów z lokalną ludnością, jakby celowo nie chcieli przyjąć od nikogo pomocy, i na dodatek zawsze wybierali najbardziej niedostępne ścieżki i przejścia. Dziennik Dziadka podawał, że w ciągu pierwszego miesiąca samotnej wędrówki zrobili około stu pięćdziesięciu kilometrów, co byłoby wynikiem imponującym, gdyby trasę pokonali w linii prostej — tymczasem kluczyli i błądzili, tracąc niepotrzebnie energię. Zapuszczali się w nie opisane partie puszczy równikowej, których na darmo by szukać na ówczesnych mapach; z każdym dniem zapiski dotyczące ich położenia stawały się coraz bardziej ogólnikowe. Doszedłszy do brzegu rzeki, zidentyfikowali ją błędnie, po czym przez trzy tygodnie przedzierali się przez gęstą roślinność wzdłuż jej nurtu. Kiedy zaczęło im brakować chininy, porzucili brzeg rzeki i wspiąwszy się na położony wyżej, nieco suchszy teren, kontynuowali wędrówkę przez kolejny miesiąc. Mniej więcej wtedy Dziadek zarzucił wpisy do dziennika, jakby przeczuwając to, co miało nadejść, tak że nie sposób ocenić, czy wybieranie przez nich okrężnej trasy było nieudaną próbą parcia naprzód czy też rozpaczliwą próbą odwrotu po własnych śladach. Nie miało to zresztą większego znaczenia — nie wiedzieli, gdzie się znajdują, byli skrajnie wyczerpani, ich zapasy się kończyły, Dziadka męczyła gorączka. Co gorsza, gdziekolwiek poszli, nigdzie nie natrafili na ślad afrykańskiego pawia.

Zaraz po wejściu do domu zaprowadziłem Katię do swojego pokoju i wskazując na zdjęcie stojące na nocnej szafce, oznajmiłem:

— Moja córka. Kiedy robiłem jej to zdjęcie, miała niecały rok. Kilka tygodni później już nie żyła.

Siedzieliśmy obok siebie na łóżku, dotykając się kolanami i łokciami. Wokół panował przytulny nieporządek.

— Tak mi przykro — powiedziała cicho. Ujęła zdjęcie za ramkę i trzymała w palcach delikatnie, jakby w obawie, że i ono może nagle zniknąć.

— W kraju takim jak Brazylia dziecko może umrzeć z setek powodów, tam jest to na porządku dziennym. Dla mnie jednak nie było. Jej śmierć zmieniła wszystko. — Katya położyła dłoń na mojej, więc nie przestawałem mówić: — Chciałem, żebyśmy stamtąd wyjechali, żebyśmy wrócili do domu. Nie mogłem znieść, że robimy to samo co wcześniej, że ż y j e m y, jakby nic się nie stało. Jednakże dla Gabby rutyna stanowiła ucieczkę. Teraz myślę, że praca była jej potrzebna znacznie bardziej niż kiedykolwiek, podczas gdy dla mnie straciła wszelkie znaczenie.

Przez ułamek sekundy poczułem się tak, jakbym tam wrócił: oszczędnie umeblowany pokój, okno zaciągnięte brudną moskitierą, wentylator kręcący się bez ustanku, a mimo to nie przynoszący ulgi. Wszechobecny odór potu. I puste łóżeczko z odciśniętym kształtem małego dziecka. A na dole Gabby, beznamiętnym głosem wydająca polecenia, jakie musiały zostać wydane.

— Zostawiłeś ją?

— Tylko jej zawadzałem. Cokolwiek zrobiła, używałem tego jako argumentu przeciwko niej, twierdziłem, że jest nieczuła. Wiem, że to niesprawiedliwe, ale tak właśnie było. Groziło nam, że lada moment skoczymy sobie do oczu. Udało nam się dojść do porozumienia; wspólnie postanowiliśmy, że wyjadę... — Popatrzyłem na małą twarzyczkę i poczułem dojmującą pustkę. — Na imię miała Celeste, po matce Gabby. To zdjęcie to wszystko, co po niej pozostało. Istnieje na zdjęciu i w naszych wspomnieniach. Kiedy Gabby i ja umrzemy, zostanie tylko zdjęcie. A potem... zupełnie nic.

Zamilkłem, Katya też się nie odzywała. Po długiej chwili przerwała ciszę.

— I wtedy zacząłeś szukać wymarłych ptaków... — ni to stwierdziła, ni to spytała, mocno ściskając mi dłoń.

— Tak — uśmiechnąłem się smutno. — Teraz nawet ja widzę, skąd wzięła się moja obsesja, żeby zachować co tylko można, nie pozwolić, by odeszło w niepamięć, uchronić od zapomnienia. Wtedy jednak nie dostrzegałem tego związku.

— A co stało się z Gabby?

— Pracowała. Zachowała się jak człowiek dorosły, podczas gdy ja umiałem tylko okazywać złość. Na wszystko. Przez całe trzy lata. Okazywanie złości tak mnie zmęczyło, że w końcu przyjechałem tutaj i zająłem się wypychaniem ptaków. — Wolną ręką wskazałem róg pokoju. — Wszystkie papiery, jakie zebrałem do swojej książki, włożyłem do tamtej skrzyni, zatrzasnąłem wieko i od tego czasu prowadzę inne życie. Nie jestem już zły. Chyba nawet przestałem odczuwać ból. Po prostu jest mi strasznie żal, że nie było jej dane dorosnąć, zobaczyć tego, co na świecie warte jest zobaczenia... Bo przecież jest tyle pięknych rzeczy — odwróciłem się do Katii.

— I nie widzieliście się z Gabby przez wszystkie te lata? — spytała.

— Nie do wiary, prawda? Z początku byłem na nią zły, ba, wściekły. Mimo to, kiedy się rozstaliśmy, wysyłała do mnie listy, a ja je czytałem, zbierałem nawet. Dopóki ona pisała, a ja czytałem, dopóty coś nas łączyło. Pisała głównie o pracy, nigdy nie poruszała tematów osobistych, to było zbyt niebezpieczne, nasz związek był zbyt kruchy. Wiedziałem, że od czasu do czasu przewijali się przez jej życie mężczyźni, ale nie miało to dla mnie znaczenia.

— Bo wciąż ją kochałeś?

— Nie! — odpowiedziałem z pewnością w głosie. — W którymś momencie przestałem ją kochać. Jednakże tylko ona oprócz mnie znała Celestc. I tylko to się liczyło... — Katya umknęła wzrokiem w bok. Przez chwilę panowała niezręczna cisza. — Zrozum mnie, Katiu. Nie próbowałem przed tobą ukryć, że Gabby i ja jesteśmy małżeństwem. Ja... po prostu o tym zapominam — uniosłem rękę nie dając jej sobie przerwać. — Wiem, że to brzmi głupio, ale tak właśnie jest. Zapomniałem, że jestem jej mężem, a poza tym nie wydawało mi się, że to ma dla n a s jakiekolwiek znaczenie.

Nadal na mnie nie patrzyła. Już sądziłem, że w ogóle mi nie odpowie, kiedy lekko się odwróciła i zacisnęła palce na mojej dłoni.

— W porządku — powiedziała.

Siedzieliśmy w milczeniu trzymając się za ręce.

Później wstaliśmy i zaczęliśmy się przygotowywać do odzyskania Ptaka z Uliety.

Wiadomość, że jest brzemienna, uradowała ją. Już w pierwszych miesiącach, zanim cokolwiek dało się po niej poznać, przepełniało ją wewnętrzne ciepło na myśl o rosnącym w niej życiu, które wkrótce miało się stać jej przyszłością. W odróżnieniu od innych kobiet stan odmienny znosiła bardzo dobrze, nieustannie czuła się pełna energii, a jej ciało i umysł odnajdowały nowy rodzaj harmonii.

W tym czasie z pasją oddawała się malowaniu; szkice przywiezione z Madery zamieniały się w akwarele, a targająca nią burza uczuć nie miała najmniejszego wpływu na dokładność rysunku i koloru i jeżeli w ogóle się objawiła, to tylko w świeżości i świetlistości obrazów. Kolekcja rosła z każdym dniem, gdyż pracowała z zawziętością wynikającą z uciekającego czasu; wiedziała, że musi ukończyć pracę jeszcze tego lata. Wstawała bladym rankiem i nawet się nie przebierając, odziana w nocną koszulę i zarzucony na ramiona surdut Banksa, malowała do czasu, kiedy upał stawał się nieznośny. Wtedy chroniła się w zacienionym saloniku, gdzie siadała przy oknie o lekko rozwartych okiennicach i z uśmiechem zadowolenia na twarzy leniwie się przyglądała tłumowi na ulicy poniżej. Kiedy wieczór przynosił chłodniejszą bryzę, na powrót zabierała się do pędzla, czując wolność, jakiej nigdy wcześniej nie posmakowała. Nawet po tym, jak Banks opuścił ją udając się do Walii, jej życiu nic nie brakowało. W pewnym sensie jego nieobecność była dla niej błogosławieństwem, ponieważ po raz pierwszy mogła pracować do woli.

Znała Banksa na tyle dobrze, że z łatwością odczytała jego reakcję na nowinę. Najpierw szeroko otwarte ze zdumienia oczy, potem pełen męskiej dumy uśmiech, wreszcie wyraźna ekscytacja, przejawiająca się w gestykulacji. Kiedy jednak uzmysłowił sobie konsekwencje i konieczne zmiany w ich życiu, jego twarz przyćmiła troska. Bez zdziwienia obserwowała, jak nieustraszony odkrywca walczy w nim o lepsze z osobą publiczną. Poczuła smutek bardziej ze względu na niego aniżeli na siebie samą, gdyż przegrana odkrywcy czyniła wszystko prostszym. Jego wyjazd do Walii okazał się zarówno potwierdzeniem jej obaw, jak i swego rodzaju wyzwoleniem.

No i miała jeszcze Fabriciusa. Pojawił się na Orchard Street wkrótce po tym, jak się tam sprowadziła — blady nieśmiały młodzieniec o poważnym wyrazie twarzy. Od razu wyczuła, że przyszedł nie z własnej woli, a za namową Banksa; z początku niemal jej nie zauważał, całą uwagę skupiając na Banksie, i potrafił rozprawiać wyłącznie o systematyce owadów. Pewnego popołudnia zaszedł jak zwykle w nadziei, że wymieni poglądy ze swym autorytetem, lecz w domu była tylko ona. Stała przy sztalugach, włosy miała luźno rozpuszczone na ramiona. Zawstydzony Fabricius chciał się czym prędzej wycofać, lecz ona — rozbawiona jego zażenowaniem — przekonała go, by został. Nie przerywając pracy wskazała mu krzesło i malując zadawała pytania, na które rad nierad starał się odpowiadać. Pieczołowicie dobierał słowa, aby nie obrazić jej małomównością, a jednocześnie nie znudzić płochej niewiasty, rychło się wszak zorientował, że stojąca przed nim kobieta orientuje się w morfologii owadów, a nawet słyszała o zasadach systematyki wyznaczonych przez Linneusza, toteż wkrótce dał się porwać tematowi i rozprawiał ze swadą. Kiedy wciąż stała do niego tyłem, zajęta nanoszeniem ostatnich pociągnięć pędzla wymagających niepodzielnej uwagi, rozgadał się o Danii, z której pochodził, a nawet zaczął mówić o swych dążeniach i nadziejach. Nadejście Banksa przerwało mu w pół słowa i srodze go zmieszało, tak że wychodząc na powrót przybrał oficjalny ton, co bardzo ją ubawiło. Od tego czasu odwiedzał ją coraz częściej, zazwyczaj popołudniami, kiedy upał uniemożliwiał im obojgu pracę, i zazwyczaj zastawał ją wtedy samą, jako że Banks rzadko u niej bywał o tej porze dnia, a kiedy wyjechał do Walii, pozostał jej wręcz tylko Fabricius.

Z początku obecność Duńczyka była dla niej miłym urozmaiceniem, a że bawiła ją jego nieśmiałość, stawała się czasem przewrotna. Kiedy krążył niespokojnie za jej plecami, gdy malowała, zasypywała go pytaniami natury osobistej i uśmiechała się pod nosem, kiedy wił się jak piskorz próbując udzielić odpowiedzi. Z biegiem czasu jednak jego wizyty przedzierzgnęły się w stały punkt dnia, jego paplanina wpływała na nią kojąco, równocześnie nie przykuwając jej uwagi, tak że mogła koncentrować się na kształcie liścia czy odcieniu kwiatu. Po paru tygodniach złapała się na tym, że nasłuchuje jego przyjazdu.

Fabricius obawiał się pierwszego spotkania z utrzymanką sławnego Josepha Banksa. Spodziewał się fałszywej skromności bądź wybujałej kobiecości, nic jednak nie przygotowało go na malarkę. Był zafascynowany jej pracami. Miał przyjemność widzieć dzieła Parkinsona i Massona, dwóch wielkich artystów epoki zajmujących się malarstwem botanicznym, lecz w porównaniu z tym, co powstawało na jego oczach, były niczym. Najdrobniejszy listek, najdelikatniejszy płatek zdawały się wciąż żyć, drżeć na wietrze czy pić rosę. Obserwował ją przy pracy, był świadkiem, jak jej ciało zaokrągla się nabierając macierzyńskich kształtów, zabawiał ją lekką rozmową, gdy marszczyła brew dopracowując jakiś detal, i coraz bardziej go poruszała.

Nim nastał lipiec, jego wizyty były nie tylko częstsze, ale i dłuższe. Czuli się w swym towarzystwie coraz swobodniej, śmiali się i zwracali do siebie po imieniu. Kiedy późnym wieczorem opuszczał mieszkanko przy Orchard Street, jego myśli nie zaprzątały już wyłącznie studia.

Pewnego dnia, kiedy zza jej ramienia podziwiał obraz, nad którym właśnie pracowała, odwróciła się i zapytała:

— Wiesz, że to już ostatni? Kiedy go skończę, kolekcja z Madery będzie gotowa.

— Nie zdawałem sobie sprawy... — odparł z powagą, wpatrując się w obraz z jeszcze większym natężeniem. — Wiem natomiast, że to dzieło doskonałe. Będzie ozdobą zbioru pana Banksa.

Przyjrzała się Fabriciusowi uważnie, po czym potrząsnęła głową.

— Jeszcze o tym nie rozmawialiśmy — rzekła.

— Jak to? — z kolei zdziwił się Fabricius. — Gdzież indziej miałyby być wystawione? Bo przecież będą wystawione?...

Odwróciwszy się doń plecami, jęła czyścić pędzle, żeby nie mógł zobaczyć jej twarzy.

— Powiedz mi, Johannie — zmieniła temat. — Słyszałeś kiedy o człowieku nazwiskiem Martin? Pochodzi z Francji, ale często bywa w Londynie.

Przytaknął.

— Znam *monsieur* Martina. I wiem, że jest właśnie w Londynie.

— Ja też go znam — odparła zamyślona. — Joseph zaprosił go tu pewnego razu.

— A dlaczego pytasz? — Fabricius stał się nagle podejrzliwy, w jego głosie pobrzmiewała oschłość.

Wzruszyła ramionami, nie przestając porządkować swych rzeczy.

Fabricius po raz pierwszy od tygodni poczuł niepokój, który zmącił jego radość. Choć była pełnia lata, odniósł wrażenie, że oto coś się kończy. W Walii Banks zbiera się do powrotu, tutaj jego towarzyszka odkłada pędzel. Uprzytomnił sobie, że przecież niebawem zostanie matką, jego mentor ojcem. Jemu zaś nie pozostanie nic innego, jak wrócić do Danii i swych studiów.

Zawsze po skończonej pracy zapraszała go na chwilę do salonu. Tego dnia także usiedli przy oknie, z wysoka spoglądając na zalaną słońcem ulicę. W pokoju panował miły chłód, a tam gdzie siedzieli, nie docierały promienie palącego słońca. Gdy nadeszła godzina, o której zwykle podnosił się do wyjścia, za wszelką cenę chciał przedłużyć rozmowę, zerkając na spoczywającą na poduszce tuż obok niego delikatną dłoń. W pewnej chwili pod wpływem impulsu ujął ją i ściskając mocniej, niż to zamierzał, odezwał się zduszonym głosem:

— Muszę wiedzieć... Co się z tobą stanie, kiedy dziecko już się urodzi?

Delikatnym ruchem oswobodziła dłoń z jego uścisku, uśmiechając się przy tym uspokajająco.

— Stanie się to, co powinno. Zostanę matką i będę robić to, co matki na ogół robią.

— A Banks? — zapytał obcesowo. — Co o n będzie robił?

— Jest bardzo uczuciowy. To dobra cecha u ojca.

— A ty? Zostaniesz tutaj? Bo z tego co wiem, w Danii mężczyźni też mają utrzymanki, ale mało który decyduje się, by zakładać z nimi rodzinę i kłuć w oczy swą sferę.

— Hmm... zapewne wiele się zmieni — przyznała spuszczając wzrok.

— Wyjedziesz zatem z Londynu?

— Tak — potwierdziła.

— I wychowasz jego dziecko w bardziej sprzyjającej okolicy. Cóż, młody mężczyzna w takiej sytuacji nierzadko... — urwał, zdawszy sobie sprawę, że może sprawić jej ból.

— ...nierzadko pociesza się inną — wzrok miała wciąż utkwiony w ziemię — nie spętaną troskami macierzyństwa, czy tak? To chciałeś powiedzieć, Johannie?

— Wybacz — rzekł cicho i ponownie sięgnął po jej dłoń. Tym razem jej nie wyrwała. — To było z mojej strony grubiaństwo.

Spojrzała na niego uśmiechając się smutno.

— Postaraj się zrozumieć, Johannie. W jego życiu będzie się roiło od ludzi i planów, będą go wiązać zasady etykiety. Wierzę jednak, że w tym samym czasie zawsze będzie pamiętał o nas, o dziecku i o mnie. Bez względu na to, jak dalej potoczą się jego losy, zawsze będzie o nas dbał.

Tym razem głowę spuścił Fabricius.

— Naturalnie. Niepodobna, by było inaczej. Przyznaję, że mu zazdroszczę, choć nie jestem pewien, czy on sam zdaje sobie sprawę ze swego szczęścia. Na jego miejscu nigdy nie pozwoliłbym ci odejść — zakończył zapalczywie.

Uścisnęła jego dłoń, po czym wstała i stanęła w pewnym oddaleniu. Widział, że cały czas się uśmiecha, choć nie był to radosny uśmiech.

— Proszę, wybacz mi — powiedziała zauważywszy, że badawczo się jej przygląda. — Przypomniałam sobie właśnie słowa pewnego dżentelmena. Usłyszałam od niego, że prędzej czy później Joseph mnie straci, kiedy pewnego dnia w moim życiu pojawi się ktoś, kto będzie na mnie zasługiwał bardziej niż on... W ostatnich miesiącach często się nad tym zastanawiałam...

— Sądzisz, że się pomylił? Stąd ten gorzki uśmiech?

— Nie, Johannie. Uśmiecham się, ponieważ choć wtedy mu nie uwierzyłam, teraz wiem, że miał rację.

W północnej Walii jest wzgórze, które tamtejsi mieszkańcy nazywają Pen-y-Cloddiau, Wzgórze Kopaczy. Wyrasta garbem z doliny Clwyd i niczym wybity krąg odznacza się na kręgosłupie łańcucha biegnącego na północ w stronę morza. U jego podnóża rozciąga się niecka, na której niby na mapie widać strumienie i lasy i gdzie farmy zajmują tyle miejsca co nieostrożne przyłożenie ołówka przez kartografa. Dziwna nazwa pochodzi od trzech potężnych wałów wzniesionych wokół szczytu — są to pozostałości murów starożytnej fortecy, której imienia dawno zapomniano. Czas i wszędobylski wrzos przełamały obronę dumnego kamienia.

Pewnego ciepłego lipcowego dnia Banks udał się tam na samotną eskapadę. Od paru miesięcy włóczył się po Walii szukając ucieczki bądź olśnienia, nadaremno jednak. Stojąc na najwyższym wale spoglądał na rozciągające się w dolinie lasy i nieliczne farmy. Hen przed nim dolina przechodziła łagodnym łukiem w kolejne wzgórze, a na horyzoncie majaczył zarys najwyższej góry Anglii i Walii, Snowdonu. Nad jego głową wystrzelając w niebo śpiewały swe trele skowronki, lecz poza tym panowała niczym nie zmącona cisza, która bardzo mu odpowiadała.

Nie po raz pierwszy od wyjazdu z Londynu zaczął o niej rozmyślać; czynił to zawsze, gdy udało mu się znaleźć odrobinę spokoju i samotności. Chłonąc surowy walijski widok, musiał sam przed sobą przyznać, że jej brzemienność nim wstrząsnęła. Wywracała do góry nogami cały porządek rzeczy, jego dotychczasowe życie, a że nie był przygotowany na rewolucyjne zmiany, czuł się wytrącony z równowagi. Z początku opanowało go zdumienie i poczucie zdarzającego się cudu, jednakże rychło zakradły się wątpliwości. Z każdym dniem jego niepewność się pogłębiała, a spod nóg uciekał mu coraz większy kawałek gruntu. Londyn opuszczał niemal ukradkiem, czując się winnym, że zostawia ją samą, a równocześnie pełen żalu, że przez nią stracił kontrolę nad własnym życiem.

Słońce świeciło w zenicie, lecz na otwartym wzgórzu było chłodniej niż w dusznej dolinie. Stanąwszy pewniej w rozkroku, zamknął oczy i chłonął wrażenia wszystkimi zmysłami; intensywny zapach wrzosu uderzał go w nozdrza, uszy drażniły dźwięki owadzich skrzydełek, skórę muskał rześki wiatr. Z dojmującą mocą poczuł, jak bardzo mu jej brak. Chciał, by mu towarzyszyła, by widziała i czuła to co on, chciał, by przebiegła opuszkami palców po jego wargach i zażartowała z jego nadmiernej powagi, chciał czuć jej ciało tuż przy sobie. Rozpaczliwie potrzebował, by wytłumaczyła mu wszystko, nadając życiu nowy sens. Zaraz jednak z bólem sobie uświadomił, że się zmieniła, jej ciało nabrało odmiennych kształtów, że zmienił się cały ich świat. Nigdy wcześniej do głowy mu nie przyszło, że może utracić jej niepodzielną miłość; teraz był pewien, że właśnie do tego doszło. Niebawem powije dziecko, pokocha je i już nigdy nie będzie należeć wyłącznie do mnie, myślał.

Przed wyjazdem z Londynu zdążył się poradzić przyjaciół, wszyscy mówili to samo: wyślij ją gdzieś daleko, zapewnij utrzymanie, pokryj wydatki na dziecko, a potem spróbuj raz jeszcze, z dziewczyną młodą i ładną, co w lot pojmie, że związek pod żadnym pozorem nie powinien zaowocować trwałymi konsekwencjami. Jednakże on nie chciał takiej przyszłości. Pragnął wciąż doświadczać bliskości ciał i porozumienia dusz, jakie stały się ich udziałem, na samą myśl o rozstaniu tęsknił za jej mądrością, wiedział, że na stare lata byłaby mu prawdziwą podporą. Ale teraz... skoro będzie zaabsorbowana dzieckiem... Stał grzejąc się w promieniach lipcowego słońca i całym sobą jej pragnął, winiąc ją za te pragnienia, które nigdy się już nie spełnią.

Fabricius miał wrócić do Danii wczesną jesienią.

Po ostatniej szczerej rozmowie jego wizyty na Orchard Street nabrały innego charakteru. Zresztą zmieniła się nawet rutyna; malowanie się skończyło, a ją zaprzątały odmienne, obce mu sprawy. Pewnego razu kiedy przyszedł z wizytą, zastał u niej *monsieur* Martina. Zdziwiło go, że czuła się w towarzystwie Francuza nadzwyczaj swobodnie, ten zaś był niepomiernie uprzejmy i troskliwy wobec niej. Fabricius odniósł wrażenie, że im w czymś przeszkodził, i poczuł się jak piąte koło u wozu. Innym razem jego wizytę przerwało nieoczekiwane pojawienie się pana Parkera z Lincolnu. Johann pożegnał się dyskretnie i wyszedł, nie wcześniej jednak, niż rzucił okiem na niskiego, zasuszonego, o nieodgadnionym wyrazie twarzy człowieczka, po którym poznać było, że przyjechał z prowincji. Nazajutrz w drzwiach minął się z Francuzem. Nie mogąc dłużej zdzierżyć, zraniony w swej dumie i pełen podejrzeń, odczekał, aż zostali sami, po czym zażądał od niej wyjaśnień.

— *Monsieur* Martin jest miłośnikiem mojego malarstwa — usłyszał. I to musiało mu wystarczyć za całą odpowiedź, gdyż zamiast rozwinąć temat, podeszła do niego i wzięła go pod ramię. — Nie ma powodu się niepokoić, Johannie — poklepała go uspokajająco po ręku. — Kobieta w moim położeniu potrzebuje przyjaciół, a tuszę, że mogę cię do nich zaliczyć. Podobnie jak obu dżentelmenów, których spotkałeś, a którzy odwiedzają mnie, aby mi w przyszłości pomóc.

— Skoro potrzebujesz pomocy... — zaczął, lecz mu przerwała.

— Och, wiem, że byś mi pomógł. Ale ty musisz wrócić do swych studiów, Johannie. Poza tym tak naprawdę nie jestem częścią twego życia, chociaż chyba tylko dzięki mnie przetrwałeś ten męczący londyński upał...

— Upał? — wpadł jej w słowo. — Ależ zrobiłaś dla mnie o wiele więcej! Ty...

— Nie, nie mów nic, proszę. Wkrótce wyjedziesz z Londynu, a Joseph tu wróci. Niech te letnie popołudnia pozostaną w naszej pamięci takimi, jakimi były w istocie: nieco dziwne, pełne piękna i dobroci i nie do końca rzeczywiste. Ja chcę je takimi zapamiętać — podkreśliła. — Pocieszeniem dla mnie będzie także to, że choć z oddali, będę mogła śledzić twą karierę, święcie bowiem jestem przekonana, że zostaniesz wybitnym naukowcem.

Spuścił skromnie oczy. W głębi ducha wzdrygnął się na te słowa jak nierozkwitły jeszcze pączek, któremu zagroził nagły przymrozek.

— Och, ja też z pewnością będę śledził twoje dalsze losy. Jestem pewien, że pan Banks nie odmówi mi informacji — powiedział sucho.

Wciąż trzymając młodzieńca pod ramię podprowadziła go do okna. Ze wzrokiem utkwionym w przechodzących poniżej ludziach ozwała się cichym głosem:

— Być może są to ostatnie chwile, jakie spędzamy na osobności. Obiecaj mi, proszę, że cokolwiek się stanie, nie będziesz się smucił z mego powodu.

Odwrócił się do niej i ujął jej obie dłonie w swoje.

— Kiedy myśl, że może cię spotkać jakaś krzywda, nie tylko mnie zasmuca, ale boleśnie rani me serce!...

— Zatem nie pozwól, by tak się działo. Musisz to dla mnie zrobić, musisz uwierzyć, że będę szczęśliwa. Bo będę, Johannie...

Zapanowała cisza. Fabricius nie mógł wydobyć głosu ze ściśniętego wzruszeniem gardła.

— Spróbuję — obiecał wreszcie.

Stali w oknie ramię przy ramieniu, a zachodzące słońce opromieniało ich twarze i rzucało długie cienie za ich plecami.

17

Znów w Londynie

Czas naglił. Uznałem, że mam góra dwa dni, zanim Potts i Anderson zwęszą pismo nosem i zaczną mnie szukać, a ostatnie, czego chciałem, to by siedzieli mi na karku, potrzebowałem bowiem swobody ruchów, jak będę chodził po ludziach przypominając, że są mi winni przysługę, i zbierając co tylko się da. Jeszcze w samochodzie uzgodniliśmy z Katią, że tego samego wieczoru wróci do Lincolnu i spróbuje ich zatrzymać na miejscu, opowiadając zmyśloną historyjkę, przedtem jednak czekał nas oboje pracowity dzień.

Ledwie się trzymając na nogach po nie przespanej nocy, udaliśmy się do Muzeum Historii Naturalnej. Właściwie mogłem pójść sam, ale w stanie, w jakim się znajdowałem, druga para oczu była jak najbardziej wskazana, gdyż na tym etapie nieuwaga równałaby się klęsce. Czas dłużył nam się niemiłosiernie, kiedy czekaliśmy, aż Geraldine podejdzie do naszego stolika z zamówionym eksponatem. Wreszcie, po przeszło półgodzinie, na blacie przed nami pojawił się rysunek. Czarodziejski Ptak z Uliety, uwieczniony na papierze tego samego dnia, kiedy widziano go po raz ostatni, po przeszło dwustu latach wydawał się wciąż pełen życia i świeżości. Tkwił bez ruchu pod przezroczystą osłoną całkowicie nieświadomy zamieszania, jakie wywołał.

Katya przyjrzała mu się z uwagą, po czym podniosła na mnie wzrok.

— Wydaje się taki z w y c z a j n y, prawda? — powiedziała zdziwiona. — Pamiętam, że kiedy wspomniałeś o nim po raz pierwszy, spodziewałam się zobaczyć rajskiego ptaka, jaskrawego i z cudacznymi piórami.

— Yhm — przytaknąłem. — Ale przypatrz się, jak ten niepozorny brązowy ptaszek zmienia się, gdy mu się dokładniej przyjrzeć... Piękno tkwi w szczegółach, Katiu.

Przyglądaliśmy się rysunkowi w skupieniu, błądząc wzrokiem po zawiłościach kształtu i wyłapując niecodzienne ubarwienie, które czyniły ptaka pięknym i wyjątkowym. Zrobiłem nieporadny szkic sylwetki, każde z nas zapisało po swojemu cechy charakterystyczne i odcienie upierzenia, tak byśmy w każdej chwili mogli odwołać się do notatek. Przede wszystkim jednak patrzyliśmy, równocześnie starając się wypalić obraz ptaka w pamięci, po czym zamknąwszy oczy utrwalaliśmy go pod powiekami. Kiedy zrobiliśmy już wszystko co w ludzkiej mocy, aby zapamiętać każdy najdrobniejszy detal, zapytałem:

— Myślisz, że byś go poznała, gdyby był nie na rysunku, ale stał przed tobą jak żywy?

— Tak, jestem pewna, że tak — oświadczyła uroczyście Katya.

Pokręciłem sceptycznie głową.

— Ale barwy będą teraz bez wątpienia bledsze, nie wolno nam o tym zapominać. Wyobraź sobie ten kasztanowy kolor mniej intensywny, pióra wyblakłe w miejscach, gdzie padało światło. No i oczy... Pamiętaj, że teraz to osiemnastowieczne kulki szkła, z pewnością zmatowiałe.

— Aha — potaknęła Katya. — A ty? Jesteś pewien, że go zapamiętasz?

— Na zawsze — odparłem. — No, chodźmy już!

Zaraz po wyjściu z muzeum mieliśmy się rozdzielić. Stanęliśmy na Cromwell Road, mrużąc oczy przed jaskrawym późnojesiennym słońcem. Przejeżdżający autobus wzburzył leżące przy krawężniku liście, które fikuśnymi zawijasami opadły u naszych stóp.

— Powodzenia! — Katya posłała mi uśmiech.

— Dziękuję — odpowiedziałem. Kiwnąłem jej głową i pomachałem niepewnie, gdyż nie wiedziałem, jak właściwie powinienem się z nią żegnać; czułem się przy tym bardzo dziwnie.

Oddaliłem się pośpiesznie, gdyż czekało mnie mnóstwo rozmów telefonicznych, wcześniej jednak musiałem się jeszcze postarać o pieniądze. Zatrzymałem się przy najbliższym bankomacie i wypłaciłem tyle, ile się dało. Cóż, interes, jaki ubiłem, nie był tani.

Kiedy ja szedłem do domu, Katya siedziała już pewnie w archiwum, gdyż jej zadanie, nim wróci do Lincolnu, by odciągać uwagę Andersona i Pottsa, polegało na prześledzeniu losów Panny B. Spodziewaliśmy się, że tym razem pójdzie o wiele łatwiej, jako że znaliśmy właściwe nazwisko. Okazało się jednak, że sprawa nawet teraz nie była wcale prosta — w południe dostałem od niej wiadomość, że jak dotąd nie znalazła absolutnie nic.

— Nie szkodzi — uspokoiłem ją. — Zapiski o Pannie B. były mi potrzebne dla czczej formalności, chciałem do końca powiązać wszystkie fakty. Nie przejmuj się, Katiu. Teraz najważniejsze jest, byś na czas dotarła do Lincolnu, zanim tamci zaczną się niecierpliwić i coś podejrzewać.

Mimo to Katya nie dała za wygraną i dwie godziny później zatelefonowała ponownie, tym razem z dobrą wiadomością.

— Znalazłam — powiedziała zduszonym z podniecenia głosem, ledwie nad sobą panując. — Zapewne dla zachowania dyskrecji chrzest odbył się na wschodnim brzegu Tamizy.

— Przeczytaj mi dokładnie — poprosiłem.

— „Sophia, córka śp. Josepha Burnetta i jego żony Mary. Wrzesień 1773."

— Powiedziała księdzu, że ojciec dziecka nie żyje? — zastanowiłem się nad tym chwilę. — Chciała zatem, by Banks pozostał poza podejrzeniem...

Katię przepełniał entuzjazm.

— A jak tobie idzie?

Zawahałem się, nim udzieliłem odpowiedzi.

— Hmm... Myślę, że uda mi się zebrać to, czego potrzebujemy. Choć doprawdy znam przyjemniejsze zajęcia. Wiesz, jak to jest, zadzwonić do kogoś po latach niewidzenia się i poprosić go o przysługę... Na szczęście prawie wszyscy są bardzo wspaniałomyślni. Problem w tym, że cały jutrzejszy dzień będę musiał spędzić w samochodzie, jeżdżąc w kółko. Bristol, Dorset i parę innych miejsc.

— Ale zdążysz? — zaniepokoiła się Katya.

— Mam nadzieję — westchnąłem. — Bo jeśli mi się nie uda, Anderson się połapie i wysadzi nas z siodła. Lepiej się zbieraj i jedź do Lincolnu, żeby nie zaczął czegoś przedwcześnie podejrzewać.

— Już jadę — obiecała i rozłączyła się.

Brytyjski transport publiczny nie zawiódł i Katya dotarła do Lincolnu tuż przed kolacją. Zanim wstąpiła do baru na drinka, co było naszą rutyną w ostatnich dniach, zatrzymała się na moment w recepcji i poinformowała, że pilne sprawy zawodowe odwołały mnie do Londynu, ale że wrócę, jak tylko to będzie możliwe. Administracja hotelu nie miała nic przeciwko temu, by przytrzymać dla mnie pokój. Później, nie zastawszy Andersona w barze, Katya udała się na piętro, odnalazła jego pokój i zapukała do drzwi.

Łatwo się domyślić, że ostatnia doba nie należała do najbardziej udanych w życiu Karla Andersona. Musiał przyznać, że jego starannie prowadzone poszukiwania zakończyły się fiaskiem, że pomimo iż prawie wszystko na to wskazywało, Ptak z Uliety nie poszedł pod młotek razem z resztą wyposażenia Starego Dworu w Ainsby. Znalazł się kropce. Na razie zabrakło mu pomysłów, jak dotrzeć do ptaka bądź obrazów, ba, stracił nawet pewność, że przetrwały do czasów współczesnych. Nic dziwnego więc, że kiedy Katya wróciła do Lincolnu, on i Gabby z nosami spuszczonymi na kwintę zbierali się do wyjazdu.

Jednakże wszystko się zmieniło, kiedy otworzywszy drzwi zastał w progu Katię.

— Ile zapłacisz za ptaka? — spytała.

Pół godziny później wpadła w barze na Pottsa.

— Witam, witam — rozpromienił się i poderwał na nogi, kiedy tylko ją zobaczył. — Ranne z was ptaszki, co? Przez cały dzień was szukałem...

— No i pan znalazł — uśmiechnęła się doń Katya.

Potts rozejrzał się wokół.

— A pan Fitzgerald? Też tu jest?

— Coś go zatrzymało, ale z pewnością niebawem się pokaże.

— Ach tak — przyjrzał się jej znad okularów. — Ciekawe, co też go mogło zatrzymać?

— Cóż, o to będzie go pan musiał spytać osobiście.

— A pani nie wie? — nie spuszczał z niej oka.

— Wiem, ale obiecałam nic nie mówić.

— Rozumiem. Noc jeszcze młoda, może uda mi się panią jakoś przekonać...

Katya uniosła brew i przybrała enigmatyczny wyraz twarzy.

— W takim razie musi pan wiedzieć, że jest jeszcze coś, czego obiecałam nie zdradzić.

— A czy jeśli ładnie poproszę, powie mi pani?

— Hmm... — Katya przyjrzała mu się uważnie. — To zależy od tego, czy stać pana na to, by przebić ofertę Karla Andersona. Chodzi rzecz jasna o Ptaka z Uliety — dodała od niechcenia.

Tamtej nocy niewiele spałem. Na nogach od niemal czterdziestu godzin, złapałem parę chwil snu przed czekającym mnie długim i trudnym dniem, którego zakończenia nie mogłem być pewien.

Zerwałem się o szóstej rano, by już przed siódmą znaleźć się w samochodzie, kierując się w stronę Bristolu. Mimo wczesnej pory na dworze było jasno, lecz to co w Londynie zapowiadało się na pogodny dzień, poza obrębem molocha pokazało swoje prawdziwe oblicze: pola i łąki ściął mróz, a na bezlistnych gałęziach drzew osiadła cieniutka warstwa szronu, może nawet śniegu. W powietrzu czuło się jakąś czystość, której wrażenie potęgowało przejrzyście błękitne niebo i silne słońce, tak że zmęczenie szybko mnie opuściło. Lubiłem prowadzić w dni takie jak tamten i ledwie wydostałem się z porannych korków stolicy, opanowało mnie pełne podniecenia ożywienie. Miałem plan i cel, a uśmiechnięta twarz dziecka na fotografii przy łóżku nie wywoływała już bolesnego smutku.

Szczęście mi sprzyjało, czemu właściwie nie należy się dziwić, gdyż większość odkryć sprowadza się tak naprawdę do szczęścia. Co ciekawe, z jakiegoś powodu martwi to wiele osób, którym zapewne wstyd przyznać, że sukces zawdzięczają przypadkowi. Jak bardzo się mylą, pomyślałem. Przecież liczy się tylko fakt, że coś zostało odkryte, a nie, jak to się stało! Najlepszym przykładem był tu afrykański paw...

Kiedy Dziadek przedzierał się przez puszczę, amerykański przyrodnik James Chapin bawił z wizytą w Belgii, dokąd regularnie się udawał, by prowadzić badania w Muzeum Kolonialnym w Tervueren. Sam budynek muzeum jest imponujący, można go przyrównać chyba tylko do Wersalu, a mieści mnóstwo rozmaitych przedmiotów, artefaktów i okazów przywożonych przez lata między innymi z Konga Belgijskiego. Od czasu kiedy znalazł niezidentyfikowane piórko, minęło przeszło dwadzieścia lat, toteż można założyć, że nie z jego powodu przeglądał zbiory muzeum. I właśnie wtedy, znajdując się w skrzydle, w którym umieszczono mniej atrakcyjne znaleziska, natknął się na dwa wypchane ptaki wciśnięte w kąt wystawy. Z ich stanu sądząc, nikt nie poświęcił im chwili uwagi od wielu, wielu lat. Tabliczki informowały, że to młodociane osobniki pawia indyjskiego, jednakże Chapin natychmiast zorientował się, że to nieprawda, choćby po przerośniętej ostrodze, charakterystycznej dla osobników starszych. Na pewno były to pawie, lecz nie m ł o d e pawie. Chapin nigdy wcześniej nie widział takich ptaków. Udało mu się dowiedzieć, że zostały podarowane muzeum przez kongijską kompanię handlową, a nawet ustalić, w jakiej dokładnie części Konga je znaleziono. Z tą wiedzą Chapin zorganizował kolejną wyprawę do Afryki, o tyle łatwiejszą od poprzednich, że miała sprecyzowany cel. Kilka tygodni później w jego posiadaniu znalazło się paręnaście żywych pawi, które nie występowały nigdzie indziej jak tylko na ograniczonej powierzchni Konga Belgijskiego.

To niewiarygodne, ale tak właśnie było. Kiedy Dziadek z desperacją przeczesywał serce afrykańskiej puszczy, kto inny odkrył pierwsze okazy pawia afrykańskiego na zakurzonej półce muzeum położonego w Europie. Wystarczyło pojechać do Belgii...

Prawie cały dzień spędziłem w zardzewiałym cytrynowym samochodziku, wysiadając tylko po to, by przypomnieć starym znajomym, że są mi winni przysługę, o której dawno zapomnieli lub która wcale mi się nie należała. Odwiedziłem miasta, miasteczka i wioski, rozległe przedmieścia, starówki i nowoczesne centra, przejeżdżałem wśród oszronionych łąk i skutych cienkim lodem stawów. Spotykałem się z ludźmi w pubach, w miejscach, gdzie przyjmowane są zakłady, i na plebaniach. Od niektórych otrzymywałem wsparcie materialne, inni mogli służyć mi wyłącznie radą — jak konserwowano osiemnastowieczne okazy, jak wyglądałyby dziś, jakich użyć chemikaliów, do jakich metod się uciec. Chciwie korzystałem z oferowanej pomocy, przyjmując i słuchając, aż kiedy jej źródło wyschło, zawróciłem do domu.

W Londynie byłem koło dziesiątej wieczorem, po przeszło szesnastu godzinach nieustannej aktywności, lecz zamiast zmęczenia czułem pobudzenie. Wiedziałem, że najrozsądniej byłoby pójść spać i zabrać się do pracy z samego rana, rześkim i wypoczętym, jednakże w chwili takiej jak tamta sen i tak by nie przyszedł. Podekscytowany wydobyłem klucze i wszedłem do pracowni.

Włączyłem lampę, wciągnąłem rękawiczki i zdałem się na rutynę. Wkrótce pracujący na najwyższych obrotach umysł zaczął się uspokajać, wzburzenie mijało zastępowane przez wzmożoną koncentrację. Im dłużej pracowałem, tym spokojniejszy się stawałem i tym wyraźniej jawiła mi się najbliższa przyszłość. Wszystko będzie dobrze, powtarzałem sobie w duchu.

Skończyłem wiele godzin później, po czym zapadłem w krótki sen. Przyglądając się po przebudzeniu swemu dziełu, doszedłem do wniosku, że nic mu nie można zarzucić; więcej — prawdopodobnie była to najlepsza praca, jaką kiedykolwiek wykonałem.

Odtąd miałem już z górki. Nieco później wyruszyłem do Lincolnu.

Dziecko urodziło się przedwcześnie w suchy upalny dzień pod koniec sierpnia. Poród był trudny i wyczerpał ją do tego stopnia, że przez pierwsze kilka tygodni nawet nie myślała o ziszczeniu swych planów. Dbała o siebie i noworodka, pokasłującego w zakurzonym, przesiąkniętym zapachami londyńskim powietrzu i rozkopującego beciki dla ochłody. Powoli mijały bezsenne noce i długie duszne dni.

Banks powrócił z Walii niecały miesiąc przed narodzinami córki. Przyszedłszy z pierwszą od dawna wizytą, zastał mieszkanie przy Orchard Street odmienione. Utensylia malarskie zostały uprzątnięte, ze ścian zniknęły obrazy z Madery. Jedynym dowodem, że kiedyś w ogóle malowała, był skromny obraz, który powstał jeszcze w Richmondzie, przedstawiający zbiór pożółkłych liści dębu i żołędzi; pomimo prostoty zaliczał się do jej ulubionych — była to pierwsza praca, jaką dała oprawić, pierwsza, jaką zawiesiła na gołych ścianach mieszkania zaraz po przyjeździe do Londynu.

— Prace z Madery są w bezpiecznym miejscu — wyjaśniła mu. — Nie chciałam ich rozdzielać, a równocześnie pragnęłam się ich pozbyć... Nie życzyłbyś sobie, by kwestie rysunku i barwy odrywały mnie od naszego dziecka, prawda?

Przyznał jej rację, acz ostatnie słowa, choć niewątpliwie szczere i pełne kobiecej mądrości, napełniły go smutkiem, podobnie jak zniknięcie obrazów, które podziwiał, a także sztalug i pędzli. Obecnie pokoje wydawały mu się puste i mdłe i nawet pojawienie się w nich nowego życia, z całym zamieszaniem i hałasem z nim związanym, w jego odczuciu nie potrafiło zapełnić tej pustki. Być może z tego powodu patrząc na swą córkę nie odczuwał poruszenia tak silnego, jakiego jeszcze niedawno się spodziewał. Zdawało mu się, że dystans pojawił się nie tylko pomiędzy ojcem i matką, lecz także między ojcem

i córką. Z głębi serca życzył jej dobrze, lecz gnębiąca go niepewność nie pozwalała mu jej pokochać. Banks należał do
mężczyzn, którym łatwiej jest kochać, gdy czują, że są kocha-
ni, a właśnie wtedy nadszedł czas wątpliwości. Dziewczynce
nadali imię Sophia — po jego siostrze.

Gdy położnica poczuła się lepiej, siadywała z małym
zawiniątkiem na kolanach i uśmiechała się doń radośnie, od
czasu do czasu wybuchając głośnym śmiechem. Niemal nie
zauważany przyglądał się jej i czuł ogarniającą go zazdrość.
Wychodząc obiecywał sobie, że będzie do niej zachodził rzadziej, przebywał z nią krócej, przecież było tyle innych miejsc,
w których mógł mile spędzać czas, aż minie jej zafascynowa-
nie dzieckiem i na powrót będzie jego. Gdziekolwiek jednak
był, przypomniawszy sobie wyraz jej twarzy i ten uśmiech,
nieodmiennie porzucał wszelkie rozrywki i wracał do niej; bez
względu na burzę uczuć, jaką w nim wywoływała, bez względu na żal, jaki wciąż do niej czuł, nadal jawiła mu się cudem,
który tylko przez przypadek jemu się przytrafił. Nieraz chciał
ją wziąć w ramiona i jej to wyznać, lecz łapał się na tym, że nie
potrafi. A choć ona nieraz popatrywała na niego z czułością
i pytaniem w oczach, nie powiedziała ani nie uczyniła zgoła
nic, aby mu to ułatwić.

Wreszcie nadszedł dzień, kiedy zastał ją samą, bez dziecka, jak układa w wazonie kwiaty, odwrócona do niego tyłem;
wysoko upięte włosy odsłaniały jej smukłą szyję, sztywna nowa
suknia uwypuklała tak dobrze mu znaną zgrabną sylwetkę
— znów wyglądała tak jak w pierwszych dniach pobytu
w Richmondzie. Poczuł ogarniającą go falę czułości, paroma
krokami przeszedł salon i stanąwszy za nią, objął ją w talii.
Wsunęła do wazonu łodyżkę kwiatu, który akurat trzymała
w ręku, resztę położyła na stole, po czym odwróciła głowę, by
na niego spojrzeć. Napotkawszy jej wzrok przypomniał sobie
głęboką zieleń jej oczu i czający się w nich uśmiech, współgra-
jący z delikatnie uniesionymi kącikami warg. Przyciągnął ją do
siebie i wchłonął znajomy zapach jej włosów.

— Tak dawno nie byliśmy razem — wyszeptał.

Odchyliła się do tyłu, by policzkiem dotknąć jego policzka, i cicho odparła:

— Wiele się zmieniło...

— Nieprawda — zaprzeczył, czerpiąc radość z tej pieszczoty. — Ty się nie zmieniłaś. Wciąż jesteś wyjątkowa i urocza, tak że nie jestem w stanie wyrazić tego słowami.

— Oboje się zmieniliśmy, Josephie — powiedziała prostując się i odwracając do niego przodem. — Tyle że czasem o tym nie chcemy pamiętać.

— Zamknij oczy — poprosił. — Czy kiedy cię teraz obejmuję, wydaję ci się inny?

— Czy pamiętasz, jak mnie przytulałeś w naszej małej sypialni w Richmondzie?

— Tak samo jak przytulam cię teraz — zapewnił.

Rozwarła zaciśnięte powieki i spojrzała mu prosto w oczy.

— Nie, Josephie, wtedy było inaczej.

— Jakże to?

— Nie przepełniały cię wówczas wątpliwości...

Spuścił wzrok.

— Nie wątpię w twoją miłość — rzekł prawie niesłyszalnie — i wiem, że cię kocham. Nie wiem tylko, co dalej.

Nachyliła się do jego twarzy, przybliżając usta do jego ucha.

— Masz wiele do zrobienia, Josephie. Cały świat czeka, byś go zmienił na lepsze. Pamiętasz? Te wszystkie sprawy, o których rozmawialiśmy...

— Ale jak?

— Ustatkuj się. Świeć przykładem. Ożeń się. Spłódź prawego potomka.

Odsunął się od niej gwałtownie.

— Nie!

— Tak, Josephie — przytuliła twarz do jego policzka. — Chcę wierzyć, że kiedyś byłam ci potrzebna. Teraz jednak, z Sophią, jestem ci tylko zawadą...

— To nieprawda — zaprzeczył słabo.

Ciągnęła, jakby go nie usłyszała.

— ...a muszę myśleć głównie o niej.

— Co przez to rozumiesz?

Wyrwała się z jego objęć i odwróciła tyłem.

— Czy zastanawiałeś się kiedy, Josephie, jakie życie ją czeka? Ją, t w o j ą córkę?... — w jej głosie była jakaś ostrość, która go zdumiała.

— Jak możesz twierdzić, że to, iż jest moim dzieckiem, sprawi, że znajdzie się w gorszym położeniu? — oburzył się szczerze. — Przysięgam ci, że nigdy nie zazna niedostatku!

— Josephie... Ona będzie przede wszystkim dzieckiem twojej kochanki... twojej utrzymanki... Ludzie jej tego nigdy nie wybaczą, przy każdej okazji będą jej to wypominać — ostatnie słowa powiedziała patrząc mu prosto w oczy.

— Co zatem proponujesz?

Podeszła do niego i mocno go objęła. Stali tak przez dłuższą chwilę, nim wreszcie odpowiedziała.

— Musisz pozwolić nam odejść.

Zaklinał się, że nigdy do tego nie dopuści. Przysięgał, że bez nich jego życie straci wszelką wartość. Odmawiał przyjęcia do wiadomości tak oczywistej prawdy, że jego córka, jeśli ma być szczęśliwa, nie może pozostać w Londynie. Łudził się, że utrzyma ich związek w cieniu, z dala od ciekawskich oczu, a Sophia dorastać będzie niemal u jego boku, nie wyszydzana przez nikogo.

Ona jednak wiedziała, że musi odejść. Patrzyła na maleńką istotę bez skazy, której dała życie i za którą ponosiła odpowiedzialność, i rozmyślała nad własnym dzieciństwem. Odkąd pamiętała, jej rodzina zawsze otoczona była aurą skandalu, obarczona brzemieniem wstydu. Ludzie unikali jej i nią gardzili, najpierw w Revesby za to, że była córką swego ojca, później w Louth, dlatego że została kochanką Ponsonby'ego. Teraz groziło jej wytykanie palcami jako tej, którą zbałamucił słynny Joseph Banks, uwodziciel nad uwodzicielami. Trzymając w ramionach bezbronną Sophię obiecała jej, że nigdy, w całym swoim życiu, nic doświadczy pogardy ani wstydu, jakie były udziałem jej matki.

Fabricius opuścił Londyn wkrótce po powrocie Banksa z Walii. Udał się do domu, do Danii, gdzie powietrze było

klarowne, a promienie słońca odbijały się oślepiającymi
błyskami w przejrzystych wodach. Podczas pobytu w Anglii
najbardziej brakowało mu nie przesłoniętego mgłą niebo-
skłonu, do którego tęsknił i którego otwartość wróciwszy
do kraju rodzinnego często podziwiał z niekłamaną radością
w sercu.

Nabrzmiałe intymnością popołudnia spędzane w ciasnym
mieszkaniu przy Orchard Street z czasem zaczęły mu się
wydawać niewiarygodne niczym sen. Tę część życia, zamkniętą
teraz na dobre, postrzegał jako nic nie znaczący epizod, który w żaden sposób nie wpłynął na jego dalsze losy. A jednak
w głębi duszy pamiętał zadziwiającą bliskość, jaka go z nią
połączyła, pamiętał, że chyba po raz pierwszy w życiu okazał
komuś swoje uczucia. Wciąż zdarzało mu się o niej myśleć,
zwłaszcza kiedy skupiał się nad pracą; przypominał sobie wtedy któreś z jej ulubionych powiedzonek albo charakterystyczny gest czy nietypową opinię i uśmiechał się do siebie. Kiedyś
na przykład w żartach powiedziała mu: „Zajmowanie się
owadami niesie to niebezpieczeństwo, że łatwo przy nich zdzi-
waczeć. Z drugiej jednak strony można mieć pewność, że nawet gdy żaden człowiek nie będzie chciał z tobą rozmawiać,
nigdy nie zabraknie ci żuczków do studiowania". Wiele lat
później, kończąc wykład, będzie miał w zwyczaju oprzeć się
wygodnie w fotelu i poważnym tonem zwrócić do przysłuchu-
jących mu się z szacunkiem studentów: „Panowie, niech
rekompensatą dla was za trudy studiów entomologicznych będzie jedna niepodważalna prawda o owadach..." „Jaka prawda,
profesorze?" będą nieodmiennie pytać. A wtedy on uśmiechnie się i powtórzy jej słowa, by choć na chwilę znaleźć się
znów w towarzystwie smukłej młodej kobiety o nieprzecięt-
nym talencie.

Dzięki udostępnionej wspaniałomyślnie przez Banksa
kolekcji Fabricius zdobył materiał do wieloletnich studiów,
jednakże mimo przyjaznych stosunków, jakie między nimi pa-
nowały, czuł się cały czas winny, jakby wizyty na Orchard
Street pod nieobecność gospodarza były swego rodzaju
zdradą. Prawdopodobnie dlatego napisał do Londynu dopiero
w listopadzie, a i to po wielu nieudanych próbach:

Gratulacje i najlepsze życzenia w związku z Orchard Street. Cóż ci dała? Zresztą, to bez różnicy: jeśli chłopca — będzie równie bystry i wytrwały jak jego ojciec; jeśli dziewczynkę — bez wątpienia uroczą i elegancką jak matka.

Odpowiedź Banksa przyszła odwrotną pocztą i była lakoniczna:

Dziewczynka. Zarówno matka, jak i dziecko czują się dobrze.

Kolejny list dotarł do Fabriciusa w lutym, kiedy duńskie niebo było ciężkie od śniegowych chmur. Nie znalazł w nim żadnej wzmianki o Orchard Street, ani słowa o niej ani o dziecku. Na własną rękę poczynił rozeznanie, z którego wynikało, że Banks został porzucony przez kochankę. Panna Brown i jej dziecko zniknęły.

Na początku stycznia 1774 roku, cztery miesiące po narodzinach córki, po raz pierwszy wyszła z mieszkania na krótką przechadzkę po okolicznych ogrodach. Panował siarczysty mróz, ziemia, choć nie pokryta śniegiem, była zmrożona na kość, lecz nie przeszkadzało jej to prowadzić swobodnej rozmowy z towarzyszącą jej Marthą. W pewnym momencie usłyszała swoje nazwisko. P r a w d z i w e nazwisko. Od czasu kiedy zgodziwszy się zostać utrzymanką Ponsonby'ego opuściła Revesby, nikt nigdy go nie używał. Sądziła, że udało się jej zachować je w sekrecie, niczym ostatnią rodzinną pamiątkę, w ten sposób chroniąc dobre imię swego zmarłego ojca. Tym większy zatem przeżyła szok, kiedy ktoś za nią zawołał:

— Toć to panna Burnett!

Męski, jakby znajomy głos, który przeciągnął słowo „panna". Odwróciła się raptownie. Zrazu go nie rozpoznała w ciężkim zimowym okryciu, ale spojrzawszy na jego twarz przypomniała sobie ogniki wesołości w oczach młodego człowieka, który przy stole rozjaśnionym blaskiem świec wypytywał ją na Maderze o wyprawę Cooka.

— Pan Maddox — odparła zaskoczona, nim zdążyła się ugryźć w język i zastanowić, co robi.

— Zatem pamiętasz mnie, pani? — zapytał, rozciągając wargi w uśmiechu. — I poznajesz, mimo że jestem odziany tak odmiennie niż przy naszym poprzednim spotkaniu? Choć gwoli prawdy musiałbym dodać, że i twój ubiór znacznie się różni... — urwał rzucając jej porozumiewawcze spojrzenie.

Oblała się pąsem zdawszy sobie nagle sprawę, że wokół spacerują obcy ludzie.

— Och, pod tym nazwiskiem przedstawiałam się podczas podróży — wyjaśniła skonsternowana nieco jego pewnością siebie. — A teraz proszę nam wybaczyć, ale... — ujęła Marthę pod ramię i przyśpieszyła kroku, jednakże Maddox z łatwością je dogonił.

— Doprawdy, po co ten pośpiech... Zwłaszcza że pamiętam czasy, kiedy nie byłaś tak nieśmiała, pani. Odnoszę wrażenie, że wielką stratą dla nas obojga byłoby nie odnowić znajomości, skoro przypadek nas ze sobą ponownie zetknął, no i biorąc pod uwagę zupełnie inne okoliczności — wykonał nieokreślony ruch ręką w jej stronę. — A dopóki nie poznam twego nowego nazwiska, muszę używać tego, pod którym cię, pani, poznałem.

— Moje nazwisko nie powinno cię interesować, mój panie.

— Wręcz przeciwnie, panno Burnett, ponieważ znajduję cię nad wyraz intrygującą osobą. Nieraz żałowałem, że nie było mi dane poznać cię w ten sam sposób, w który ty poznałaś mnie na Maderze. Tuszę jednak, że teraz nadrobimy to niedociągnięcie.

— Nie wydaje mi się — odrzekła sucho i pragnąc jak najszybciej się od niego uwolnić, puściła ramię Marthy zostawiając ją nieco w tyle.

Maddox wszakże nie zamierzał dawać za wygraną.

— Czyżby? — wciąż szedł tuż koło niej. W jego głosie zabrzmiało ostrzeżenie. — A czy twój obecny dżentelmen, pani, wie o tobie wszystko? Jesteś pewna, że nie zaszkodzi ci, gdy się dowie o twych wcześniejszych wyczynach? — Udał zastanowienie. — Hmm... Może mu się nie spodobać, że kiedyś byłaś chłopcem pływającym statkami. — Zatrzymała się

raptownie, tak że idąca z tyłu Martha wpadła na nią, posapując
ze zmęczenia. Maddox przyjrzał się im obu z tym swoim
uśmieszkiem. — Sama przyznasz, pani, że jakiekolwiek były
powody twego niezwykłego zachowania w przeszłości, trudno
je zaakceptować, nieprawdaż? Jestem pewien, że mężczyzna,
pod którego opieką obecnie przebywasz, nie znajdzie dla nich
zrozumienia.

Popatrzyła na niego zimno, a kiedy się ozwała, jej głos był
niczym stal.

— Przekonana jestem, że pilne sprawy wzywają cię, panie,
gdzie indziej. Będę wdzięczna, jeśli natychmiast nas opuścisz.

Nie zdołała jednak wyprowadzić go z równowagi.
Uśmiechnął się jeszcze szerzej i rzekł z uznaniem:

— Widzę, że choć nosisz teraz suknię, pani, nic ci nie
ubyło z ducha prawdziwego męża. Cieszy mnie to, gdyż właśnie tego nieustraszonego ducha podziwiałem, kiedy ty podzi-
wiałaś mnie w kąpieli. Do ostatniej chwili byłem przekonany,
że zapłoniesz się i uciekniesz... — nie przestając się uśmiechać,
złożył ukłon. — Skoro poprosiłaś, bym odszedł, uczynię to.
Lecz wiedz, że żadna sprawa nie jest na tyle pilna, bym zaniechał zadziwiającej panny Burnett. Znajdę cię znowu, pani, gdyż
nawet w tak wielkim mieście jak Londyn trudno utrzymać coś
w sekrecie. — Powiedziawszy to, znów się ukłonił, po czym
odwrócił i oddalił wolnym krokiem.

Obie kobiety patrzyły za nim w milczeniu, aż zniknął im
z oczu.

Za wszelką cenę chciała chronić Josepha. Wysłała doń
krótki list z opisem niefortunnego spotkania, ostrzegając, że
jeśli Maddox rozpowie o jej podróży na Maderę, wybuchnie
skandal. Prosiła, by zobaczył się z nią jak najrychlej, żeby
mogła mu przedstawić całą grozę sytuacji, w jakiej się znaleźli.
Wysławszy list przez posłańca, czekała. Minęło pięć dni,
a Banks nie przychodził. Kiedy wreszcie się zjawił, tłumaczył
się, że był poza miastem, że nie dotarła do niego jej wiadomość. Rozmawiał z nią niczym dąsający się młodzieniec, który
choć w końcu się stawił, czuje się rozdrażniony, że go zawez-
wano, a równocześnie odczuwa zażenowanie z powodu swych

dąsów. Widząc jego zachowanie odwróciła się do wyjścia, lecz to rozdrażniło Banksa jeszcze bardziej. Zagrodził jej drogę i powiedział ostro:

— Zdaje się, że chciałaś ze mną rozmawiać!

— Teraz widzę, że to na nic — odparła. — Z tobą nie można poważnie rozmawiać.

— To oburzające! Zostawiłem bardzo bliskich przyjaciół, żeby tu przyjechać. Im się rozmawiało ze mną całkiem dobrze!

Potrząsnęła głową z niedowierzaniem.

— Och, Josephie — westchnęła znużona. — W takim razie wracaj do nich... Tak będzie lepiej dla nas obojga.

— I podniósłszy na niego wzrok, dodała: — Niegdyś przyrzekłeś mi, że pozwolisz mi w każdej chwili odejść. Dziś przypominam ci o twym przyrzeczeniu.

Oboje zdumiała zaciętość w jej głosie. Banks puścił jej ramię i odsunął się, dając jej przejść.

— Zatem dobrze — przemówił cicho. — Nie będę cię więcej zatrzymywał — kiedy wypowiadał te słowa, jego twarz się zachmurzyła.

Wtedy po raz ostatni dostrzegła w nim młodego człowieka, którego przed paru laty pokochała, a smutek, ból, zmieszanie i niepewność malujące się w jego oczach sprawiły, że niemal zachwiała się w swym wcześniejszym postanowieniu. Uniosła dłoń i delikatnie dotknęła jego policzka.

— Najdroższy, nie tak miało być — szepnęła.

Zamknąwszy oczy ujął jej dłoń i złożył na niej długi pocałunek. Czar chwili prysnął, kiedy oswobodziła się z jego uścisku.

— Nie pojmuję, jak to się stało... — mówił jakby do siebie. — Wiem, że kocham cię jak nigdy dotąd, chociaż czasem sam o tym zapominam. Winię cię za to, że wszystko się między nami zmieniło, nierzadko przepełnia mnie wielki żal, nigdy jednak nie przestałem być z ciebie dumny ani cię pożądać. Zdarza się, że czuję nienawiść do siebie samego...

— Być może na tym właśnie polega prawdziwa miłość...

— Tak uważasz?

— Nie wiem. Dobrze jednak, że wciąż potrafimy być ze sobą szczerzy.

— Zrozum, przytłacza mnie wielki ciężar, mam tyle obowiązków, jest tyle do zrobienia... Czasami zdaje mi się, że w moim życiu nie ma dla ciebie miejsca, innym razem znowu, kiedy czuję się opuszczony i utrudzony, sam nie potrafię zrozumieć, dlaczego nie jestem z tobą...

— A mimo to prawie przestałeś tu bywać — przypomniała mu z łagodnym wyrzutem.

Odwrócił się od niej, stanął parę kroków dalej.

— Bo kiedy ciebie nie ma w pobliżu, jest mi łatwiej. Mogę robić cokolwiek chcę, być czymkolwiek chcę, mogę nawet udawać to, czym nie jestem. Przy tobie nie miałoby to sensu, gdyż znasz mnie zbyt dobrze.

— Ależ, Josephie, zawsze ci powtarzałam, że masz nieograniczone możliwości, że osiągniesz wszystko, co tylko sobie zamarzysz!

— Chyba właśnie dzięki tobie w to uwierzyłem... Przy tobie nadal w to wierzę. Jednakże wszystko ma swoją cenę — zakończył ze smutkiem.

— Masz rację — rzekła, podchodząc do niego i składając mu głowę na piersi, po czym w zamyśleniu powtórzyła: — Wszystko ma swoją cenę...

Tej nocy Banks zasnął w jej ramionach. Ona przysypiała tylko, świadoma jego bliskości, dłoni błądzącej po jej ciele, jakby przez sen chciał się upewnić, że wciąż jest koło niego. Budząc się widziała ukochaną twarz, znów młodą i gładką jak wówczas, gdy zobaczyła go po raz pierwszy w lasach Revesby. Przytulając się do niego czuła wewnętrzne ciepło, jakie zawsze ją ogarniało, kiedy byli razem. Uświadomiła sobie, że tak naprawdę tylko noce należały do nich. Wraz ze zbliżającym się świtem zaczął ją przejmować chłód. Chcąc się przed nim uchronić, wtuliła się głębiej w silne ciało Banksa i zapadła w sen, podczas gdy za oknem powoli wstawał kolejny zimowy dzień.

Banksa przebudziły wpadające do pokoju poranne promienie słońca. Oparłszy się wygodnie na łokciu długo przyglądał się śpiącej obok kobiecie, nie chcąc jej wyrywać ze spokojnego snu, w którym opuściły ją wszystkie troski. Gdyby był wiedział, że nigdy więcej nie będzie mu dane podziwiać tego widoku, za nic w świecie nie wyszedłby z tamtego pokoju. Jednakże po spędzonej z nią wspólnie nocy odeszły go wszelkie obawy, tak że był gotów na spotkanie nowego dnia. Rozsunąwszy zasłony, uśmiechem przywitał wstający ranek, ciekaw, co przyniesie mu los.

Kiedy otworzyła oczy, w pokoju było jasno i pusto.

Trzy dni później na New Burlington Street przyniesiono list.

Najdroższy!
Wybacz, że informuję Cię o wszystkim dopiero teraz. Podczas gdy Ty byłeś w Walii, pozbyłam się obrazów z Madery. Sprzedałam je za granicę, bardzo korzystnie nawiasem mówiąc, nie podpisane, aby nigdy nie powiązano ich z Twoją osobą. Z dumą donoszę Ci, że otrzymałam zamówienie na następną kolekcję, jak również skromny zadatek. Za uzyskane w ten sposób pieniądze przygotowałam dla naszej córki dom, spokojne miejsce, w którym będzie dorastać otoczona miłością. Zapewniam Cię bowiem, że będę ją zawsze kochać, podobnie jak Ciebie.
Żegnaj, Josephie.

Kiedy przeczytawszy list, pośpieszył na Orchard Street, zastał mieszkanie w takim samym stanie, w jakim widział je ostatnio. Wszystkie sprzęty były na swoim miejscu, służący zajęci codzienną pracą. Zabrakło tylko jej, Marthy i Sophii. Obok pustej kołyski leżały ubranka dziecka — nawet ich nie zabrała. Służba nie potrafiła mu udzielić żadnej sensownej informacji, najwyraźniej sama zaskoczona i zdezorientowana. Chodził po pustych pokojach do późnego wieczoru i dopiero w świetle kominka zauważył, że tam gdzie powiesiła swój ulubiony obraz gałązki dębu, widnieje jasna plama.

18

Niepozorny ptak

Jadąc do hrabstwa Lincoln czułem się jak nowo narodzony, pomimo zmęczenia, braku snu i stresu ostatnich dni. Ponieważ z Londynu wyruszyłem stosunkowo wcześnie, a nie chciałem znaleźć się na miejscu przed czasem, wybrałem okrężną drogę i zrobiłem sobie parę przerw w podróży. Już w mieście, zanim udałem się do hotelu, podjechałem pod dom Berta Foxa, żeby dograć szczegóły. Uzgodniliśmy, że dostarczy ptaka dopiero o siódmej wieczorem, dzięki czemu wciąż miałem trochę wolnego czasu i mogliśmy przez dłuższą chwilę pogawędzić. Wyszedłem od niego, by być w hotelu na godzinę przedtem. Zaparkowawszy samochód w bocznej uliczce, ostatnie kilkadziesiąt metrów przeszedłem pieszo; na dworze było już ciemno i znów łapał mróz. Z szarówki ulicy wszedłem do jasno oświetlonego holu hotelowego, w którym na kominku wesoło trzaskał ogień, tak że od razu musiałem rozpiąć płaszcz i opuścić kołnierz. Tak jak się spodziewałem, przy drzwiach czatował na mnie Potts, dla niepoznaki udając, że czyta kryminał Raymonda Chandlera. Kiedy wszedłem, obrzucił mnie szybkim spojrzeniem, ale doznał wyraźnego rozczarowania, jako że niczego ani nikogo ze sobą nie miałem. Podniósł się jednak odkładając książkę na bok i przywitał mnie ze zwykłym charme'em Starego i akcentem Nowego Świata.

— A otóż i nasz tajemniczy pan Fitzgerald! — zagaił.

— Doprawdy, tajemniczość to ostatnie, czego się po panu spodziewałem.

— Czy to komplement? — spytałem, grając na zwłokę.

— Może pan to potraktować, jak się panu podoba — machnął ręką. — Wyobrażam sobie, że potrzebuje pan chwili dla siebie po męczącej podróży, ale jak tylko się pan odświeży, chciałbym z panem zamienić słówko na osobności.

— Możemy spotkać się w barze za jakieś pół godziny — zaproponowałem.

— A nie lepiej w dyskretniejszym miejscu? — zafrasował się szczerze.

— Nie, myślę, że bar będzie w sam raz — pozostałem przy swoim zdaniu.

— W porządku — powiedział z rezygnacją, akceptując moje warunki. — Zatem do zobaczenia w barze za trzydzieści minut — i z powrotem zasiadł na kanapie, starszy pan o dobrotliwym wyrazie twarzy, zainteresowany wyłącznie swoją lekturą, jak pomyślałaby większość ludzi.

Idąc na górę zatrzymałem się przy recepcji, by poinformować, że spodziewam się gościa, który ma mi dostarczyć paczkę.

— Proszę skierować go do mojego pokoju — poprosiłem recepcjonistkę. — Nazywa się Fox.

Potem poszedłem prosto do siebie. Od razu zadzwoniłem do Katii i Andersona, dokładnie w tej kolejności. Dwadzieścia minut później do moich drzwi zastukała Katya. Weszła do środka, starannie zamknęła za sobą drzwi i opadła na łóżko z ciężkim westchnieniem.

— Uff... Ależ jestem zmęczona. Cały dzień zawracali mi głowę... jak nie jeden, to drugi. Na dodatek nie spuszczają mnie z oka. Wiesz, nigdy nie sądziłam, że prowadzenie licytacji to taka ciężka praca. — Wyżaliwszy się, usiadła prosto i spytała: — A tobie jak poszło?

Przysiadłem obok niej.

— Dobrze. Popatrz na to — z kieszeni wyciągnąłem kawałek papieru — to nasze potwierdzenie. Wolałbym jednak bez potrzeby nie pokazywać im tego, nie chcę, żeby zatruwali życie Bertowi.

Katya spojrzała na trzymaną przeze mnie kartkę i się zaśmiała.

— Pięć tysięcy funtów. Jak to zobaczą, będą wściekli! — wybuchnęliśmy zgodnym śmiechem, zadowoleni z naszej intrygi. Katya spoważniała i zapytała: — Gdzie jest teraz?

— U Foxa. Nie chciałem go tutaj przynosić na ich oczach. Bert powinien niedługo przyjść.

— Masz pewność, że się nie rozmyśli?

— Całkowitą — zapewniłem ją. — Z Berta jest niezły numer. Od samego początku wiedziałem, że się zrozumiemy; to wolny duch o kontrowersyjnych poglądach. Możemy mu zaufać.

— A obrazy? — dociekała Katya.

— Gablota jest zalakowana. Nie da rady stwierdzić, czy są w niej jakieś obrazy.

Równocześnie popatrzyliśmy na zegarki.

— Powinniśmy już zejść — powiedziała Katya. — Wszyscy z wyjątkiem Pottsa są w barze. On od rana snuje się po holu i ma oko na drzwi.

Podniosłem się i pomogłem wstać mojej wspólniczce.

— Chodźmy zatem.

Po drodze dołączył do nas Potts i we trójkę weszliśmy do baru. Nawet jeśli się zdziwił, że czekają tam na nas Gabby z Andersonem, nie dał tego po sobie poznać, chyba że za nerwowy gest uznać to, że zdjął okulary i zaczął nimi energicznie pocierać o kamizelkę.

— Ach, tak. Byłoby dla pana znacznie lepiej, gdyby jednak porozmawiał pan ze mną na osobności, panie Fitzgerald. A tak, cóż, pożyjemy, zobaczymy.

W barze poza Andersonem, Gabby i barmanem nie było nikogo. Ten ostatni, kiedy weszliśmy, czytał coś za kontuarem, ale cokolwiek to było, zostało szybko odłożone na nasz widok. Pomieszczenie, jakby chcąc nadrobić braki w klienteli, przywitało nas buchającym na kominku ogniem i głośną muzyką. Zdaje się, że grali „Fly Me To The Moon", choć wersja była zbyt ckliwa jak na mój gust.

Usiedliśmy przy tym samym stoliku co ostatnio, tyle że tym razem oczy wszystkich zwrócone były na mnie, nie na Andersona. Przyjrzałem się im po kolei: Karl patrzył na mnie wyczekująco, Katya była szczęśliwa i podekscytowana, Potts rzucał nerwowe spojrzenia w kierunku drzwi, a Gabby... Cóż, Gabby obserwowała mnie z niepokojem. Zastanawiałem się, na ile wciąż potrafi mnie przejrzeć.

Tym razem Anderson nie czekał, aż drinki zostaną podane, tylko czym prędzej przeszedł do rzeczy. Interesował go Ptak z Uliety — czy to wszystko prawda i czy go mam?

— Owszem — potaknąłem. — Prawda. Dziś po południu kupiłem go za pięć tysięcy funtów. Właściciel wydawał się całkiem zadowolony.

— Właściciel, czyli kto dokładnie? — chciał wiedzieć Potts, ale Anderson machnął mu niecierpliwie ręką przed nosem.

— A co z obrazami? — zadał swoje pytanie.

— Trudno powiedzieć. Poprzedni właściciel — wymownie spojrzałem na Pottsa — nic nie wiedział o obrazach. Ale gablota jest zalakowana i wygląda, jakby nikt jej nie otwierał od przynajmniej stu lat.

— A czy to aby na pewno ten ptak, o którego nam chodziło?

— Moim zdaniem tak — odparłem, patrząc Karlowi prosto w oczy. — Ale każdy musi to ocenić na własną rękę. — Do Pottsa zaś powiedziałem: — A poprzedni właściciel już się nie liczy, teraz ptak jest mój.

— I co zamierzasz z nim zrobić? — Gabby pozornie była spokojniejsza od obu mężczyzn, jednakże ja słyszałem ten ton głosu nie raz; wiedziałem, że drży z podniecenia. — Rozumiesz sam, dlaczego pytam, Fitz.

Wstrzymali oddech czekając, co powiem. Anderson rzucił Katii ukradkowe spojrzenie, ale zobaczył tylko nie zmącony niczym uśmiech.

— Hmm... — zacząłem z wahaniem. — Myślałem, że o tym właśnie porozmawiamy. Zanim jednak do tego przejdziemy, chciałbym zadać parę pytań.

— Jakich na przykład? — rzucił Anderson rozglądając się za barmanem.

— Na przykład takich: kto włamał się do mojego domu? — Odwróciłem się do Pottsa. — Pan?

Siedział odchylony na krześle, z rękoma złączonymi na pokaźnym brzuszku.

— Zaraz „włamał" — pokręcił głową. — Po prostu robiłem małe rozeznanie. Przepraszam za bałagan, ale sam pan rozumie, panie Fitzgerald, że w takiej sytuacji nie mogłem u pana długo zabawić... Chciałem tylko przejrzeć pańskie notatki i przekonać się, co naprawdę panu wiadomo na temat Ptaka z Uliety.

— Ale dlaczego aż dwa razy? — spytałem go. — I o co chodziło z tym ścieraniem kurzu?

Potts spojrzał na mnie pustym wzrokiem.

— Nie sądzę, żeby umiał panu na to odpowiedzieć — wtrącił Anderson, nie tracąc nic ze swej skandynawskiej flegmy.

— Zatem to pan...

— Owszem — przytaknął rozbawiony moim zdziwieniem.

— Niech pan nie zapomina, że w grę wchodziła rzecz warta milion dolarów. Kiedy wyszedł pan z hotelu „Mecklenburg" po naszym spotkaniu, próbowałem pana dogonić, ale nigdzie pana nie było, nawet w domu. A pańskie drzwi frontowe wręcz zapraszały mnie, bym wszedł i się rozejrzał...

— Rozejrzał za czym? I dlaczego odkurzył pan moją biblioteczkę?

Anderson spojrzał na mnie, jakby zobaczył mnie po raz pierwszy w życiu, po czym rozparł się w fotelu i zaczął się śmiać. Śmiał się z całego serca, zaprzęgnął do pracy przeponę, pozwolił drżeć żebrom. Kiedy wreszcie się opanował, pokręcił z niedowierzaniem głową.

— Pan naprawdę nie wie, co? — otarł kącik oka. — Słynny John Fitzgerald, spec od wymarłych ptaków, a mimo to nie ma pojęcia, co znajduje się w pierwszym lepszym podręczniku ornitologii.

— Nie wiem c z e g o? — zmuszony, by zadać mu to pytanie, czułem do niego niechęć większą niż zwykle. Choć pozostali także nie mieli pojęcia, o czym on mówi, jego śmiech okazał się zaraźliwy i wszyscy, nawet Katya, lekko się uśmiechali.

— No dobrze, widzę, że muszę zacząć od samego początku. Podczas naszego pierwszego spotkania w Londynie powiedział pan, że nie wie nic na temat Ptaka z Uliety, ale ja w to nie uwierzyłem. Jest bowiem jedna rzecz, o której po prostu m u s i a ł pan wiedzieć, a skoro się pan do tego nie przyznał, powziąłem podejrzenie, że wie pan znacznie więcej, lecz to przede mną ukrywa. — Musiałem zrobić głupią minę, gdyż Anderson ponownie się roześmiał. — Kiedy więc nie zastałem pana w domu, postanowiłem wejść i przejrzeć pańskie słynne notatki. Wszakże zaraz jak tylko wszedłem do pokoju, moją uwagę przyciągnęła pańska biblioteczka... — kiedy wciąż patrzyłem na niego nic nie rozumiejącym wzrokiem, wyjaśnił: — Naukowiec powinien od czasu do czasu uaktualniać bibliotekę... Pańskie wydanie „Rzadkich gatunków ptaków" R. A. Fosdyke'a jest przestarzałe. — Zrobił krótką przerwę, by dotarło do mnie znaczenie tych słów. — Zorientowałem się po okładce, ale na wszelki wypadek zdjąłem książkę z półki, żeby się upewnić. No i miałem rację, ale dlaczego trzyma się pan do dziś pierwszego wydania, Bóg raczy wiedzieć. Tak czy inaczej, kiedy tak stałem z otwartą na stronie redakcyjnej książką w ręku, uświadomiłem sobie, że pan rzeczywiście może nic nie wiedzieć. Być może nigdy pan nic nie wiedział... — wzruszyłem ramionami, ignorując przytyk. — Chodzi o to, że kilka lat po pierwszym wydaniu Fosdyke'a ukazało się drugie, w którym zamieszczono parę informacji więcej, w tym jedną o Ptaku z Uliety. — Teraz mówił już do Katii. — Fosdyke znalazł list, który pani odkryła w duńskim archiwum, a w którym jest wzmianka o rysunku Ptaka z Uliety. Fosdyke zażartował sobie po łacinie, nie potrafię dokładnie przytoczyć jego słów, ale szło to mniej więcej tak: „okaz *Turdus ulietensis* należący onegdaj do Josepha Banksa zamienił się w *Turdus lindensis*, o którym wspomina w liście Fabricius". — Zakładając, że ma do czynienia z niedoukami, dodał: — Lindum to nazwa Lincolnu z czasów rzymskich — po czym kontynuował: — Kiedy więc natrafiłem na list Stamforda, poczułem, że jestem bliski zwycięstwa. Jeden i drugi trop prowadził bowiem do hrabstwa Lincoln.

— A potem odłożył pan książkę na miejsce, starł kurze, tak bym nie wiedział, która pozycja została zdjęta z półki, i pozostawił mnie własnej ignorancji?

— Mniej więcej — skinął głową. — Wiedziałem, że prędzej czy później wpadnie pan na to samo co ja, ale nie miałem zamiaru ułatwiać panu zadania. — Znów odwrócił się do Katii. — Biorąc pod uwagę, że nie zna pani pracy Fosdyke'a, należą się pani gratulacje. Oczywiście gdyby pani przyjaciel dbał o swą bibliotekę, zaoszczędziłoby to pani zachodu. A teraz niech pan pyta dalej, panie Fitzgerald.

Sięgnąłem do kieszeni i wyciągnąłem zmaltretowany kawałek papieru z odbitką portretu Panny B., którą Potts znalazł w pokoju Andersona.

— A wie pan, kto to jest? — spytałem.

Anderson rzucił okiem na rysunek.

— Kochanka Josepha Banksa. Jego p i e r w s z a kochanka, z tego co wiem.

— Dlaczego jej portret był w pana pokoju?

Wzruszył ramionami.

— Czego to nie ma w moim archiwum! Widać przywlokłem ze sobą ten rysunek ze Stanów. Ma to jakieś znaczenie? — zniecierpliwił się nieco.

— A pana zdaniem nie?

— Ma pan na myśli poszukiwanie ptaka? — upewnił się. Kiedy potwierdziłem skinieniem, rzekł: — Jasne, że nie. Po prostu jeden z moich współpracowników na moje zlecenie rozpracowywał Banksa, toteż naturalną kolejną rzeczy dowiedziałem się też o jego kochance. Przez moment wydała mi się interesująca, bo znała Fabriciusa, a Fabricius wiedział coś o ptaku, ale w ostatecznym rozrachunku okazała się ślepą uliczką — machnął lekceważąco ręką. — Nikt nawet nie wie, jak się nazywała.

Katya i ja spojrzeliśmy na siebie.

— Tak, pewnie ma pan rację. Nigdy się nie dowiemy, kim naprawdę była...

Anderson chciał coś powiedzieć, ale do naszego stolika właśnie podeszła recepcjonistka.

— Ten pan z paczką już był — oznajmiła uprzejmie. — Zostawił ją w pańskim pokoju.

— Dziękuję — uśmiechnąłem się do niej, a kiedy odeszła, zaproponowałem:

— Może pójdziemy na górę i dobijemy targu?

Wychodząc z pokoju zostawiłem włączoną małą lampkę, tak więc kiedy otworzyłem teraz drzwi, z wnętrza wypłynęła delikatna czerwonawa poświata. Włoczyliśmy się wszyscy do środka. Pokój był mały, a podwójne łóżko, na które wcześniej teatralnym gestem opadła Katya, zajmowało jego centralną, i większą, część. Poza tym stała tam szafa, biurko i dwa krzesła. Nasza piątka ledwie się pomieściła.

Bert Fox zostawił paczkę na łóżku, dokładnie pośrodku, tak że nie pozostało nam nic innego, jak otoczyć je kręgiem. Katya stanęła po mojej lewej ręce, Anderson po prawej, z Gabby u boku, tylko Potts nieco się wyłamał i obserwował nas wszystkich z lekkiego dystansu.

Paczka była pokaźnych rozmiarów, miała kilkadziesiąt centymetrów wysokości i prawie tyle samo głębokości, wyglądała na mniej więcej regularny sześcian. Pokrywał ją zwykły szary papier zabezpieczony nadmuchiwaną folią, a całość owinięta była na krzyż grubą taśmą. Patrzyliśmy na pakunek w milczeniu, jedynie Anderson lekko sapnął z wrażenia. To krótkie westchnienie wiele mi o nim powiedziało; dotychczas miałem go za wyrachowanego profesjonalistę, który dla pieniędzy ugania się po świecie za rzadkimi przedmiotami, teraz musiałem zrewidować swoją opinię — być może Gabby miała mimo wszystko rację. Być może w głębi duszy był człowiekiem, który prowadzi poszukiwania, gdyż sprawia mu to satysfakcję. Wbrew sobie poczułem do niego sympatię.

— Może się panu przydać... — Potts podał mi scyzoryk, który musiał mieć schowany w jednej z kieszonek kraciastej kamizelki, po czym zachęcił mnie: — No dalej! Czekamy...

Zrobiłem krok do przodu, nagle ogarnięty wątpliwościami, czy całe przedsięwzięcie ma w ogóle sens. Było jednak za późno, żebym się wycofał; musiałem im pokazać, co znajduje się w paczce. Ostrożnymi ruchami rozciąłem taśmę, potem delikatnie zdjąłem wypełnioną powietrzem folię, lecz kiedy odkryłem zwykły szary papier, poniosła mnie niecierpliwość i rozdarłem go paroma gwałtownymi szarpnięciami.

Gablota zbudowana była z pociemniałego ze starości drewna, pomiędzy które wstawiono szybki. Jedna szklana ścianka była pęknięta, inna matowa z powodu licznych skaz. Wewnątrz na małej gałązce stał niepozorny ptaszek, z głową nachyloną w naszym kierunku, jakby się czemuś dziwił. Bardzo z w y-c z a j n y ptak, podobny do drozda czy kosa albo raczej do ich krzyżówki. Gdyby wylądował w czyimś przydomowym ogródku, z pewnością nie wzbudziłby sensacji.

— Niech mnie kule biją! — zareagował spontanicznie Potts. — To ma być to? O niego było tyle zamieszania?...

Anderson i Gabby już kucali koło łóżka, po przeciwnych stronach, z natężeniem wpatrując się w okaz przez dwie przezroczyste szybki. Wziąłem głęboki oddech i włączyłem górne światło, żeby im ułatwić sprawę.

Już pierwszy rzut oka wystarczył, by stwierdzić, że nie jest w dobrym stanie. Był jakiś nieforemny, jakby zaczął się w sobie zapadać pod własnym ciężarem, i dziwnie ubarwiony: tu i ówdzie przeświecały wprawdzie rudawe plamy, lecz w większości był szarobrązowy, z piersi sterczała mu kępka piór. Przy bliższych oględzinach jednak wciąż było widać nietypowe ubarwienie, które odróżniało go od kosa czy drozda, czyniąc wyjątkowym i jedynym w swoim rodzaju.

Anderson spojrzał na mnie z płonącymi oczami.

— Jak pan sądzi? — spytał chrapliwym głosem. — To t e n?

Wzruszyłem ramionami, zauważając, że cała sytuacja nie bawi mnie tak, jak powinna.

— Bardzo prawdopodobne — odparłem.

Anderson wcale mnie nie słuchał; pokazywał Gabby jakieś szczegóły, a ona wypatrując sobie oczy co jakiś czas mu przytakiwała. Chociaż żadne z nich nie było ornitologiem, oboje znali się na ptakach i taksydermii, tak więc nie miałem wątpliwości, że wiedzą, na co patrzeć. Potts obserwował ich z kamienną maską na twarzy. Podszedłem do Katii i ją objąłem. Z zamkniętymi oczami czekałem na werdykt. Słyszałem, jak Anderson mamrocze pod nosem, przytaczając opis Forstera sprzed prawie trzystu lat:

— „Głowa ciemna z brązowym wzorem, skrzydła ciemne, lotki pierwszorzędowe brązowo obrzeżone, dwanaście sterówek..." — podniósł się z kolan, nie zwracając uwagi, że strzeliło mu w kościach. Zauważyłem, że powoli odzyskuje panowanie nad sobą. — Zdaje pan sobie sprawę, że trzeba będzie przeprowadzić parę testów? — Nie oponowałem, a on spojrzał na mnie zdziwiony, że wykazuję taką pewność siebie, po czym jakby tłumacząc się dodał: — W dzisiejszych czasach niczego nie można być pewnym bez dokładniejszych badań.

— Tak, wiem, prawdziwi naukowcy nie odmówią sobie tej przyjemności.

Anderson nachylił się nad gablotą i z niedowierzaniem pokręcił głową.

— To prawdziwy cud, że jednak przetrwał.

— Cud? Moim zdaniem to bardziej kwestia szczęścia... niewyobrażalnego szczęścia.

— Niech mnie kule biją!... — powtórzył swoją kwestię Potts, którego w obliczu wiekopomnego odkrycia opuściła cała inwencja, jak również dobroduszność. — Może wreszcie przeszlibyśmy do rzeczy! Wy dwaj możecie się bawić w oglądanie ptaszków później, ta kupa piór nie jest warta więcej niż parę tysięcy zielonych. Co z obrazami?! Musimy jak najszybciej otworzyć gablotę.

Wyciągnąłem rękę, nie dając mu się zbliżyć do łóżka.

— Nie! — powiedziałem stanowczo i ku własnemu zdumieniu zauważyłem, że to podziałało. — Was interesują obrazy, mnie zależy na ptaku. Dlatego nikt nie otworzy gabloty, dopóki nie przeniesiemy jej w odpowiednie miejsce, tam gdzie panuje właściwa wilgotność powietrza i w zasięgu ręki znajduje się cały arsenał środków. To mój warunek: bez względu na wszystko z ptakiem obchodzimy się ostrożnie. No a teraz chodźmy już na dół porozmawiać o najważniejszym.

Pochyliłem się, by otulić gablotę w szary papier chroniący okaz przed światłem, po czym przepuściłem całą czwórkę przodem i starannie zamknąłem drzwi do pokoju.

W barze dyskretnie obserwowałem Andersona, myśląc o naszym spotkaniu w hotelu „Mecklenburg", z jakim lekceważeniem, by nie rzec: pogardą wyrażał się wtedy o Dziadku. Założyłem wówczas, że jest typem zwycięzcy, który organiczną niechęcią darzy tych, co przegrywają. Teraz nie byłem już tego taki pewien. Anderson rozpoczął poszukiwania Ptaka z Uliety sam, na podstawie mizernych przesłanek, a mimo to wierzył, że sukces jest w zasięgu ręki — jego ręki. Być może cały czas gnębiła go obawa, że los spłata mu figla, a przypadek Dziadka stanowił swego rodzaju memento. No i proszę: właśnie tak się stało. To j a odszukałem okaz.

Anderson powinien się jednak cieszyć. Chociaż nie odniósł sukcesu, nie poniósł także tak spektakularnej klęski jak Dziadek. Kiedy Chapin udał się do Konga, zagłębił w puszczę i po jakimś czasie schwytał przeraźliwie się drący dowód na istnienie afrykańskiego pawia, wyprawa Dziadka właśnie dobiegała końca. Dwa lata później, wiele kilometrów od miejsca, w którym Chapin złowił osobniki nowego gatunku, uczestnicy innej wyprawy natrafili na ślad białego człowieka. Para Francuzów wysłanych do Konga w celu przeprowadzenia badań geodezyjnych znalazła garstkę nadbutwiałych przedmiotów, w tym dziennik Dziadka, z którego zapisków do samego końca przebijała determinacja, nawet gdy słowa były ledwie czytelne i prawie pozbawione sensu. Ani jednego zdania nie skierował do swej żony ani dziecka, Ojciec zresztą podejrzewał, że Dziadek nie wiedział o jego narodzinach. Ciała Dziadka nie odnaleziono. Wkrótce po tym jak do kraju dotarły wieści o smutnym końcu wyprawy, rodzina odprawiła w jego intencji skromne nabożeństwo żałobne, a „The Times" zamieścił krótką notkę, oddając hołd jego odwadze i wytrwałości. Babcia nigdy nie wyszła ponownie za mąż.

W przeciwieństwie do Dziadka Anderson miał się świetnie pomimo porażki. Koło niego, na pokrytej pluszem kanapie, siedziała Gabby — blisko, bardzo blisko. Kiedy widziałem ich razem w Londynie, rozgniewało mnie to; teraz nie czułem zgoła nic. Przepełniał mnie spokój.

— Panie Fitzgerald — Potts nie wyczuł doniosłości chwili — to co z naszym interesem? Sprzedaje pan ptaka czy nie? A obrazy, jeśli faktycznie tam są, co z nimi? Szczerze mówiąc, wolałbym nie licytować w ciemno.

— Obrazy mnie nie interesują — odparłem. — Powiedziałem chyba wyraźnie, że dla mnie liczy się ptak. Sprzedam go jednemu z was, ale na swoich warunkach: kiedy dobijemy targu, jedziemy do Londynu, do Muzeum Historii Naturalnej, i tam oddajemy gablotę w ręce fachowców. Ptak zostaje w muzeum, a kupujący zatrzymuje gablotę i wszystko, co się w niej znajduje. Jeżeli obrazy tam są, jeden procent z ich sprzedaży zostanie przekazany muzeum na koszty konserwacji okazu.

Potts prychnął rozeźlony.

— Wolne żarty! Tak się nie ubija interesów! Może się przecież okazać, że nie ma żadnych obrazów, albo pan nas uprzedził, sam otworzył gablotę i je zabrał...

Spojrzałem na niego twardo.

— Cóż, albo podejmie pan to ryzyko, albo...

— Żyje pan marzeniami, panie Fitzgerald. Nikt nigdy nie pójdzie na coś takiego. To śmierdzi z daleka.

Od jakiegoś czasu Anderson przyglądał się Pottsowi, a na jego wargach błądził uśmiech.

— Czy ja wiem... — zadumał się. — Mnie odpowiada to, co proponuje pan Fitzgerald. Rozumiem pańską troskę o ptaka. Powiedzmy więc, że zgodzę się na przekazanie ptaka do muzeum i pokrycie kosztów jego konserwacji i utrzymania, tak żeby mógł cieszyć oczy zwiedzających, a do tego dorzucę pięćdziesiąt kawałków na inne rzadkie okazy... — uważnie mnie obserwował. — Zapomnijmy o kanadyjskich milionerach, laboratoriach, eksperymentach z kodem DNA... W zamian zatrzymam obrazy, o ile będą w gablocie. Wezmę na siebie całe ryzyko — podkreślił.

Skinąłem głową z aprobatą i wyczekująco popatrzyłem na Pottsa.

— To jakieś szaleństwo — odezwał się wreszcie, pierwej zmełłszy w ustach przekleństwo. Zdjął okulary i tarł nimi o kamizelkę, jakby chciał ją przetrzeć na wylot. — Panie

Fitzgerald, oto moja oferta. Otwieramy gablotę. Jeśli znajdziemy w niej obrazy, ja dopilnuję, żeby trafiły do Stanów bez zbędnego zamieszania. Tam je sprzedamy, moja prowizja to dziesięć procent, dla pana cała reszta; w ten sposób zarobi pan o niebo więcej, niż gdyby zlicytował je pan u Sotheby'ego.

— Widząc zdziwienie w moich oczach, wyjaśnił: — Cicha sprzedaż: pełna dyskrecja i zero podatków. Żadnych dociekliwych pytań, żadnej biurokracji, przebijania ofert ani rozgłosu. Oczywiście pan zatrzymuje ptaka, także jeśli się okaże, że obrazów tam nie ma. Tyle że wtedy nikt nie zarabia ani nie traci, a pan robi z okazem, co się panu żywnie podoba. Niech się pan dobrze nad tym zastanowi... Dziewięćdziesiąt procent z miliona dolarów wystarczy chyba na doprowadzenie tej kupy piór do przyzwoitego stanu, co? I proszę zauważyć, że Anderson nie proponuje panu ani centa.

— Podtrzymuję swoją ofertę — Anderson nie mrugnął nawet.

Zwróciłem się do Pottsa.

— Jego oferta zapewnia przyszłość ptakowi bez względu na to, czy znajdziemy obrazy czy nie. Oczekuję, że pan zrobi to samo.

— Na litość boską! — krzyknął, wstając gwałtownie. — Poszaleliście wszyscy. Proszę dać mi chwilę, muszę się zastanowić. Wrócę za dziesięć minut — powiedział i wypadł z baru. Kiedy się patrzyło na jego zabawną pękatą sylwetkę, trudno było uwierzyć, że naprawdę jest zły; złość nijak nie pasowała do jego pozornej jowialności.

Po wyjściu Pottsa Anderson się roześmiał.

— Myślę, że to wszystko, na co go stać. Nie przebije mojej oferty — nie przestawał się uśmiechać.

Zerknąłem w stronę Katii. Uniosła brwi i spojrzała na mnie pytająco. Nieznacznie skinąłem głową, po czym do Andersona powiedziałem:

— Napijmy się.

— Jasne — rozparł się na kanapie, jeszcze bardziej zbliżając się do Gabby, i sięgnął po portfel. — Skoro tylko pan Potts przestanie nam bruździć, będziemy musieli wszystko spisać.

Wzruszyłem ramionami.

— Więc niech pan zacznie pisać, najlepiej słowo w słowo to, co pan przed chwilą zaoferował. Jutro rzuci na to okiem mój adwokat.

Płynnym ruchem wyjął z neseseru kartkę papieru i pochylił się nad stołem.

— Wciąż nie mogę uwierzyć — mamrotał, nie przerywając kaligrafowania. — Ptak z Uliety... no, no... Kto by pomyślał? Pal licho obrazy Roiteleta, jeśli ich nie znajdziemy, to trudno. Warto się było męczyć dla niego samego. — Skrobał jeszcze przez parę chwil, po czym wreszcie się wyprostował i przesunął dokument w moją stronę.

— Ciekawe, gdzie podziewa się Potts? — zapytał od niechcenia, wciąż z zadowoloną miną. — Zdaje się, że wcale mu się do nas nie śpieszy.

Ostatnie zdanie zawisło w powietrzu na parę sekund, nim wszyscy naraz poderwaliśmy się na równe nogi. Anderson dopadł drzwi baru pierwszy, ja deptałem mu po piętach. Przebiegliśmy przez hol i z tupotem pokonaliśmy schody. Zatrzymaliśmy się dopiero przed drzwiami do mojego pokoju, bynajmniej nie dlatego jednak, że były zamknięte. Zamek został wyłamany. Spodziewając się, co zobaczymy, pchnęliśmy drzwi i weszliśmy do środka. Łóżko było puste, a po Ptaku z Uliety ani śladu.

Po jej odejściu Banks skupił się na pracy i uciechach, w równym stopniu oddając się im z ponurą zawziętością. Przez długie lata pochłaniały go kolejne przedsięwzięcia, dzień w dzień, rok w rok pracował do upadłego, zadziwiając wszystkich swym zaangażowaniem i poświęceniem dla nauki. Jego pozycja rosła, do poprzednich osiągnięć dołączały nowe, czyniąc go znanym w coraz szerszych kręgach. Samo pisanie listów do innych sław zajmowało mu trzy popołudnia w tygodniu, nic więc dziwnego, że człowiek tak zajęty nie miał czasu na refleksję. Nie potrzebował zresztą więcej się zastanawiać:

po przejściowym załamaniu w pierwszych dniach po jej zniknięciu uznał, że już nigdy się nie spotkają.

Mylił się jednak. Zobaczył ją raz jeszcze, około trzech lat później. Było to wiosną, kiedy szykował się do opuszczenia na dobre domu przy New Burlington Street. Wstał wcześnie, gotów stawić czoło wyzwaniom kolejnego dnia pełnego spraw nie cierpiących zwłoki: trzeba było dopełnić formalności, uporać się z przeszkodami, tyle załatwić. Z pewnością nie był w nastroju do przyjmowania gości. Przypadkiem tylko znalazł się koło drzwi frontowych, kiedy służba komuś je właśnie otwierała. Banks pierwszy ją zobaczył, gdyż nie spodziewając się, że zastanie go w domu, a już na pewno nie przy drzwiach, od razu wdała się w rozmowę z lokajem. Dzięki temu zyskał chwilę, by dojść do ładu ze swymi uczuciami. Na jej niespodziewany widok stanął bowiem jak wryty, w piersi poczuł bolesne ukłucie, na policzki wystąpił mu rumieniec. Chwilę potem ich oczy się spotkały.

Sam powiódł ją w głąb domu czując, jak pod wpływem dotyku jej urękawicznionej dłoni opuszcza go cała złość, którą nie zdając sobie z tego sprawy, hodował przez wszystkie te lata. Zniknęły gdzieś wyrzuty, jakimi chciał ją zasypać, nie znalazł w sobie ani drobiny oschłości czy beznamiętności, jakie w myślach do niej żywił. Stał przed nią milczący, a jego serce się do niej wyrywało.

Po niej nie dało się poznać wrażenia, jakie powinna odczuwać podczas spotkania po tak długiej przerwie, miała dni całe, by się doń przygotować i zapanować nad swymi uczuciami. Jednakże nic nie przygotowało jej na widok posmutniałej, zaciętej twarzy, na której pojawiło się wiele nowych zmarszczek i bruzd. Zareagowała na nie przypływem czułości, o jaką się nawet nie podejrzewała.

Banksowi wydawało się, że rozstali się raptem wczoraj; stała przed nim pełna gracji i czystości, jak wtedy gdy w mieszkaniu przy Orchard Street wkładała kwiaty do wazonu. I jak podczas ich pierwszego spotkania w lesie Revesby, całe wieki temu, skryta była za obronną maską.

— Jestem w Londynie przejazdem — przemówiła wreszcie. — Przyszłam, by ci podziękować.

Spojrzał ponad jej ramieniem za okno, gdzie czekał na nią powóz.

— Podziękować? — powtórzył, wciąż zmieszany jej nagłym pojawieniem się.

— Za to, że nas nie szukałeś — wyjaśniła cichym głosem.

Owo „nas" sprowadziło go na ziemię.

— To znaczy, że...

Pokręciła głową.

— Sophii i mnie.

— Ach tak — odetchnął z ulgą. — Obiecałem przecież... — urwał i się uśmiechnął. — Prawdę powiedziawszy, czułem się urażony. Chciałem, żebyś wróciła sama, z własnej woli.

Poszukała wzrokiem jego oczu, tak że nie mógł dłużej unikać patrzenia wprost na nią.

— Josephie, wiedziałeś, że to się nigdy nie stanie.

Westchnął przeciągle.

— Tak... — rzekł. — W głębi ducha chyba wiedziałem.

Widząc jego niepewny uśmiech i sztywność, z jaką ją przywitał, słysząc napięcie w głosie, pożałowała nagle, że nie uprzedziła go o swej wizycie.

— Nie nachodziłabym cię niepotrzebnie, ale musiałam przyjechać do Londynu i pomyślałam sobie, że cię przy okazji odwiedzę i poinformuję, że Sophia jest zdrowa i szczęśliwa.

— Tak jak obiecałaś...

Skinęła głową.

Popatrzył na nią i z nieoczekiwaną miękkością w głosie powiedział:

— Nie uwierzysz, ale myślę o niej bardzo często...

— Wierzę ci.

Stali bez ruchu patrząc na siebie, chłonąc się nawzajem wzrokiem. Pomiędzy nimi tańczyły promienie wiosennego słońca.

— Wciąż winisz mnie za to, co uczyniłam?

— Przez trzy lata każdego dnia próbowałem to robić.

— I udawało ci się?

— Tak, aż do dzisiaj, kiedy znów cię zobaczyłem.

— W takim razie cieszę się, że do ciebie przyszłam.

Spędzili razem całą godzinę, rozmawiając i krążąc po domu wypełnionym po brzegi kolekcją Banksa. Zbiór unikatów, jaki udało mu się zgromadzić, był zaiste imponujący, zdążył już wzbudzić zainteresowanie naukowców z kontynentu, a teraz przytłaczał ich oboje swą wielkością. Eksponaty rozstawione w przestronnych jasnych pokojach przykuwały uwagę, pomniejszały znaczenie obserwujących je ludzi, a mimo to napięcie pomiędzy nimi nie zelżało. Od czasu do czasu przystawała przy którymś z przedmiotów, a Banks dyskretnie cofał się o krok, by móc ją podziwiać; rychło jednak dostrzegł, że malująca się na jej twarzy koncentracja jest zbyt usilna, by mogła być wynikiem zainteresowania tym czy tamtym okazem. Chcąc wyrwać ją z zamyślenia mówił parę słów o którym bądź eksponacie, przytaczał jakąś anegdotę, po czym podchodzili do niego i wymieniali na jego temat opinie. Potem znów zapadała cisza.

Przechodzili z pokoju do pokoju, od wielkiej wystawy artefaktów i pamiątek z wyprawy Cooka do herbarium i z powrotem, gdzie między innymi znajdowały się szkice zamorskich krajobrazów i obco wyglądających ludzkich twarzy, a także — głównie — nie mająca sobie równych kolekcja rysunków roślin, która wyszła spod ręki niezrównanego Parkinsona, nim zmarł na pokładzie „Endeavoura". Przyglądała im się z zainteresowaniem raczej niż podziwem, jak specjalista szukający, czego jeszcze może się nauczyć od kolegi po fachu. Od czasu do czasu kiwała głową zauważywszy wyjątkowo udane pociągnięcie ołówka.

Na koniec znaleźli się w sali, gdzie znajdowały się wyłącznie okazy zwierząt, niektóre z nich wypchane, inne w postaci wyciągniętych płasko skór. Wskazywał te najbardziej godne obejrzenia, ciekawostki nad ciekawostkami, jakich przed wyprawą Cooka nie widział żaden Europejczyk, dumę jego kolekcji. W pewnym momencie przystanął i spojrzał na nią bystro.

— Chcę ci coś powiedzieć — zaczął. — Pamiętasz Lysarta, geologa? Otóż ma on dziecko, które jest... córkę taką jak Sophia. Dorastała w Kensingtonie, nieomal u jego boku. Widzę jednak, że z biegiem lat jest to dla niej coraz trudniejsze. Społeczeństwo nie lubi takich kobiet... — odwrócił się do najbliższego okazu i ciszej dokończył: — To właśnie chciałem ci powiedzieć.

Tuż przy drzwiach wiodących z sali do holu stał niewielki wypchany ptak. Tabliczka informowała, że pochodzi z mórz południowych, z wysepki położonej niedaleko Otaheite. Stanąwszy przy nim, zauważyła:

— Taki niepozorny, a ktoś zadał sobie tyle zachodu wypychając go...

— To prawda. Nie mam pojęcia, czemu Forster w ogóle poświęcił mu uwagę. Zdaje się, że chciał wypróbować nową metodę preparacji, tak przynajmniej mówił. Być może dlatego właśnie wybrał coś tak mało okazałego, na wypadek gdyby eksperyment się nie powiódł.

Z jakiegoś powodu nie odrywała od niego wzroku.

— Mimo to podoba mi się — rzekła. — Mały niepozorny ptaszek pośród całego tego przepychu barw i kształtów. Myślę, że na swój sposób jest piękny.

— Proszę, jest twój — powiedział impulsywnie. Chciał, by miała coś, co w przyszłości zawsze będzie jej przypominać o tym dniu. — Jeśli wolisz, polecę go dostarczyć do twego domu.

— Ależ to uszczupli twoją kolekcję — zaprotestowała.

— O niewielki ułamek — zapewnił ją. — Nikt nawet nie zauważy.

Chwilę mu zajęło, by ją przekonać. Zgodziła się wreszcie, podając adres w Soho, gdzie okaz miał być dostarczony.

— To dom *monsieur* Martina — wyjaśniła. — Jemu właśnie sprzedaję swoje obrazy.

Odprowadziwszy ją do powozu, by wesprzeć ramieniem przy wsiadaniu, gdy w domu wciąż jeszcze rozbrzmiewało echo ich słów, polecił służbie zapakować okaz i dopilnować, żeby trafił pod wskazany adres. Przez najbliższe tygodnie miejsce przy drzwiach stało puste, jednakże latem tego roku kolekcję Banksa przeniesiono z New Burlington Street do budynku przy Soho Square. Niepozorny ptak został zapomniany.

19

Pożegnania

Wczesnym rankiem, nazajutrz po tym jak Potts włamał się do mojego pokoju hotelowego, spadł śnieg. Oboje z Katią byliśmy prawie całą noc na nogach, najpierw uspokajając Andersona, który znalazł się na skraju apopleksji, potem zawiadamiając o wypadku administrację hotelu i odpowiadając na pytania policji. Wszyscy, w tym Katya i ja, kręcili głowami i przeklinali. Kiedy okazało się jasne, że ptak zniknął i raczej nie ma szans na jego odzyskanie, podarłem umowę, jaką sporządził Anderson, i oddałem mu ją w kawałkach. Nie chciało mi się wdawać w wyjaśnienia, że poznałem Pottsa na tyle dobrze, by mieć pewność, że nikt z nas nie ujrzy już ani Ptaka z Uliety, ani gabloty; być może sprawiał wrażenie nieszkodliwego dobrodusznego wujaszka, ale nie był w ciemię bity — mało prawdopodobne, by policji udało się go nakryć. Około trzeciej nad ranem, kiedy na zewnątrz wirowały pierwsze płatki śniegu, a nam nie pozostało nic więcej do powiedzenia, zostawiliśmy Gabby i Andersona w barze i poszliśmy na górę. Nie wiem, jak Katya, ale ja od razu zapadłem w ciężki sen bez snów.

Po śniadaniu wymeldowaliśmy się z hotelu. Śnieg wciąż prószył niemrawo, było go zbyt mało, by choćby cienką warstwą pokrył chodnik, ale widok kręcących się w powietrzu śnieżynek z wolna opadających na błyszczącą powierzchnię kocich łbów działał odprężająco, przynajmniej na mnie. Kiedy zastanawiałem się, czy Katya czuje to samo co ja, ujęła mnie pod ramię, ściskając lekko. Ruszyliśmy spacerkiem w stronę samochodu.

— Jak myślisz, co Potts z nim zrobi? — spytała.

— Nie mam pojęcia. Przypuszczam, że kiedy się przekona, iż nie ma żadnych obrazów, po prostu go wyrzuci.

— A po namyśle dodałem: — Albo nie. Przetrzyma go gdzieś, aż cała sprawa ucichnie, a potem przeszmugluje do Ameryki, żeby się przekonać, ile naprawdę zapłaci za niego Ted Staest.

— A Anderson?

— Wpisze po stronie strat — zażartowałem ponuro. — I rzuci się na poszukiwanie czegoś innego. Coś mi mówi, że z ptakiem czy bez i tak zorganizuje dla Gabby fundusze, aby jej projekt mógł przeżyć kolejny rok. Gabby i on to coś więcej niż tylko wspólnicy w interesach... — uśmiechnąłem się, uzmysłowiwszy sobie, jak sprzeczne targają mną emocje. — Dobrana z nich para, będzie im ze sobą dobrze.

Katya myślała o czymś innym.

— Nie wydaje ci się, że kiedy wczoraj zobaczył tego ptaka, zrobiło to na nim duże wrażenie?

— Taak — przytaknąłem w zamyśleniu. — I to mnie martwi.

Ponownie ścisnęła mi ramię, po czym zadała jeszcze jedno pytanie:

— Jak sądzisz, dowie się?

— Hmm... nie wiem. Być może, kiedyś... Chociaż wolałbym, żeby się nie dowiedział.

Katya zgodziła się ze mną.

— Masz rację, tak będzie dla niego lepiej. Słuchaj, czy naprawdę musiałeś to robić? Przecież kosztowało cię to mnóstwo zachodu i pracy, i...

— Tak — powiedziałem stanowczo. — Inaczej Potts i Anderson nigdy by nie dali za wygraną. A tak machną wreszcie ręką i będziemy mogli odetchnąć w spokoju.

Śnieg padał coraz gęstszy. Na włosach Katii skrzyły się płatki białego puchu, migocząc wesoło, na moment zanim przeistoczyły się w kropelkę wody. Dziewczyna podniosła kołnierz i otuliła nim twarz.

— A co z Gabby? — spytała niewyraźnie. — Udało ci się z nią pożegnać w tym całym zamieszaniu?

— Niezupełnie — wzruszyłem lekko ramionami, nie chcąc, by Katya zwolniła uścisk. — Myślę, że niezbyt jej to przeszkadzało.

— A przeszkadzało jej, że ubiegłeś Andersona?

— Chyba też nie bardzo.

Staliśmy przy samochodzie, na którego wycieraczkach zebrało się sporo świeżego śniegu.

— Nie wiem, co byś zrobił, gdyby Potts go nie ukradł...

— Ja też nie — zaśmiałem się. — Ale czułem w kościach, że spróbuje czegoś takiego. Taki już z niego typ.

Wsiedliśmy i odruchowo zapięliśmy płaszcze na najwyższy guzik, opatulając się jednocześnie szalikami. Miło było wrócić do znanej nam dobrze rutyny.

— To daleko? — zaniepokoiła się Katya.

— Tym pudłem zejdzie nam z czterdzieści minut — poklepałem kierownicę z uczuciem. — No, ruszajmy, może uda nam się z niego wykrzesać trochę ciepła, zanim dojedziemy na miejsce.

Ledwie wyjechaliśmy za rogatki Lincolnu, śnieg rozpadał się na dobre, tak że musieliśmy torować sobie drogę wśród białej gęstwy, a wycieraczki z trudem nadążały zbierać to, co osiadało na przedniej szybie. Zamieć skończyła się równie nagle, jak zaczęła. Nagle oślepił nas blask słońca, powietrze przed nami zrobiło się klarowne, a jedynym dowodem na to, że nadeszła zima, były białe placki leżące tu i ówdzie na polach. Jadąc zabijaliśmy czas rozmową. Kiedy wreszcie napięcie ostatnich dni minęło, mogliśmy skupić się na tym, co Bert Fox opowiedział mi o swej rodzinie.

— Zatem pradziadek Berta Foxa ożenił się z Sophią Burnett — upewniała się Katya.

— Zgadza się, tyle że nie pradziadek, a prapradziadek. Bert powiedział mi to już podczas pierwszego spotkania, ale puściłem to mimo uszu, podekscytowany tym, że wspomniał coś o miejscowości Ainsby, i zupełnie zignorowałem fakt, że j e g o Burnett i n a s z a Burnett mogły mieć ze sobą coś wspólnego.

— Czyli nasza Mary Burnett przywiozła córkę do hrabstwa Lincoln — zastanawiała się na głos Katya. — Ciekawe, co się z nią dalej działo?

— Hmm... nie sądzę, żebyśmy mieli się kiedykolwiek dowiedzieć. Jedyne co wiemy, to że Sophia Burnett wyszła za Matthew Foxa, małorolnego gospodarza. Zgadnij, jak nazywał się ich syn.

— Chyba nie chcesz powiedzieć, że...

Nie dałem jej skończyć.

— Właśnie tak. Joseph. Jego syn z kolei to następny Matthew, który na przełomie dziewiętnastego i dwudziestego wieku przyjął stanowisko rządcy u rodziny Stamfordów. Miał syna, Henry'ego, który dorastał razem z dziećmi państwa. W ten sposób Stamfordowie dowiedzieli się o wypchanym ptaku z domku rządcy. Nawiasem mówiąc, John Stamford w swoim liście wspomina o śmierci pewnego staruszka; chodziło właśnie o Matthew Foxa. To on zmarł, podczas gdy młody Stamford był na wojnie.

— A Martha Stamford wzięła ptaka na przechowanie?

— Tak. Zresztą już wtedy była po słowie z Henrym Foxem. To o nim John Stamford pisał w swoim liście...

Katya się uśmiechnęła.

— Ach, więc to młody Fox był „Liskiem Chytruskiem". Myślisz, że John martwił się z tego powodu o siostrę?

— Z tonu listu nie wynika, żeby był złego zdania o Henrym, ale trudno coś powiedzieć na pewno.

— A co było potem? — Katya, jak na przyszłego historyka przyznało, zapaliła się do tematu.

— Martha przetrzymała ptaka w bezpiecznym miejscu do końca wojny, po czym, gdy Henry wrócił z Francji, sumiennie mu go oddała. To dzięki temu ptak nie został wystawiony na aukcji, kiedy zlicytowano Stary Dwór w Ainsby. Trochę później Martha i Henry pobrali się. To zabawne, że wojna i upadek bogactwa jej rodziny im w tym pomogły. Zubożona Stamfordówna wyjechała do Kornwalii, gdzie zamieszkała u kuzynostwa, a Henry ją tam odszukał i się oświadczył.

Przez jakiś czas jechaliśmy w milczeniu, każde z nas zatopione we własnych myślach, głównie na temat kaprysów losu.

Za oknem krajobraz znów się zmienił, powoli kończyły się pola, przechodząc w przedmieścia najbliższego Lincolnowi miasta. Kilka minut później wjechaliśmy w elegancką dzielnicę szeregowców wybudowanych w okresie między wojnami. Trzypiętrowe budynki ciągnęły się wzdłuż bocznej uliczki w rozsądnym oddaleniu od centrum.

— Jesteśmy na miejscu — powiedziałem. — To tutaj kończy się historia Stamfordów.

Na chodniku przed domem ktoś stał; Katya rzuciła mi niepewne spojrzenie, lecz uspokoiłem ją dwoma słowami. Rzeczywiście, gdybym nie rozpoznał znajomej sylwetki, sam mógłbym powziąć jakieś podejrzenia. Mężczyzna, ubrany w szarobury wytarty prochowiec i wyblakłą czapeczkę bejsbolową (zapewne dla ochrony przed mrozem), czaił się tuż przy ogrodzeniu, popalając skręta. Pod nie dopiętym płaszczem miał zwykłą trykotową koszulkę, a na niej skórzaną kamizelkę. Srebrzysty kucyk ginął za kołnierzem.

— Wyskoczyłem na papierosa — tymi słowami przywitał nas Bert Fox, podając Katii rękę. — Mama nie lubi, jak się pali w domu. — Rzucił niedopałek na ulicę i zdeptał go starannie. — Spodoba ci się moja mama — powiedział do Katii. — Ma poczucie humoru.

Weszliśmy gęsiego do środka. W zamyśle architekta przedpokój miał być przestronny, ale wrażenie to zostało unicestwione przez natłok upakowanych tam przedmiotów. Zwykły stojak na parasole musiał pomieścić naręcze lasek, współczesnych i staromodnych, a także dwie wyjątkowej długości włócznie rodem z Afryki. Stojący opodal niewielki stolik uginał się pod ciężarem drobnych przedmiotów: pudełka po cygarach, popielniczki i zapalniczki w jednym, porcelanowej misy, złoconej ramki na zdjęcie i figurki wielbłąda wyrzeźbionego w kości słoniowej. Klaustrofobię potęgowały obwieszone czym popadnie ściany — mniej więcej na wysokości pasa zaczynały się obrazy, obrazki i fotografie, które sięgały samego sufitu, tak że większa część tapety była niewidoczna. Czego tam nie było: akwarele, miniatury, oprawne dagerotypy, a nawet kilka portretów w oleju, które sprawiały wrażenie liniowców pomiędzy flotyllą łódeczek.

— Mamo! — zawołał Fox wchodząc ostatni. — Przyszedł John! Pamiętasz Johna, prawda? Rozmawialiście o ptaku, polubiłaś go, zdaje się.

Zdjęliśmy okrycia, powiesiliśmy je obok drzwi, uważając, by nie zahaczyć o ostrza włóczni, po czym niczym kurczęta za kwoką przeszliśmy za Bertem w głąb domu. Podobnie jak przedpokój, salon także zastawiony był rozmaitymi przedmiotami, ale tutaj ich natłok sprawiał bardziej harmonijne wrażenie. Pośrodku, umoszczona na dużym fotelu, pod różowym kocem ginęła drobna kobieca postać. To list do niej przeczytaliśmy i na tej podstawie uwierzyliśmy w istnienie Ptaka z Uliety. Kobieta była daleko posunięta w latach (nie owijając w bawełnę: była w tak podeszłym wieku, że wciąż z trudem przychodziło mi uwierzyć, iż nadal żyje), lecz zestarzała się w ładny sposób, zamieniając w pogodną, nic a nic nie zgorzkniałą staruszkę. Otaczały ją rzeczy z zupełnie innej epoki, jednakże kiedy się z nią rozmawiało, bystrość jej umysłu sprawiała, że człowiek nie chciał dać wiary, iż była dorosłą kobietą, podczas gdy w Europie toczyły się walki pierwszej wojny światowej. Trudno było ją sobie wyobrazić w ramionach żołnierzy, którzy wkrótce zginęli pod Verdun.

Pozdrowiła Katię skinieniem głowy, dając równocześnie do zrozumienia, że chce, by dziewczyna stanęła bliżej niej.

— Albert twierdzi, że pochodzisz ze Szwecji — poinformowała Katię.

— Tak, proszę pani. Urodziłam się pod Sztokholmem.

— Bardzo miło mi cię poznać — odparła staruszka i podążając za sobie tylko znanym biegiem myśli, dodała: — Z pewnością lubisz spędzać tu zimy. — A potem przeniosła wzrok na mnie. — Zatem przyszedł go pan zobaczyć jeszcze raz? Moim zdaniem nie ma w nim nic ciekawego, ale nie dziwi mnie, że nagle okazał się wartościowy. W mojej rodzinie zawsze go szanowano, stanowi część naszej historii... — Po czym wyraźnie zapomniawszy, że już mi to mówiła, zaczęła od początku opowiadać, jak to stary Matthew Fox powiadał, że ptak stanowił najcenniejszą własność jego babki. — Darzyła go takim sentymentem, ponieważ należał do jej matki, uważa pan. A matka dostała go w prezencie od swego kochanka, tak przynajmniej twierdził Matthew. Oczywiście strasznie nas to szokowało, w tamtych czasach, ale i tak sądziliśmy, że to szalenie romantyczne. Pamiętam jak dziś, że kiedy Matthew był małym chłopcem, jego babka wzięła go za rączkę i pokazała wszystkie wartościowe przedmioty w domu, a kiedy podeszli do tego ptaka, z drżeniem w głosie opowiedziała wnukowi, że dostała go od matki, która z kolei przez całe życie pilnowała go jak oka w głowie, gdyż otrzymała go w podarunku od kogoś, kogo kochała. I pamiętam jeszcze, jak Henry, tata Alberta, utrzymywał, że jest wartościowy także z innego powodu: ponieważ to kapitan Cook go znalazł. Jednakże nigdy go nie sprzedali, uważa pan, był to bowiem dar prosto z serca.

— A obrazy, mamo? — podpowiedział Bert. — Opowiedz jeszcze o obrazach.

— A, tak... obrazy — wzrok staruszki stał się zamglony. — Henry znalazł je wkrótce po tym, jak się pobraliśmy. Piękne były... — rozmarzyła się. — Głównie kwiaty... dzwonki i takie tam... Jasne i czyste... piękne — powtórzyła. — Henry dał je oprawić i powiesiliśmy je na ścianach. Kiedy przeprowadziliśmy się tutaj, na ścianach zabrakło miejsca, więc Henry sprzedał je rodzinie, która przejęła Stary Dwór. Dostał za nie trochę grosza...

Katya odwróciła się do mnie i z przejęciem w głosie szepnęła:

— One mogą tam wciąż być!

Potrząsnąłem głową i oddałem pałeczkę Bertowi.

— Stary Dwór spłonął podczas drugiej wojny — powiedział. — Można przypuszczać, że piękne obrazy kwiatów poszły z dymem...

— Taak... piękne były... Zawsze mówiłam, że przy nich nie potrzeba zrywać do wazonu żywych kwiatów, wyglądały jak prawdziwe. — Martha Stamford wyrwała się z zamyślenia. — No ale pewnie macie już dość mojego głędzenia. Was przecież interesuje ptak. Możecie wejść na górę i na niego popatrzeć.

Było jednak coś, o co chciałem starszą panią jeszcze spytać, korzystając z jej nastroju do wspominków.

— Proszę mi powiedzieć, pani Stamford, czy pamięta pani coś jeszcze na temat prababki swego teścia? Tej, która dostała ptaka w prezencie od kochanka?

— Och, nie — zaprzeczyła ruchem głowy. — To było tak dawno... Stary Matthew pewnie znał niejedną historię o niej, ale nie przypominam sobie, by mnie którąś opowiedział.

Bert Fox odkaszlnął.

— Zdaje się, że jest pochowana na miejscowym cmentarzu. Nie mam pewności, bo w księgach parafialnych z jakiegoś powodu brakuje paru stron. Stara część cmentarza jest nieźle zarośnięta, ale groby wciąż tam są.

Nie wierzyłem własnym uszom.

— Chce pan powiedzieć, że możemy tam pójść i odszukać jej nagrobek?

— E, nie — machnął ręką Bert. — Groby się pozapadały, a nagrobki obrósł mech i inne świństwa...

— Lepsze to od krematorium — wtrąciła Martha Stamford ku konsternacji wszystkich, po czym wyjaśniła: — Albert mówi, że chce być poddany kremacji.

— I to samo zrobię z tobą, mamo — puścił do mnie oko — jeśli tylko będę miał coś do powiedzenia w tej sprawie.

Matka i syn roześmieli się zgodnie, a mężczyzna odskoczył przed karzącą żartobliwie ręką.

Martha Stamford nie poszła z nami na górę, żeby obejrzeć ptaka — po pierwsze nie chodziła już po schodach, a po drugie dobrze wiedziała, jak wygląda. Zanim wyszliśmy z salonu, zatrzymałem się przy jej fotelu i jeszcze raz powiedziałem jej to, co usłyszała ode mnie podczas pierwszej wizyty: że są ludzie, którzy za tego ptaka zapłaciliby każde pieniądze.

— Pieniądze? — prychnęła, dokładnie jak za pierwszym razem. — Mnie nie potrzeba pieniędzy. A niedługo to wszystko będzie Berta i wtedy niech robi, co chce.

Bert wzruszył tylko ramionami. Zostawiłem starszą panią i podążyłem za nim na piętro ciągnąc w ogonie Katię. Bert otworzył jakieś drzwi i znaleźliśmy się w najdziwniejszym pokoju, jaki w życiu widziałem; nazywali go „biblioteką", ale tak naprawdę musiał powstać podczas przebudowy domu, kiedy ktoś zdecydował, że chce mieć sypialnię o nietypowym kształcie. Dostawione ściany wykroiły małą dziwaczną przestrzeń wciśniętą pomiędzy pozostałe pokoje, którą zapewne użytkowano jako schowek na miotły, chociaż Bert się zaklinał, że odkąd on pamięta, była to zawsze biblioteka, a przynajmniej miejsce, gdzie przechowywano książki. Wpuściwszy nas do środka włączył światło pstrykając kontaktem przy drzwiach. Pomieszczenie miało metr z czymś szerokości, ale ponad pięć długości, co wykorzystano w ten sposób, że długie ściany zabudowano półkami. Tylko najbardziej oddalona ściana i niewielkie miejsce nad drzwiami mogły zostać ozdobione, ale na szczęście zapał dekoratora tutaj się wyczerpał. Na wprost wejścia wisiał taki sobie obraz gałązki dębu i paru żołędzi, ale to nie on przykuł naszą uwagę. Pamiętając swą poprzednią wizytę, zadarłem głowę i pokazałem Katii szklaną gablotę stojącą na wąskiej półce. W gablocie tkwił mistrz niepoznaki i tajemnicy, Czarodziejski Ptak z Ulięty.

Był podobny do okazu, jaki własnoręcznie spreparowałem przed paroma dniami, tyle że znacznie lepiej zachowany. Ja musiałem wyprosić bądź odkupić stare wypchane drozdy i kosy, a potem używając całego swego talentu, skomponować je w jeden przekonujący okaz. Tam gdzie zadanie przerastało moje siły, udałem, że czas zrobił swoje — dlatego „mój" ptak był w nie najlepszym stanie. Prawdziwy nie miał żadnych wyskubanych piór ani nie zapadał się pod wpływem grawitacji. Szczerze mówiąc, był niewiarygodnie dobrze zachowany. Kto widział rysunek Georga Forstera, nie miał wątpliwości, że t o jest oryginał.

Staliśmy przez chwilę w milczeniu, nim odezwała się Katya.

— Jakim cudem jest tak doskonały? — spytała z niedowierzaniem w głosie.

— Nie wiem — przyznałem. — Pewnie po prostu szczęśliwy zbieg okoliczności.

W tym momencie do naszej rozmowy wtrącił się Bert.

— Ten pokój nie ma ani jednej zewnętrznej ściany — zatoczył ręką dokoła. — Tata trzymał tu książki i ptaka, bo panuje tu stała temperatura i nigdy nie ma wilgoci.

— Ale wcześniej? Kiedy wciąż jeszcze był własnością Matthew Foxa i wraz z nim mieszkał w zwykłym wiejskim domku? — Katya zadawała dręczące i mnie pytania. — To nie do wiary, że wytrzymał tamte warunki. — Tata wspominał, że ktoś poradził im potraktować go arszenikiem. Podejrzewam, że w każdym pokoleniu dbano o niego, jak umiano.

— Już rozumiem — powiedziała Katya, jakby właśnie uzyskała najistotniejszą informację. — Przetrwał, podczas gdy wszystkie inne współczesne mu okazy rozpadły się w proch.

— Zadarła głowę, by jeszcze raz na niego spojrzeć, po czym kiedy uświadomiła sobie, że Bert i ja przyglądamy się jej, nie rozumiejąc, co miała na myśli, dodała: — Przetrwał, ponieważ był otoczony miłością.

Kiedy zeszliśmy na dół, Martha Stamford drzemała przykryta po czubek nosa różowym kocem, otoczona zatrzęsieniem przedmiotów, którym znaczenie nadało jej życie. Piętro wyżej ptak Josepha Banksa spał wiecznym snem w ciemności i chłodzie swej kryjówki. Nie było powodu, by któremukolwiek z nich ponownie zakłócać spokój.

Nim wyszliśmy z domu, zatrzymaliśmy się w progu, oceniając temperaturę panującą na zewnątrz. Katya zapięła płaszcz i postawiła kołnierz, po czym oparła się o mnie lekko. Równocześnie spojrzeliśmy w niebo. Staliśmy tak przez parę sekund, by w końcu wystąpić w przytłumione słońce zimowego popołudnia.

Trzy dni przed śmiercią siedemdziesięciosześcioletni Joseph Banks poprosił, by przyniesiono mu pióro i inkaust, gdyż chciał napisać list do swego starego przyjaciela, towarzysza wielu wypraw. Adresat listu, Daniel Solander, nie żył od prawie czterdziestu lat.

Drżąca ręka kreśliła na pergaminie słowa:

Mój drogi Danielu!
Powiedziałeś mi kiedyś, że przeszłość zawsze rzuca na nas cień. Cóż, wtedy ci nie uwierzyłem, choć byłeś ode mnie mądrzejszy i widziałeś więcej. Wszakże dzisiaj to ja widzę, jak z cienia wyłaniają się słońce, drzewa i liście.
Ona ma takie zielone oczy, Danielu... Jak zawsze, cieszę się i na tę podróż...

Nota historyczna

„Ptak z Uliety" swoje powstanie zawdzięcza garści faktów, z których najbardziej intrygujące to:
— jedyny okaz Czarodziejskiego Ptaka z Uliety został schwytany w 1774 roku przez członków drugiej wyprawy Cooka na morza południowe;
— wybitny przyrodnik swojej epoki, Joseph Banks, w 1772 roku zerwał swe zaręczyny i nawiązał romans z kobietą znaną potomności jako Panna B.:
— do odkrycia pawia kongijskiego doszło w dwadzieścia trzy lata po znalezieniu w początkach XX wieku jednego jedynego piórka.

Czarodziejski Ptak z Uliety
Jamesowi Greenwayowi i jego wybitnemu dziełu „Wymarłe i ginące ptaki świata" zawdzięczam nazwę Czarodziejski Ptak z Uliety na określenie drozdopodobnego *Turdus ulietensis*, którego historia opisana na łamach powieści w dużej mierze oparta jest na faktach. Pierwszy i jedyny znany nauce okaz tego gatunku został schwytany podczas drugiej wyprawy kapitana Cooka. Szczegółowy opis ptaka zawdzięczamy przyrodnikowi Johannowi Forsterowi, a jego synowi Georgowi – rycinę ukazującą ptasią sylwetkę i ubarwienie. Na podstawie tych danych można podejrzewać, że ptak należał do drozdowatych, aczkolwiek niektóre detale dotyczące anatomii (np. budowa języka) temu przeczą. Niestety, najprawdopodob-

niej już nigdy nie dowiemy się prawdy, gdyż pomimo intensywnych poszukiwań nie udało się znaleźć drugiego okazu tego gatunku. Gdyby nie opis Johanna i rysunek Georga, który rzeczywiście można obejrzeć w londyńskim Muzeum Historii Naturalnej, nic nie świadczyłoby, że taki ptak w ogóle kiedykolwiek istniał.

Faktem jest, że Johann Forster przekazał spreparowany okaz Josephowi Banksowi i że Latham badając kolekcję tego ostatniego potwierdził w swojej pracy jego istnienie. Ale dalsze losy okazu są nieznane, podobnie jak wielu innych pochodzących z tamtych czasów.

Joseph Banks

Młody przyrodnik Joseph Banks sławę i znaczenie zyskał dzięki udziałowi w pierwszej wyprawie kapitana Cooka. W późniejszym czasie stał się jednym ze znamienitszych członków Towarzystwa Królewskiego, a także jego przewodniczącym przez czterdzieści dwa lata i nieoficjalnym doradcą do spraw nauki króla Jerzego III. Choć jednak wiele wiadomo o jego życiu i karierze, to młodzieńcze lata spowija tajemnica.

Tuż przed wyruszeniem w świat na „Endeavourze" Banks zaręczył się nieoficjalnie z niejaką Harriet Blosset. Zaręczyny zostały zerwane wkrótce po jego szczęśliwym powrocie, a ówczesne brukowce – zwłaszcza „The Town & Country Magazine" – rozpisywały się o romansie, jaki nawiązał z młodziutką Panną B---n. Stąd, jak również z późniejszego listu Fabriciusa do Banksa wiadomo, że związek tej pary był płomienny i że zaowocował narodzinami dziecka, nigdzie wszakże nie ma najmniejszej wzmianki o tożsamości kochanki słynnego przyrodnika.

Należy przyjąć, że romans zaczął się rychło po powrocie Banksa z pierwszej wyprawy; niestety nie sposób dociec, z jakiej przyczyny się zakończył ani jakie były dalsze losy Panny B. i jej dziecka.

W tym samym czasie, kiedy w „The Town & Country Magazine" plotkowano o życiu uczuciowym Josepha Banksa, jego pochłaniały przygotowania do drugiej wyprawy z kapitanem Cookiem. Faktem jest, że zażądał większej liczby kajut dla towarzyszącej mu grupy osób, jak również to, że w ostatniej chwili nieoczekiwanie dla wszystkich wycofał się z udziału w wyprawie – ani jedno, ani drugie nigdy nie zostało przez historyków należycie wytłumaczone. Wszelako z zachowanej korespondencji z całą pewnością wiadomo, iż tylko jedno wysuwane przezeń żądanie nie zostało spełnione – z przyczyn natury technicznej odmówiono dobudowania do jego kajuty małego pomieszczenia.

Łatwo ulec pokusie i sformułować własny pogląd na tę sprawę po przeczytaniu listu Cooka skierowanego do Admiralicji z Madery. W liście jest mowa o mężczyźnie nazwiskiem Burnett, który wszystkim zdawał się „Kobietą". Moją hipotezę usprawiedliwia to, że także tego listu nigdy w przekonujący sposób nie wyjaśniono.

Próbując dociec tożsamości Panny B. podjąłem te same kroki, które w powieści przypisałem Fitzowi i Katii, łącznie z wizytą w lincolnskim archiwum. Tam właśnie po raz pierwszy natknąłem się na nazwisko Mary Burnett, która urodziła się we właściwym miejscu i czasie, aby młody Joseph Banks ją znał.

Paw kongijski

Historia odkrycia pawia kongijskiego przez Jamesa Chapina jest prawdziwa. W początkach XX wieku wszedł on w posiadanie pojedynczego piórka ptaka tego gatunku, lecz na pierwsze dwa okazy natrafił dopiero dwadzieścia trzy lata później podczas wizyty w Muzeum Belgijskim. Ten przypadek pomógł mu określić cel kolejnej wyprawy, do serca kongijskiej puszczy, gdzie już bez trudu odnalazł żywe osobniki, których istnienie wprawiło ornitologów w niekłamane zdumienie.

M. D.

Podziękowania

Wiele osób przyczyniło się do ostatecznego kształtu tej książki.

Tutaj chciałbym podziękować zwłaszcza tym wszystkim, którzy na bieżąco komentowali powstające fragmenty, służyli mi radą, a czasem po prostu mówili, żebym zwyczajnie zrobił sobie przerwę i się z nimi napił.

Profesorowi Markowi Seawardowi za jego dogłębną wiedzę na temat porostów występujących w hrabstwie Lincoln; Jo i Samowi za Goat House; Jane za cierpliwość; bywalcom Café Rapallo za moralne wsparcie; Rodzicom za nieprzerwany strumień informacji o Josephie Banksie; oraz Margaret Lovegrove za entuzjazm wykazywany w chwilach, kiedy najbardziej go potrzebowałem.

Nie mogę w tym miejscu nie wymienić nazwisk historyków i naukowców, którzy pisali w przeszłości o Josephie Banksie — byli to przede wszystkim Averil Lysaght i James C. Greenway — gdyż bez ich wcześniejszych prac moja książka nigdy by nie powstała.

Spis treści

Wydawnictwo „Książnica" Sp. z o.o.
Al. W. Korfantego 51/8
40-160 Katowice
tel. (032) 203-99-05, 254-44-19
faks (032) 203-99-06
Sklep internetowy:
http://www.ksiaznica.com.pl
e-mail: ksiazki@ksiaznica.com.pl

Wydanie pierwsze
Katowice 2006

Skład i łamanie:
Z.U. Studio „P", Katowice